A impostura científica em dez lições

Michel de Pracontal

A impostura científica em dez lições

Tradução
Álvaro Lorencini

Título original em francês: *L'imposture scientifique en dix leçons*

Fundação Editora da Unesp (FEU)

Praça da Sé, 108
01001-900 – São Paulo – SP
Tel.: (0xx11) 3242-7171
Fax: (0xx11) 3242-7172
www.editoraunesp.com.br
www.livrariaunesp.com.br
feu@editora.unesp.br

Dados Internacionais de Catalogação na Publicação (CIP)
(Câmara Brasileira do Livro, SP, Brasil)

Pracontal, Michel de

A impostura científica em dez lições / Michel de Pracontal; tradução Álvaro Lorencini. – São Paulo: Editora Unesp, 2004.

Título original: L'imposture scientifique en dix leçons.
ISBN 85-7139-521-7

1. Erros científicos 2. Fraude na ciência 3. Impostores e impostura I. Título.

04-1193 CDD-306.45

Índice para catálogo sistemático:
1. Impostura científica: Sociologia 306.45

Editora afiliada:

Asociación de Editoriales Universitarias
de América Latina y el Caribe

Associação Brasileira de
Editoras Universitárias

Advertência

Contrariamente às aparências, este livro obedece a uma progressão lógica rigorosa. As páginas devem ser viradas da direita para a esquerda, e lidas linha por linha da esquerda para a direita (para as edições em hebreu e em árabe, é o inverso). Recomenda-se que sejam lidas começando de cima, mas cada um tem seu gosto. As dez lições podem ser abordadas em qualquer ordem, incluindo a ordem pública. O autor declina de toda responsabilidade no que concerne aos valores morais que não forem pagos no caixa.

Para Hélène, Nicolas e Théodore.
Para Jonathan.

Algumas definições

BALIVERNE [bobagem]: discurso fútil e vazio (*Dicionário Petit Robert*).

CHAMP [campo]: espaço aberto e plano (*Petit Robert*). Emprega-se em geral acompanhado de um adjetivo ou de um substantivo: campo vital, campo morfogenético, campo da consciência, campo motor, campo eletrostático, campo operatório, campo do possível (campo de partida é impróprio, campo hemorroidal é pouco usado). Principais sinônimos: onda, bioplasma, aura, energia, vibração, espremedor de batatas.

IMPOSTURE SCIENTIFIQUE [impostura científica]: 1) mentira que consiste em fazer passar por científico um discurso, uma teoria, uma tese, uma experiência, um dado, uma observação, um fato etc. que não é; 2) conteúdo dessa mentira. "A impostura científica é para a ciência verdadeira o que o Canadá dry* é para o álcool" (Gaston Bachelard).

* Canadá dry é uma bebida que tem cheiro de álcool, parece álcool, mas não é álcool. (N. T.)

PIPEAU*: flauta campestre (*Petit Robert*). "Como fazia um calor de trinta e três graus, o campo de consciência de Pécuchet era embalado pelo som da flauta" (Gustave Flaubert).

* No caso de "pipeau", o autor deixa intencionalmente de mencionar o sentido mais corrente da palavra, ou seja, *engodo, embuste, farsa, falcatrua,* em suma, a popular "cascata". Numa tentativa de preservar os dois sentidos, optamos aqui por traduzir "pipeau" por "flauta mágica", enquanto as expressões "joueur de pipeau" e "air de pipeau" foram respectivamente traduzidas por "tocador de flauta" e "solo de flauta". (N. T.)

Sumário

Introdução

A presente obra é uma nova versão, atualizada e enriquecida, de *L'imposture scientifique en dix leçons*, publicada pelo mesmo editor em 1986. Destinado a todo leitor curioso, cientista ou não, este manual básico pretendia ser um *vade-mecum* do engodo e da bobagem. Ao impostor novato, ele fornecerá todos os truques necessários para estrear. O charlatão confirmado descobrirá aqui técnicas sofisticadas que lhe permitirão aperfeiçoar-se. Ele aprenderá também a analisar os métodos que às vezes utiliza sem perceber. Muitos impostores exercem sua atividade como Monsieur Jourdain fazia prosa sem saber. Encontramos até impostores sinceros que acreditam realmente no que dizem. Estes encontrarão aqui os fundamentos conceituais de uma reflexão sobre sua própria prática. Aprenderão igualmente a desmascarar as imposturas dos outros. Um impostor prevenido vale por dois.

Uma pergunta se coloca imediatamente: este livro é imoral? Existem prós e contras. Difundindo as receitas da impostura científica, contribuímos para o seu desenvolvimento. Mas também as obstamos. Um público informado deixar-se-á iludir menos facilmente. O resultado final é difícil de prever. Eu acrescentaria que a impostura científica, apesar da conotação pejorativa do primeiro termo, apresenta numerosas vantagens. Principalmente:

1) a impostura científica custa muito menos que a verdadeira ciência. Você tem meios para adquirir uma nave espacial? Com um rolo de arame, é possível confeccionar um elegante chapéu piramidal que decuplica a inteligência e permite viajar, é bem verdade que interiormente, mas sem despesas e sem os riscos que correm os aparelhos da Nasa (já nem falo dos foguetes russos, a serem evitados em qualquer circunstância);

2) a impostura científica resolve a crise de energia: pensem na gasolina que pode fazer economizar um motor de moto-contínuo (o fato de jamais ter havido verdadeira crise de energia não muda nada no caso);

3) a impostura científica resolve o problema do desemprego. A causa direta desse flagelo reside no desenvolvimento dos computadores, dos robôs e dos automatismos, que trabalham melhor e mais rapidamente do que o homem, e suprimem assim os empregos. As máquinas maravilhosas que os impostores constroem não podem substituir o homem, porque elas não funcionam;

4) de maneira geral, a impostura resolve os Grandes Problemas da Humanidade. Ela cura o câncer com duas colheradas de chá, a Aids pela imposição das mãos, prediz nosso futuro e até nosso passado, indica-nos os números ganhadores da loteria, esclarece-nos sobre o Segredo da Vida.

Não obstante todos esses argumentos, temo que os integristas da Razão Positiva não estejam convencidos. Para esses irredutíveis, o ideal seria torcer o pescoço, pelo menos verbalmente, de todos os impostores da Terra. Só podemos aprovar quando eles estigmatizam as imposturas, felizmente minoritárias, que podem prejudicar alguém. Por exemplo, quando um cientista indelicado se apropria dos trabalhos de outro, ele lhe causa um prejuízo incontestável. Mais grave ainda, quando um biólogo carente de publicidade, Peter Duesberg (ver Lição 6), afirma contra toda evidência que a causa da Aids não é o HIV, ele semeia confusão de maneira perigosa. Ele incita pessoas crédulas a subestimar as medidas de prevenção apropriadas e os tratamentos mais eficazes para lutar contra essa enfermidade viral. Trata-se, evidentemente, de uma impostura potencialmente nociva.

Tais casos são raros. A grande maioria das imposturas é inofensiva ou só causa danos menores. Então, será que é judicioso combatê-las por meio do confronto brutal? A experiência mostra que, na maioria das vezes, dessa maneira só se consegue reforçar as convicções dos impostores e de seus adeptos. Há alguns anos, fui convidado a participar de um programa de televisão, "Direito de resposta", de Michel Polac, dedicado à paranormalidade. Com meu colega Jean-Michel Bader, éramos encarregados de fazer o papel dos "céticos" num palco composto na maioria por pessoas adeptas da existência de forças misteriosas e de poderes especiais. Na berlinda, o inefável Uri Geller, personagem que se tornou célebre afirmando que podia entortar colherinhas ou agir sobre relógios apenas com o poder do pensamento. Esses efeitos podiam ser obtidos de maneira totalmente natural graças a truques conhecidos por todo bom ilusionista, como demonstrou o prestidigitador Gérard Majax. Podemos acrescentar que, em várias ocasiões, Uri Geller foi surpreendido recorrendo mais à força de seu punho do que à do espírito.

Tudo isso não impediu de maneira nenhuma que Michel Polac apresentasse Uri Geller como um homem dotado de capacidades excepcionais, ilustradas ao longo do programa por uma série de números semelhantes aos que foram desmascarados por Gérard Majax. O auge do espetáculo foi o momento em que Geller dobrou ao meio um taco de golfe passando suavemente o dedo ao longo do metal. Os dois infelizes "céticos" tentaram argumentar que tais prodígios podiam ser explicados sem invocar nenhuma causa paranormal. Em vão: um discurso não podia ter o impacto espetacular de um passe de mágica bem executado. Se Geller tivesse aceito um desafio indiscutível, se tivesse se comprometido por exemplo a dobrar a Torre Eiffel precisamente às 23h15, ele poria todo mundo de acordo, num sentido ou no outro. Mas ele se colocava em situações que não punham absolutamente em risco seus poderes, e, mesmo que fosse o caso, era fácil para ele pretextar sua "má forma" para justificar um fracasso – como fez quando foi apanhado em flagrante delito de trapaça.

Em suma, a discussão transformou-se rapidamente em luta de *catch-catch* verbal e com vantagem para Geller. Pelo menos até o momento em que, tal como o cavaleiro negro, Majax irrompeu no palco, munido de um taco de golfe idêntico ao de Geller, cujo funcionamento ele mostrou diante da câmera: uma dobradiça permitia curvá-lo por um processo mecânico que não tinha nada de misterioso. Majax exibiu em seguida a fatura do taco falsificado bem como um documento provando que Geller o adquiriu no mesmo fornecedor – um especialista em artigos para prestidigitadores. Alguém pensará que depois desse esclarecimento o assunto estava resolvido. Talvez. O programa terminou com o habitual zunzum que caracterizava "Direito de resposta", e Michel Polac ficou com a palavra final: "Mas, minha colher, ele *realmente* entortou!".

Essa anedota é típica das situações bloqueadas em que geralmente terminam os confrontos entre os impostores e seus detratores. A maioria dos impostores, sinceros ou não, protegem-se por detrás de uma muralha de convicções contra a qual os melhores argumentos vão se despedaçar. Os ataques de seus adversários nada mais fazem do que reforçar suas certezas. Os cientistas não escapam dessas reações, a despeito do clichê obstinado segundo o qual eles seriam verdadeiros santos laicos, encarnações vivas do Rigor e da Imparcialidade. Não existe nenhuma razão para que os sábios pairem acima das paixões que animam o comum dos mortais, mesmo que muitas pessoas queiram que seja assim.

Diante de tais bloqueios, não é certo se a réplica mais judiciosa é a atitude rígida, "puritana", do militante racionalista ou do cruzado da verdade científica. É nas sociedades puritanas que a pornografia exerce a mais forte fascinação. Um "puritanismo da ciência" pode apenas reforçar o fenômeno da impostura. Parece mais astucioso inspirar-se em estratégias paradoxais como a "prescrição do sintoma" descrita pelo psicólogo Paul Watzlawick, chefe de fila da célebre escola de Palo Alto. No seu livro *Le langage du changement*[1] [*A linguagem da mudança*], Watzlawick cita o exemplo de uma paciente que participa de uma terapia de grupo, e cujo sintoma consiste numa incapacidade de dizer não. O terapeuta lhe prescreve seu sintoma, pedindo-lhe que negue alguma coisa dirigindo-se a cada membro do grupo. Reação violenta: "Não! É impossível para mim dizer 'não' às pessoas". A prescrição do sintoma leva assim a paciente a perceber que ela é perfeitamente capaz de recusar. Esse tipo de processo paradoxal funciona às vezes melhor do que qualquer outro método.

Certamente não basta encorajar a impostura científica para vê-la desaparecer de nosso universo cultural. Não nos livramos de um fenômeno tão constante e tão difundido pelo simples recurso a uma técnica de comunicação, por mais engenhosa que seja. O mais interessante, aliás, não é tanto combater as imposturas quanto compreender as razões de seu sucesso. É tentador invocar a falta de cultura científica. Por ocasião de uma pesquisa realizada na França em 1982,[2] foi feita a pergunta:

---

1 Paul Watzlawick, *Le langage du changement*, Paris: Seuil, 1980.

2 Pesquisa IFOP realizada com o apoio do CNRS, segundo um estudo de Jean-Noël Kapferer e B. Dubois. Encontra-se uma resenha num artigo de Michel Rouzé, "Les mythes ont la vie dure", *Science et Vie*, n.776, maio de 1982.

"O Sol gira em torno da Terra?". Mais de um terço dos consultados respondeu sim. Ignorância crassa? Quando se detalham os resultados da pesquisa, percebe-se que um bom número dos "pré-copernicanos" fez curso secundário ou superior. Entre estes últimos, mais da metade recebeu uma formação científica ou técnica. O nível científico dos impostores varia do autodidata completo ao pesquisador de renome internacional. Mais de um Prêmio Nobel deixou-se encantar pela música da flauta mágica.

A ausência de correlação entre o nível de cultura científica e o ceticismo em face das forças do além é confirmada pelos trabalhos dos sociólogos Daniel Boy e Guy Michelat. Desde 1982, esses dois pesquisadores analisam as atitudes dos franceses em relação às "paraciências". Comentando os resultados de uma pesquisa realizada pela Sofres em janeiro de 1993, eles escrevem:[3]

> Os resultados obtidos hoje indicam a amplitude notável do fenômeno de crença nas paraciências ... mais da metade da população interrogada crê na "transmissão de pensamento" ou nas curas por magnetizadores; 46%, na explicação dos temperamentos pelos signos astrológicos; e 19%, em bruxaria. Enfim, entre um terço e um quarto dos franceses considera possível a adivinhação, pela astrologia, pelas linhas da mão ou pela vidência. Acrescentemos que uma pesquisa realizada há cinco anos indica uma certa progressão da porcentagem das pessoas que declaram acreditar nos fenômenos paranormais.

As crenças variam fortemente segundo o sexo, a idade, e os grupos socioprofissionais: as mulheres creem mais na paranormalidade do que os homens, e os jovens mais que os idosos; os estudantes e os executivos são muito atraídos pelo

---

3 Ver *La pensée scientifique et les parasciences*, Atas do Colóquio de La Villette de 24-25 de fevereiro de 1993, Albin Michel, 1993.

paranormal, e os pequenos comerciantes e os artesãos pela astrologia. O ponto crucial reside na constatação de que a ciência e a técnica não fizeram recuar as crenças irracionais, e parecem até favorecê-las: "Se admitirmos que o desenvolvimento dos conhecimentos científicos e a difusão do saber provocariam o declínio das crenças no irracional, era de esperar que houvesse incompatibilidade entre ciência e crença nas paraciências", prosseguem Daniel Boy e Guy Michelat. "Ora, constatamos que não é nada disso. Muito ao contrário, quanto mais alguém se interessa pela ciência, mais acredita no paranormal e na astrologia. Interessa-se tanto pela ciência quanto queriam ver seus limites rejeitados. Para esses 'crentes', as paraciências representam, portanto, aquilo que se situa para além da 'ciência oficial', e aquilo que é considerado atualmente como paraciência amanhã certamente se tornará ciência. Assim, quase a metade dos franceses julga que a ciência admitirá um dia a realidade da transmissão de pensamento, da influência dos astros sobre o temperamento e dos óvnis".

Pode-se acrescentar que os Estados Unidos, país onde a cultura científica e técnica é mais desenvolvida do que entre nós, são também o Eldorado dos impostores e dos charlatães de toda espécie. Notemos igualmente que o cinema e a televisão apresentam um número crescente de obras de ficção que misturam levianamente o imaginário da ciência com o do além, das forças obscuras ou da magia. O sucesso da série "Arquivo X" e de filmes como *A bruxa de Blair*, *Sexto sentido*, *O quinto elemento* ou *Caça-fantasmas* é apenas ilustração de uma tendência maciça que demonstra, a golpes de efeitos especiais, a ausência de conflito, sobretudo entre os jovens espectadores, entre universo *high tech* e sobrenatural. Em suma, a falta de conhecimentos aparece como um aspecto secundário do fenômeno. O espírito científico não é proporcional à quantidade de saber acumulado. Os mecanismos de adesão à impostura põem em jogo nossa relação com a verdade e o erro, com o autêntico e o simulacro, nossa maneira de separar o real da fantasia, a razão da loucura. À sua maneira, os impostores nos dizem muita coisa sobre nossos modos de pensar, nossas crenças, nossos pressupostos, nossa visão do mundo.

Existe aqui um novelo apaixonante a ser desembaraçado, um tema de pesquisa de uma riqueza imensa. De minha parte, nada mais fiz do que puxar alguns fios. Os leitores da primeira versão reencontrarão aqui, além da maioria dos exemplos que figuravam na edição de 1986, grande número de histórias novas que ocorreram depois, como a da fusão fria, da memória da água ou do "gene *gay*". Por preocupação de não aumentar demais o volume da obra, suprimi certos relatos demasiado datados e abreviei outros. Também atualizei certos assuntos que tiveram importantes desenvolvimentos, como a polêmica sobre o vírus da Aids.

Há uma dificuldade em "revisitar" com um olhar ainda cândido uma temática que se explorou quinze anos antes. Como escapar à impressão de se repetir, de repisar? Como permanecer fiel ao espírito de um texto escrito de longa data, quando inevitavelmente não se percebem mais as coisas exatamente da mesma maneira? Para minha surpresa, esse obstáculo aplanou-se tão logo tornei a mergulhar no assunto, principalmente porque me dei conta de que esse tema não havia perdido nada de sua atualidade, muito ao contrário. "Longe de apresentar-se como um fenômeno marginal, a impostura científica tende hoje a tornar-se a norma intelectual, e é a atitude científica que aparece como prática desviante", escrevia eu na quarta capa do primeiro livro. Na época, essa fórmula parecia-me um tanto provocativa, talvez exagerada. Não somente não a renego, como ela me parece mais exata do que nunca. E isso, por duas razões principais: de um lado, como vimos, a adesão às pseudo e paraciências não cessa de reforçar-se no público, sobretudo o público jovem e instruído; de outro, o número de casos de fraudes científicas, de "má conduta" dos pesquisadores e de falsas descobertas está em alta, tendência ligada à midiatização crescente da pesquisa e à concorrência exacerbada entre cientistas.

A conjunção desses dois movimentos, numa cultura supermidiatizada, que atribui grande credibilidade à ciência ou ao que se passa por científico, enquanto regida pela ditadura do mercado e dos índices de audiência, torna cada vez mais difícil a tarefa de separar o verdadeiro do falso. Quando o impacto da mensagem acaba por predominar sobre o seu conteúdo, o real se enfraquece. É preciso ser particularmente teimoso, ou inconsciente, para persistir afirmando que o carvão é preto e que dois mais dois são quatro!

Uma crítica que me foi feita quando da primeira publicação referia-se à minha definição da impostura científica: reunir numa mesma rubrica os discursos pseudocientíficos de charlatães, as elucubrações de autodidatas e as fraudes de cientistas profissionais, por acaso não é uma categoria "saco de gatos" sobre a qual se pode dizer tudo ou nada? Refletindo bem, não penso assim. Essa categoria aparentemente muito heterogênea é constituída por dois grandes "filões", as ciências mágicas ou "neomágicas" e as diferentes formas de trapaça. Ora, esses dois filões estão mais próximos do que parecem. Quem acredita nas forças sobrenaturais conta com elas para moldar a realidade aos seus desejos, enquanto o fraudador recorre a uma falsificação ou a uma transgressão para obter o mesmo resultado.

O que há em comum entre os conselhos médicos de Rika Zarai, que afirma que "a célula se dissolve diante do limão", os criacionistas que sustentam que a narrativa do Gênese é uma maneira tão pertinente quanto a teoria de Darwin para explicar o aparecimento dos seres vivos, e a manobra de Robert Gallo apropriando-se da descoberta do vírus da Aids "esquecendo" que utilizou a cepa isolada no Instituto Pasteur? Nesses três casos manifesta-se uma forma de desprezo pelo real, ou sobretudo das condições em que podemos apreendê-lo. Tornar objetiva uma parte da realidade, construir um conjunto de fatos coerentes, tentando introduzir o mínimo de distorção possível, é a difícil ascese do cientista. Rika Zarai, os criacionistas e Robert Gallo não hesitam em torcer o real quando ele não lhes convém. Essa tendência a deformar o fio reto das coisas constitui, a meu ver, o cerne do problema estudado neste livro.

Os homens de ciência não estão mais bem preparados que qualquer outro contra a tentação de tomar seus desejos pela realidade. A boa ciência é um exercício difícil, sobretudo para os cientistas! Mas a complexidade da pesquisa contemporânea é tamanha que não se pode esperar fazer ciência sem ser cientista. Não há nenhum Monsieur Jourdain da matemática, da química ou da biologia. Não se trata absolutamente de concluir que os sábios são os únicos detentores da verdade: essa crença bastante difundida, às vezes alimentada pelos cientistas, é a primeira das imposturas. Ela equivale a fazer da ciência uma nova Igreja, cujos sacerdotes seriam os pesquisadores. A acusação foi feita pelo filósofo das ciências Paul Feyerabend, que declara sem rebuços que a ciência é "a mais recente, a mais dogmática e a mais agressiva das instituições religiosas".[4] Sem negar os rigorismos e os embaraços provocados pelas instituições científicas, esse julgamento parece excessivo. Qual religião dogmática aceita submeter seus dogmas à prova dos fatos?

Todo o valor da conduta científica reside na busca de uma verdade precária, parcial, fragmentária, mas que se formula em termos objetivos e compartilháveis. E que pode a qualquer momento ser reposta em questão por um elemento novo. Que certos cientistas traiam o ideal de objetividade e de imparcialidade não justifica a recusa global da conduta. Inversamente,

---

4 Paul Feyerabend, *Contre la méthode. Esquisse d'une théorie anarchiste de la connaissance*, traduzido do inglês por Baudouin Jurdant e Agnès Schlumberger, Paris: Seuil, 1979. [ed. bras.: *Contra o método*. Trad. Octanny S. da Mota, Leonidas Hogenberg. Rio de Janeiro: Livr. Francisco Alves, 1977].

criticar a impostura não implica uma submissão à Ciência com C maiúsculo – a qual não passa de uma abstração sem relação com a pluralidade das disciplinas e das abordagens científicas. Em contrapartida, essa crítica constitui, a meu ver, uma preliminar útil, se não necessária, a qualquer crítica mais aprofundada da própria conduta científica. Ou, se preferirmos, não é porque os cientistas cometem erros que estamos autorizados a relatar seja o que for. Como disse o prestidigitador americano James Randi, que pratica como Gérard Majax a desmistificação das *performances* sobrenaturais: "Eu quero muito ter o espírito aberto, mas não ao ponto de ter um buraco na cabeça".

Para concluir, queria salientar que fiz, antes de tudo, obra de jornalista, o que me impõe uma certa modéstia. Não tenho pretensão nem à exaustividade nem a uma perfeita objetividade, duas qualidades que no meu ofício remetem à ilusão e ao voto piedoso. Em compensação, esforcei-me para expor honesta e subjetivamente o que me parecia importante, sem procurar separar demais o joio do trigo. Como diz Miss Marple, a velha senhora sagaz dos romances de Agatha Christie: "As pessoas não são nem boas nem más, elas são simplesmente astutas".

Agradecimentos

Este livro reúne elementos recolhidos ao longo de meu percurso de jornalista científico, iniciado em 1978. Ele foi alimentado pelo meu intercâmbio com o mundo da pesquisa científica, bem como com meus colegas jornalistas, meus amigos e meu círculo – sob a forma de entrevistas, conversações, discussões intermitentes, influências mais ou menos explicáveis, e até mesmo transmissões de pensamento. É impossível citar exaustivamente aqueles que contribuíram, às vezes sem saber, para esta longa investigação. Sob pena de demonstrar ingratidão para com aqueles que estou esquecendo, gostaria de agradecer particularmente a Stella Baruk, Marcel Blanc, Henri Broch, Anne-Marie Casteret, Gérard Chauvel, Jean-Jacques Chiquelin, Michel Duyme, Marcel Froissart, Walter Gehring, Patrick Greussay, Jean Guenot, Jean Jacques, Thierry Juteau, Axel Kahn, Marcel-Francis Kahn, Claude Kordon, François Landon, André Langaney, Natalie Levisalles, Anne Lévy, Jean-Marc Lévy-Leblond, Gérard Majax, Douglas Morrison, Jean-Claude Pecker, Philippe Roqueplo, Lionel Rotenberg, Pierre Sonigo, Pierre-André Taguieff, Hervé This, Suzanne Tyc-Dumont, Harald Wertz.

Agradeço igualmente ao meu editor, François Gèze, que, por seu entusiasmo comunicativo, seus conselhos esclarecidos e suas pressões psicológicas moderadas, soube me convencer a terminar este livro num prazo (quase) razoável.

Devo a Josette o fato de ter escrito a primeira versão deste livro. Também sou devedor de meus antigos colegas de *Science et Vie* e de *L'Événement du Jeudi*, com os quais aprendi as bases do meu ofício. Desde 1990, minha presença no *Nouvel Observateur* ofereceu-me o inestimável privilégio de conduzir um trabalho de investigação sobre assuntos científicos com forte implicação social, como o caso do sangue contaminado. Este trabalho modificou profundamente minha percepção da informação científica e influenciou o conteúdo do livro.

Enfim, devo 22 francos ao dono da banca de jornais da esquina, que amavelmente me cedeu uma revista feminina cujo nome calarei, a fim de que eu pudesse verificar se meu horóscopo era favorável para a publicação desta obra no começo do ano de 2001.

Lição 1
As Verdadeiras Perguntas, farás

Mensagem n.1:
Senhores sábios, os senhores podem explicar A ORIGEM DA MATÉRIA E DA ENERGIA?

NÓS PODEMOS.

Mensagem n.2:
Senhores sábios, os senhores podem explicar A ORIGEM DA GRAVITAÇÃO?

NÓS PODEMOS.

Mensagem n.3:
Senhores sábios, os senhores podem explicar A ORIGEM DO PENSAMENTO?

NÓS PODEMOS.

Mensagem n.4:
A TEORIA DO "*BIG-BANG*" é uma impossibilidade porque a ENERGIA ORIGINAL é ao mesmo tempo ATRATIVA e REPULSIVA, o que impede a supergravitação.

Os senhores sabem como verificar essa informação.

Mensagem n.5:
Senhores teólogos, DEUS não é o criador do Universo, mas é A FINALIDADE.

Nós podemos prová-lo, depois da descoberta da origem do espírito.

Mensagem n.6:
- A consciência é imortal
  (sua origem o demonstra)
- Ela engendra corpos efêmeros
  (nós sabemos por quê)
- Ela necessita desses corpos para atingir a FINALIDADE que sua origem supõe.

A REENCARNAÇÃO É, PORTANTO, UMA CERTEZA CIENTÍFICA.

Os senhores sabem como verificar essa informação.

Mensagem n.7:
O NASCIMENTO DE UMA NOVA CIÊNCIA (a egologia, ciência do espírito) É UM GRANDE ACONTECIMENTO.

O SENHOR É UM GRANDE JORNALISTA
VENHA AO NOSSO ENCONTRO.

A causa não pode ser observada

Essas mensagens reproduzem uma correspondência dirigida em 1985 ao *Événement du Jeudi*, onde eu exercia então a improvável função de cronista científico. O suspense durou uma semana. Toda manhã, uma folha xerocopiada aterrissava em minha mesa. Como representante autodesignado do Saber, eu me sentia diretamente envolvido por essas interpelações lapidares. Mesmo promovido à categoria de Grande Jornalista, eu tinha que confessar uma profunda perplexidade. Ela apenas se agravou quando conheci a origem das mensagens: elas provinham de Léon Raoul Hatem e seu filho Frank, que se apresentavam como dois pesquisadores franceses e propunham aos curiosos que adquirissem um livro intitulado *Quando a reencarnação se torna uma certeza científica.*[1]

Ninguém tem vontade de morrer idiota, sobretudo se corre o risco de reencarnar como tupinambá. Empreendi então a leitura da espantosa obra. Ela se abria com um raciocínio de uma lógica implacável: "É evidente que as leis da Física não são aplicáveis antes que o universo físico exista. A ciência clássica é totalmente centrada sobre a matéria, sobre aquilo que é observável. Foi a partir do universo tal como ele é que ela deduziu suas regras. Ela não poderia explicar a causa dessas regras. PORQUE A CAUSA NÃO PODE SER OBSERVADA".

Mesmo sem letras maiúsculas, o espírito mais cartesiano não encontrava aí nada a replicar. Mas essas robustas premissas acarretavam conclusões desconcertantes. A morte, a matéria, o próprio Deus nada mais eram que vulgares superstições das quais a humanidade devia ser curada. A gravitação newtoniana resultava da "desgravitação" ("fenômeno de liberação magnética que se produz entre polos afastados girando sobre si mesmos próximos um do outro"). Uma "energia dualista única, responsável ao mesmo tempo pela rotação da terra e pela felicidade amorosa de seus habitantes", engendrava todos os fenômenos do universo.

Essa energia nada mais era do que o nada. "Com efeito, dois valores opostos, sejam quais forem, dão sempre zero." De tal maneira que o nada era ao mesmo tempo a origem e a finalidade da existência. Em outras palavras, partir de zero não levava a muita coisa. Mas por qual caminho?

O que havia antes do *Big-Bang*?

Partir de zero é o meio mais seguro de chegar a uma Verdadeira Pergunta. Atenção: não confundir "boa pergunta" com

1 Frank Hatem, *Quand la réincarnation devient une certitude scientifique*, Neuilly--sur-Marne: Ganymède, 1985.

"Verdadeira Pergunta". Na primeira página do *France-Soir* de 11 de outubro de 1979, lia-se: "A rainha da Inglaterra lava os cabelos uma vez por semana. É suficiente?". Exemplo típico de boa pergunta. Na vida de todos os dias, nós as encontramos a todo instante. O governo é nulo? O que é essa dor arraigada ao redor do plexo? Uma colher de café colocada no gargalo de uma garrafa de champanhe aberta permite conservar as borbulhas? Etc.

As boas perguntas pertencem ao domínio público, ao cotidiano. Elas são muito úteis, mas não passam de perguntas menores. Quase sempre há uma resposta. Quando você não sabe, consulte, nesta ordem: seu cônjuge, seu banqueiro, seu mecânico, seu patrão, sua zeladora, a *Encyclopaedia Universalis*, seu médico, um padre (ou um pastor, um rabino, um imã), Rika Zarai.

As Verdadeiras Perguntas têm uma importância totalmente diferente. Elas dizem respeito ao sentido da vida. Elas nos despojam de nossas frágeis certezas, de nossas mesquinhas convicções, e nos põem em confronto com a vertigem de nossa insondável ignorância. Qual é a origem da matéria e da energia? Grande, pequeno ou de tamanho médio, o jornalista não sabe nada a esse respeito. Ele se volta para o homem de ciência e lhe repete a pergunta. Senhor sábio, o senhor pode me explicar de onde vem o universo?

Sim e não, responde o sábio, que gosta das respostas dúbias à maneira dos normandos. O astrofísico nos ensina que o mundo saiu de uma formidável explosão original, o *Big-Bang*. Instante zero: toda a matéria do universo acha-se concentrada num "ovo cósmico" de uma densidade e de uma temperatura colossais. Uma fração de segundo mais tarde, o ovo explode, dando origem a uma gigantesca sopa de partículas e de radiação. Galáxia, estrelas e planetas são os grumos dessa sopa, resfriada durante quinze bilhões de anos.

Se aceitarmos o ovo cósmico, a "simplicidade inicial", é possível explicar, *grosso modo*, o desenvolvimento dos quinze bilhões que se seguem. Isso não é perfeito, restam pontos obscuros, mas podemos elucidá-los com o auxílio de teorias muito sofisticadas como a das "supercordas".[2] Só que: de onde vem o ovo? Não de uma galinha, certamente. Pergunta sem objeto, diz o sábio. O próprio tempo começa com o *Big-Bang*. Não cabe perguntar o que havia antes. Você acha essa pergunta expeditiva? Ela é. Aliás, certos astrofísicos propõem variantes. Para uns, a sopa cósmica passa por uma série infinita de ciclos expansão-contração-explosão. Outros representam o universo como a parte imersa de um *iceberg* perdido no oceano da eternidade.

Nenhuma dessas soluções é satisfatória. Elas apenas afastam o problema. Se a sopa cósmica sempre existiu, o que causou a sua existência? Se o mundo é um *iceberg*, o que o impede de derreter? De uma maneira ou de outra, a pergunta sobre o que havia antes do *Big-Bang* permanece como um obstáculo no caminho do conhecimento. Como observa o astrofísico Hubert Reeves: "Não é uma pergunta a que a ciência pode responder, mas vê-se ao mesmo tempo que é uma pergunta que ela suscita".[3] Decepcionante. De que vale remontar a bilhões de anos, se é para tropeçar na primeira dificuldade séria?

O que a Grande Pirâmide tem de tão grande?

O exemplo do *Big-Bang* confirma o que já se pressentia: quando se trata de Verdadeiras Perguntas, a ciência fica de lado. Para dizer tudo, ela não responde sequer às boas perguntas. Tente encontrar um cientista capaz de explicar por que as atrizes

2 Para uma exposição sobre as supercordas, ver Brian Greene, *L'univers élégant*, Paris: Robert Laffont, 1999 [ed. bras.: *O universo galante*. São Paulo: Companhia das Letras, 2001].

3 Hubert Reeves, em *Sciences et Symboles*, Paris: Albin Michel, France-Culture, 1986.

americanas mostram sempre os dentes quando sorriem, como se se preparassem para morder a parte baixa de suas costas (hipótese otimista). Com certeza, os sábios têm coisa melhor a fazer do que se ocupar com nossos pequenos problemas. Ninguém contesta o valor da relatividade, da física quântica e do talento genético. Mas essas soberbas construções têm pouco a ver com as preocupações do bípede comum.

Só podemos subscrever o diagnóstico irreverente do escritor americano John Sladek:

> O problema da ciência contemporânea é que ela fornece as respostas a todas as más perguntas. Ninguém pergunta se o laser é ou não é um feixe de energia coerente que opera nos limites do espectro luminoso. Ninguém quer que lhe tornem preciso o campo da ontogênese, nem saber se E é *realmente* igual a mc^2. Já é tempo de os cientistas saírem de seus laboratórios de marfim, deixarem de brincar com os microprocessadores ou com a análise transacional e se dedicarem a alguns dos verdadeiros mistérios de nossa época.[4]

Severo, mas justo. No mesmo texto – uma novela de ficção científica intitulada "Sete grandes mistérios inexplicados" –, Sladek interroga-se sobre a Grande Pirâmide – o que ela tem afinal de tão grande? –, sobre as predições de Nostradamus e sobre a autenticidade do sudário de Nápoles – idêntico ao de Turim, mas disposto em três colorações. Nenhum desses enigmas recebeu o menor esboço de solução científica.

Na sua *História natural do sobrenatural,*[5] *best-seller* dos anos 70 que se pode comparar ao *Despertar dos mágicos* de Pauwels e Bergier, Lyall Watson relata experiências interessantes. Watson constrói uma maquete de papelão reproduzindo exatamente as

4 John Sladek, "Sept grands mystères inexpliqués", *Science-Fiction*, n.2, junho de 1984.

5 Lyall Watson, *Histoire naturelle du surnaturel*, Paris: Albin Michel, 1974.

proporções da Grande Pirâmide. Ele coloca uma lâmina de barbear pouco afiada sob a maquete, de tal maneira que os dois gumes fiquem orientados para o leste e para o oeste. Sem outra intervenção, a lâmina volta a ficar afiada ao fim de algumas horas. "Até aqui, meu recorde com as lâminas Wilkinson Sword é de quatro meses de uso cotidiano contínuo", nota Watson, que julga que "os fabricantes não vão gostar disso nem um pouco".

Esse fenômeno é um desafio a todas as leis conhecidas e desconhecidas da física. O autor supõe que a pirâmide "edifica" um campo magnético, pelo fato de que sua forma se assemelha muito à de um cristal de magnetita. Sedutor, mas contestável: uma galinha de chocolate tem a forma de uma galinha de verdade, mas não bota ovos.

Outros prodígios se manifestam no "sobrenatural" de Lyall Watson: "constatei que a velocidade de desidratação das matérias orgânicas depende muito da substância envolvida e das condições meteorológicas" – escreve nosso autor – "isso seria de esperar; entretanto, tentei manter os mesmos objetos – ovos, carne, ratos mortos – ao mesmo tempo numa pirâmide e numa caixa de sapato comum; ora, os da pirâmide conservaram-se muito bem enquanto os da caixa de sapato não demoraram a cheirar mal e foi preciso jogá-los fora. Isso me obriga a concluir que a pirâmide de Quéops não é uma disposição fortuita do papel, mas possui efetivamente propriedades particulares".

É certamente inútil procurar convencer Lyall Watson do contrário. Proponho-lhe em vez disso seguir seu conselho e tentar você mesmo (ver exercícios 2 e 3 no fim desta Lição). De minha parte, tentei melhorar minhas *performances* de escritor colocando na cabeça um chapéu piramidal. Para decepção minha, nem por isso meu estilo ficou mais afiado. A experiência certamente foi perturbada pela hilaridade das pessoas ao meu redor, pouco abertas à novidade.

Detenhamo-nos um instante sobre aquilo que Sladek considera como o Enigma número 1: os homenzinhos verdes existem de fato? Desde 1954, mais de mil aterrissagens de extraterrestres foram assinaladas na França e 7% de nossos compatriotas teriam visto alguns óvnis. O pior nem sempre é certo, mas Sladek declara-se convencido de que "civilizações extraterrestres esforçam-se para entrar em contato com a Terra, provavelmente para pedir dinheiro emprestado".

O que dizem os cientistas? O astrônomo americano Frank Drake realizou em 1959 a primeira tentativa experimental para detectar sinais rádio extraterrestres de origem artificial. Ele utilizou um receptor adaptado para receber ondas de rádio das duas estrelas menos distantes que se assemelhavam mais ao nosso Sol. Para grande surpresa sua, a segunda estrela deu "um resultado tão espetacular que Drake recusou-se a crer", segundo o astrônomo Jean Heidmann.[6] "Ele descobriu em seguida, após verificações, que os sinais que tinha captado provinham dos aviões U2, aviões estratosféricos de observação militar cujos voos eram secretos na época, [e que se tornaram] célebres desde a infelicidade de um deles sobre o Oural", relata Heidmann. "Esses aviões voavam a uma altitude de vinte mil metros." Desde essa primeira tentativa, todos os ensaios para detectar os sinais de uma eventual civilização vinda de algum lugar fracassaram, apesar do lançamento, sob o impulso de pesquisadores americanos, do programa internacional SETI (Search for Extraterrestrial Intelligence).

Nada garante, claro, que o desejo principal dos extraterrestres, se é que eles existem, seja de entrar em comunicação conosco. Os pesquisadores do projeto SETI classificam as hipotéticas civilizações extraterrestres em tipo I, II e III, segundo seu grau de desenvolvimento, o tipo I sendo já amplamente mais evoluído que a humanidade. As civilizações de tipo II supos-

6 Jean Heidmann, *La vie dans l'univers*, Paris: Hachette, 1990 [ed. port.: *A vida no universo*. Lisboa: Terramar, 1991].

tamente dispõem de uma tecnologia que as torna indestrutíveis, já que podem evitar qualquer desastre ecológico ou astronômico. Como são indestrutíveis, elas devem logicamente ser as mais difundidas. Espera-se também que elas produzam bilhões de sinais eletromagnéticos. "Ironicamente, porém, nossa galáxia poderia pulular de civilizações que escaparam à detecção por nossos radiotelescópios – talvez porque em vez de transmitir numa frequência, o que é terrivelmente ineficaz, elas teriam optado pelo método muito mais eficiente de embaralhar suas mensagens sobre o conjunto da faixa rádio para decifrá-las em seguida no polo de recepção",[7] escreve Michio Kaku, professor de Física Teórica no City College de Nova York. "Se nos acontecesse de perceber mensagens assim embaralhadas, ouviríamos apenas uma algaravia, não discernível do ruído."

Quantos *aliens* desconhecidos nos dão sinal dessa maneira? Em 1961, Frank Drake calculou que $N = E \times f_p \times f_B \times f_M \times f_d \times f_l \times f_c \times t_c$. N representa o número de civilizações extraterrestres na galáxia; E, o número de estrelas que nascem cada ano; t_c, a duração média de uma civilização. Os diversos f correspondem às possibilidades de que uma determinada estrela tenha pelo menos um planeta, que este tenha uma boa massa e esteja a uma boa distância, e assim por diante. A fórmula de Drake permite afirmar que, sem contar a Terra, há exatamente entre zero e dez bilhões de planetas abrigando uma vida inteligente. Obrigado pela precisão! Mais recentemente, apoiando-se em conhecimentos acumulados há quarenta anos, Drake avançou ainda mais, estimando que havia "cerca de dez mil civilizações em nossa galáxia",[8] reconhecendo que uma avaliação séria é muito difícil. De fato, cada um dos parâmetros da

7 Michio Kaku, *Visions*, Paris: Albin Michel, 1999 [ed. port. *Visões*. Editorial Bizancio, 1998].

8 Entrevista em *DSV*, fora de série, "Ovnis, nouvelles évidences", primavera de 2000.

fórmula de Drake contém uma tal incerteza que substituir N por um número preciso parece bastante arbitrário. Quanto ao problema de saber se a própria Terra abriga uma vida inteligente, ele permanece inteiro.

Tudo isso parece muito frustrante. O leitor pensará talvez que escolhi de propósito as perguntas mais difíceis, só para aborrecer os cientistas. Isso é totalmente falso. Simplesmente, a ciência só propõe respostas que são possíveis de testar no mundo real. Felizmente, para cultivar as flores do impossível, restam-nos os infinitos recursos da impostura científica.

Os cinco sentidos do impostor

Como acontece com a oportunidade, a Verdadeira Pergunta se agarra pelos cabelos. Para fazê-la ou responder a ela, não há método nem receita infalível. Flexibilidade, receptividade, *feeling* são de regra. O impostor debutante deverá libertar seu espírito desajeitado da ganga cartesiana. Ele se esforçará para despertar certas faculdades esquecidas que amplificam e ultrapassam os cinco sentidos habituais.

O sentido da relação fulgurante

Tome dois enigmas, aparentemente sem relação: o desaparecimento dos dinossauros e as pedras gravadas da cidade de Ica, no Peru. Considerados separadamente, eles são igualmente insolúveis. Uma relação fulgurante permite não apenas resolver ambos, mas também fazer surgir uma verdadeira pergunta. Com efeito:

1) As pedras de Ica são velhas, muito velhas, certamente anteriores ao aparecimento do homem. Seus desenhos misteriosos foram gravados por Seres de Outros Mundos, a fim de nos instruir, vermes miseráveis que somos.

2) Sobre uma das pedras, notam-se claramente cosmonautas extraterrestres praticando uma intervenção cirúrgica destinada a diminuir o tamanho dos dinossauros. "Uma intervenção indispensável para conciliar a vida do homem e a supremacia titânica dos enormes animais muito vorazes e ameaçadores", esclarece um folheto assinado por um tal Eugenio Siragusa, que define a si próprio como um "amigo do homem".

3) Por conseguinte, *os dinossauros não desapareceram, eles simplesmente se tornaram pequeninos.* Sem a benevolência dos Jardineiros do Cosmos, eles teriam permanecido enormes e nos teriam comido crus.

Podemos discutir se as gravuras de Ica são *realmente* tão velhas assim. Segundo o físico Henri Broch, elas seriam obra de "antigos alunos da Escola de Belas Artes de Lima",[9] cuja construção é nitidamente posterior ao Cretáceo. Esse detalhe não deve nos desviar da Verdadeira Pergunta: estamos nós prontos para receber a mensagem da Inteligência Suprema?

O sentido das Causas Ocultas

Por que temos medo dos tremores de terra? Certamente não é porque o prédio da frente corre o risco de cair sobre a nossa cara. Os coelhos também têm medo, embora raramente residam em arranha-céus.

Sem dúvida nenhuma, esse pânico irracional é devido a uma Causa Oculta. Descobri-la não é tão difícil quanto se poderia crer, já que só existem três Causas Ocultas: a eletricidade, o magnetismo e as baixas frequências. Raciocinemos: um abalo sísmico produz infrassons, ou seja, ondas acústicas que têm

9 Henri Broch, *Le paranormal*, Paris: Seuil, 1985.

uma frequência baixa demais para serem percebidas como sons. Se os japoneses utilizam desde a noite dos tempos peixes vermelhos como sistema de alarme antissísmico é justamente porque os peixes detectam os infrassons. Quando eles começam a agitar-se freneticamente no seu aquário, podemos estar certos de que o abalo não vai demorar.

Os infrassons são nosso suspeito número 1 como Causa Oculta do medo dos tremores de terra. As baixas frequências têm uma misteriosa ação psicofisiológica. Em apoio a essa tese, Lyall Watson cita o caso do engenheiro marselhês Gavraud, que era tomado por violentas náuseas cada vez que se instalava em seu escritório. Gavraud, relata Watson, percebeu que a sala vibrava em ressonância com uma instalação de ar-condicionado situada do outro lado da rua, ao ritmo de sete ciclos por segundo. A fim de tirar a coisa a limpo, o engenheiro teria construído um apito de rodinhas com dois metros de comprimento, acionado por ar comprimido. Sempre segundo Watson, o técnico que fez a primeira tentativa caiu morto imediatamente. "A autópsia revelou que todos os seus órgãos internos tinham sido moídos numa geleia amorfa pelas vibrações", escreve nosso autor.

Não pude encontrar confirmação desse relato, mas, a crer na *Encyclopaedia Universalis*, "um ruído de intensidade muito alta (160 dB ou 1 W/cm^2, 170 dB ou 10 W/cm^2) e mais ainda um ultrassom próximo põem em ação uma quantidade de energia suficiente para provocar o aquecimento corporal e a morte rápida do animal exposto". Observe-se que não se trata de baixas frequências, já que o perigo vem sobretudo dos ultrassons, portanto das altas frequências. Lógico: a energia da vibração é tanto maior quanto a frequência é elevada. Aliás, os frequentadores de boates ou de concertos de rock sabem muito bem que as altas frequências são as mais agressivas ao ouvido. Os infrassons podem provocar sensações estranhas de vibração, mas não deixam ninguém surdo. Seria espantoso que eles pudessem transformar as vísceras em geleia. Em compensação, o bom senso sugere que, se os coelhos percebem as baixas frequências emitidas por ocasião de um abalo sísmico, eles devem perceber que algo de anormal está acontecendo, o que é causa suficiente de pânico.

O sobrenatural, no entanto, zomba do bom-senso, bem como das leis da acústica: "O fato de que as frequências (das ondas sísmicas) coincidam com as que agitam e deixam doente explicaria o temor selvagem, irracional, que acompanha um tremor de terra", conclui Watson, que confunde o efeito e a causa com uma facilidade... confundível!

O sentido dos indícios sutis

A ciência é incapaz de resolver a questão das civilizações extraterrestres. No máximo, ela nos indica uma forte presunção em favor de sua existência, o que não nos adianta nada. Mas será que a ciência é capaz de discernir os indícios mais sutis? Pode-se duvidar disso. Sem dúvida, um indício sutil não é visível como o nariz no meio da cara – ou, já que se trata de invasores, como um dedo mais curto numa das mãos. Para descobri-lo, é preciso astúcia, sutileza, faro. Qualidades que caracterizam os melhores ufologistas – do inglês UFO (Unidentified Flying Object), equivalente de OVNI. Um deles, J.-C. Fumoux – esse é o seu nome – conseguiu, graças a um indício sutil, descobrir a prova irrefutável que nos faltava: a isoscelia.

De que se trata? A ideia engenhosa de Fumoux consiste em indicar num mapa os lugares onde foram assinaladas aterrissagens de discos voadores. Nosso homem repertoriou 76 pontos de aterrissagens ocorridas entre 26 de setembro e 18 de outubro de 1954. Acompanhemos seu raciocínio: os extraterrestres são inteligentes; eles não pousam em qualquer lugar; então seus pontos de aterrissagem traçam sobre o mapa figuras particulares. Quais? Triângulos isósceles, expressão transparente e irrefragável de um espírito elevado.

Fumoux começa ligando os 75 pontos na ordem cronológica, supondo que se trata de pontos sucessivos de um plano de voo. Problema: essa maneira de proceder não produz triângulos isósceles. Deve-se abandonar a hipótese? De maneira nenhuma. Isso significa simplesmente que os astutos visitantes procuraram dissimular seus planos de voo. "Restava apenas frustrar seu estratagema procurando todos os triângulos isósceles realizáveis com uma combinação de três pontos de aterrissagem, sem se preocupar com sua ordem no tempo", explica Michel Rouzé num artigo de *Science et Vie*.[10]

Dito e feito. Um cálculo feito a mão, confirmado por um estudo de computador, chega ao resultado crucial: Fumoux obtém 1.877 triângulos isósceles. Uma divisão de pontos aleatórios daria, em média, apenas 1.625,5. A diferença de 251,5 não tem uma chance em mil de ser devida apenas ao acaso. Essa diferença constitui, portanto, o indício sutil que a ciência ortodoxa não soube descobrir. ET existe, Fumoux o desenhou!

A crer no que diz Michel Rouzé, a prova pela isoscelia não seria tão sólida assim. O excesso de triângulos isósceles pode ser explicado por um erro de cálculo. Isso não muda em nada minha opinião sobre a isoscelia: mesmo que não seja verdade, é bem achado.

O senso da imprecisão

Philippe Taquet, professor de Paleontologia no Museu Nacional de História Natural, enumerou mais de oitenta explicações sobre o fim dos dinossauros.[11] Fora a ingestão imoderada de boi inglês, tudo foi considerado: inadaptação crassa; ação da

10 Michel Rouzé, "Les ovnis sont-ils pilotés par des extraterrestres?", *Science et Vie*, n.770, novembro de 1981.

11 Ver Philippe Taquet, *L'empreinte des dinosaures*, Paris: Odile Jacob, 1994.

temperatura de incubação dos ovos sobre o *sex ratio*, acarretando um excesso de machos ou de fêmeas; afinamento ou engrossamento das cascas dos ovos dos dinossauros não permitindo aos embriões chegar à eclosão; epidemias; deslocamento do eixo de rotação da Terra; aquecimento do planeta fazendo perecer de sede os pobres animais; glaciação; chuva de poeiras vulcânicas; queda de um asteroide; explosão de uma supernova; inversão do campo magnético; crises de hemorroidas etc.

Claro, hoje conhecemos a verdadeira explicação, a da pedra de Ica. Mas reflitam: sem o mistério dos dinossauros, não teríamos procurado decifrar a pedra e não teríamos descoberto o mistério da Inteligência Suprema.

O mistério dos dinossauros é, portanto, em si, um dado essencial. Ora, ele reside principalmente na imprecisão de sua formulação. O clichê quer que os grandes bichos, após terem dominado o mundo durante 155 milhões de anos, desapareceram de um dia para outro no fim do Cretáceo, há 65 milhões de anos. Catástrofe zoológica dificilmente explicável. Observando bem, há poucas chances de que as coisas se tenham passado da maneira como as descrevem as inúmeras teorias dinossaurianas. Primeiro, os dinossauros não desapareceram sozinhos: outros grupos terrestres ou marinhos extinguiram-se na mesma época, como os inocerames e os rudistas; outros, ao contrário, sobreviveram. Como sublinha Philippe Taquet, uma teoria científica precisa deveria explicar ao mesmo tempo o desaparecimento de todos os grupos que se extinguiram e a sobrevivência dos que se mantiveram, em vez de focalizar apenas os dinossauros.

Depois, a pretensa catástrofe dinossauriana não tem nada de único: houve extinções maciças ao longo da história da vida. A maior de todos os tempos ocorreu no fim do Permiano, há 259 milhões de anos: ela destruiu 75% dos anfíbios e 80% dos répteis, enquanto somente 30% da fauna desapareceu no fim do Cretáceo.

"Em vez de nos perguntarmos por que o Império Romano desapareceu, seria melhor nos espantarmos por ele ter subsistido tanto tempo", escreve o historiador inglês Edward Gibbon, citado por Philippe Taquet, que acrescenta:

> Os dinossauros como os romanos tiveram uma longevidade notável: durante 155 milhões de anos sucederam-se em nosso planeta centenas de espécies; mais de 260 tipos de dinossauros foram descritos até hoje, uma centena dos quais desde 1969, e meus colegas Dodson e Dawson estimam que 1.200 tipos pelo menos devem ter povoado a Terra do fim do Triássico ao fim do Cretáceo.

Os dinossauros formavam um grupo tão variado quanto os mamíferos de hoje, se não mais. Se o diplodoco media trinta metros da ponta do nariz até a extremidade da cauda, se o braquiossauro pesava até cem toneladas, certos espécimes não ultrapassavam o tamanho de um peru. Havia herbívoros que comiam samambaias e carnívoros que comiam os herbívoros. Uma ideia formada, e antiga, quer que os dinossauros tenham sido estúpidos porque seu cérebro era pequeno demais em relação ao corpo; assim o diplodoco teria sido capaz de deixar devorar a metade de sua cauda por um predador antes de se dar conta do problema... Os trabalhos dos paleontólogos no curso dos últimos trinta anos fizeram justiça a esse clichê, como demonstra Stephen Jay Gould: "Sem querer apresentar os dinossauros como modelos de inteligência, [eu julgo] que afinal eles não tinham um cérebro tão pequeno como se pretendeu afirmar" – escreve ele em *O polegar do panda*.[12] "Eles possuíam um

12 Stephen Jay Gould, *Le pouce du panda*, Paris: Grasset, 1982 [ed. bras.: *O polegar do panda*: reflexões sobre história natural. Trad. Carlos Brito. São Paulo: Martins Fontes, 1989]; ver também, do mesmo autor, *La foire aux dinosaures*, Paris: Seuil, 1993 (ed. port.: *A feira dos dinossauros*. Europa-América, 1997].

cérebro de tamanho normal para répteis de sua dimensão." Sem dúvida havia dinossauros mais astutos que outros, mas certamente não eram todos estúpidos. Contrariamente a outra ideia formada, os dinossauros talvez não fossem répteis no sentido que entendemos habitualmente. Bons argumentos pesam a favor de dinossauros de sangue quente, como as vacas e as galinhas. A questão não está resolvida, mas, na hipótese de dinossauros "homotérmicos", nossos predecessores no planeta teriam descendentes atuais: as aves, a mais antiga delas, poderiam ter saído do pequeno celurossauro!

Em suma, a ordem dos dinossauros contava com uma multiplicidade de espécies que podem ter tido destinos muito diversos. No final das contas, a "catástrofe dinossauriana" tem relação mais com a mitologia do que com a história zoológica, mesmo que o mito contenha uma parcela de realidade: os dinossauros foram realmente extintos, o que permitiu aos mamíferos "tomar o poder" e abriu o caminho para o aparecimento da nossa espécie. Só o sentido da imprecisão permite colocá-los todos no mesmo saco e ver no seu fim coletivo "um hermético arcano que as névoas da Natureza de um mutismo de esfinge velam com um sudário opaco", como escreve Sladek a propósito de outra coisa. Estou disposto a apostar que os dinossauros desapareceram da maneira mais banal, vítimas da competição darwiniana entre espécies e de acidentes ecológicos no fim do Cretáceo. Mas, se essa fosse a verdade, quem teria vontade de acreditar?

O sentido da imodéstia

É sem dúvida o mais importante dos cinco. Como ousar tratar de questões tão consideráveis como a origem da matéria, se alguém duvida de seu próprio gênio? Um bom impostor varre com as costas da mão as mesquinhas barreiras da ciência tradicional, abarca o universo inteiro com um olhar. Não hesita em apossar-se de problemas velhos como a própria humanidade como se fosse o primeiro a apresentá-los. Nada o detém, porque ele sabe, no fundo de si mesmo, que pode fazer melhor do que Newton, Einstein e Darwin juntos.

"Pratiquemos sempre aquela ascese mental tão difícil que consiste em observar o universo fazendo abstração de tudo o que se disse sobre ele", escreve Rémy Chauvin no seu *La biologie de l'esprit* [*A biologia do espírito*].[13] Chauvin, que não tem nada de ignaro, consegue muito bem desvencilhar-se do seu saber. Umas 220 páginas de uma "hesitante meditação" – segundo seus próprios termos – bastam-lhe para mandar às favas o darwinismo, graças a considerações variadas sobre a linguagem dos macacos, o cérebro dos golfinhos, a parapsicologia e a comunicação entre plantas.

Quanto a Frank Hatem, o jejum intelectual não deve ter-lhe custado muitos esforços, a julgar pela facilidade com que pratica o saber não metódico: "Consciência e amor são indissociáveis. São os dois aspectos contrários da energia magnética (Yin e Yang) que bastam para explicar todos os fenômenos físicos. Em particular, eles contêm em si mesmos a causa do espaço e do tempo, e da gravitação que engendrará a constituição de partículas atômicas e de astros".

Que tais frases sejam encadeamentos de palavras desprovidas de qualquer significação, isso não poderia perturbar um impostor de talento. As mesas dos cronistas científicos estão atulhadas de cartas e de relatórios contendo a exposição de teorias brotadas completamente prontas do cérebro de seus idealizadores, e destinadas a suplantar em poucos minutos a relatividade, a física quântica e a evolução.

Em *O novo espírito científico,* Gaston Bachelard encara assim as relações entre metafísica e ciência: "Por que partir sempre da confrontação entre a Natureza vaga e o espírito rudimentar e

13 Rémy Chauvin, *La biologie de l'esprit,* Monaco: Le Rocher, 1985.

confundir sem discussão a pedagogia da iniciação com a psicologia da cultura? Por qual audácia, saindo do eu, vai-se recriar o Mundo em uma hora?".[14]

Elementar, meu caro Gaston: pela audácia daquele que parte do zero. A ciência é incapaz de recriar o mundo em uma hora, porque ela não se faz em uma hora. Como o sábio pusilânime ousaria enfrentar esta pergunta que o impostor faz a si mesmo a todo instante: por que o mundo inteiro não reconhece o meu gênio?

Por que a ciência não responde às Verdadeiras Perguntas?

Recapitulemos. Os cientistas só utilizam, na melhor das hipóteses, dois dos cinco sentidos do impostor. Quando Louis de Broglie afirmou que, se as ondas luminosas tinham um aspecto corpuscular, as partículas de matéria deviam ter um aspecto ondulatório, era uma aproximação. Talvez não fulgurante, mas pelo menos interessante. Podemos também atribuir aos cientistas um certo sentido das Causas Ocultas, embora se sirvam mal dele. Eles fazem malabarismos com um monte de Causas Ocultas, como a interação fraca, a gravitação ou os buracos negros, em lugar de ater-se ao velho e bom magnetismo e às velhas e boas baixas frequências. Isso só serve para tornar as coisas confusas. Mas, enfim, podemos admitir que um cientista sabe com o que se assemelha uma Causa Oculta.

Para os outros sentidos, é o Berezina. Os indícios sutis? Os cientistas desconfiam deles como da peste – pelo menos nos raros casos em que os detectam. Eles pretendem que as coincidên-

14 Gaston Bachelard, *Le nouvel esprit scientifique*, Paris: PUF, 1934 [ed. bras.: *O novo espírito científico*. 3.ed. Rio de Janeiro: Tempo Brasileiro, 2000].

cias numéricas devem-se ao acaso, e podem até mascarar a realidade de um fenômeno. Não se encontrará nenhum cientista sério suficientemente esclarecido para reconhecer que as proporções da Grande Pirâmide não são fortuitas. A imprecisão? Melhor esquecê-la. O físico Jean-Marc Lévy-Leblond compara a precisão dos conceitos científicos à finura de um escalpelo. Na sua disciplina, jamais se efetua uma medida sem avaliar seu grau de imprecisão graças a cálculos de erro – o que destrói toda possibilidade de explorar essa imprecisão de maneira mais construtiva.

Um contraexemplo quase se produziu em 1986, quando um físico americano, Ephraïm Fischbach, tentou pôr em evidência uma "quinta força" na natureza, além das quatro já conhecidas (a gravitação, o eletromagnetismo e as interações fortes e fracas que agem sobre as partículas elementares). O projeto de Fischbach era provar que, contrariamente a um dos princípios fundamentais da física, a massa inerte não é rigorosamente igual à massa pesada – a diferença seria o efeito da hipotética quinta força. Caso a importância da coisa lhe escape, é a equivalência entre as duas massas que permite afirmar, por exemplo, que um quilo de plumas pesa tanto quanto um quilo de chumbo. Em termos mais precisos, a massa inerte mede a resistência que um corpo opõe ao ser colocado em movimento, enquanto a massa pesada exprime a intensidade da atração gravitacional que se exerce sobre ele. Quando você arrasta uma valise com rodinhas no saguão de um aeroporto, você precisa vencer sua massa inerte. Quando você a coloca sobre a balança e lhe exigem o pagamento de uma sobretaxa, seu adversário é a massa pesada.

A equivalência entre as duas massas é uma das noções mais bem estabelecidas da física de Galileu e Newton. Ela explica que, no vácuo, a velocidade de um corpo em queda livre só depende da altura da queda. Segundo a lenda, Galileu teria sido o primeiro a verificar que objetos jogados do alto da torre de Pisa caíam com a mesma velocidade (infelizmente, as experiências teriam sido interrompidas pela queda de um fígado de vitela sobre a mitra de um bispo, causa verdadeira das rixas do sábio italiano com a Igreja). Segundo outra versão, Galileu teria se contentado em fazer rolar bolas sobre um plano inclinado. Seja como for, a experiência apropriada deveria consistir em observar a queda livre de corpos largados no vácuo. Na ausência da fricção do ar, uma pluma e uma bolinha de chumbo soltas do alto da torre de Pisa chegariam ao chão exatamente no mesmo instante. Espetacular, mas difícil de realizar. Em 1888, o barão Lorand Eötvös, físico húngaro, encontrou outra solução: construiu um pêndulo de torção que permitia comparar as duas massas. Depois, suas experiências foram consideradas a prova decisiva da igualdade entre a massa inerte e a massa pesada, que está na base da teoria da relatividade geral de Einstein.[15]

Nem um pouco impressionado por esse glorioso passado histórico, Ephraïm Fischbach estava firmemente decidido a repor em questão o famoso princípio de equivalência. No início de 1986, ele publicou na muito séria *Physical Review Letters* um artigo em que dissecava as medidas de Eötvös e chegava a uma conclusão oposta ao do barão húngaro. Este último tinha observado pequenos desvios, mas os tinha considerado não significativos. Fischbach, ao contrário, julgou descobrir aí o indício sutil de que a gravitação não era aquela que se imaginava. O caso teria talvez ficado nisso se o *New York Times* não tivesse retomado na primeira página o artigo de Fischbach. Projetado para a cena midiática, o físico americano conheceu uma rápida (embora efêmera) notoriedade, e produziu êmulos. Nos dois anos que se seguiram à publicação de Fischbach, uma onda de físicos apaixonou-se pela medida fina da gravitação.

15 Ver Albert Einstein, *La relativité*, Paris: Gauthier-Villars, 1956, reeditado na "Petite Bibliothèque Payot".

Em fevereiro de 1988, encontrei Fischbach e a maioria dos pesquisadores que trabalhavam sobre a quinta força, por ocasião dos "Encontros de Moriond", um colóquio anual que reúne físicos numa estação alpina onde, durante alguns dias, eles trocam as ideias mais heterodoxas entre duas descidas de esqui. Na época, enumeravam-se umas vinte experiências já realizadas ou em curso de realização, todas destinadas a descobrir a quinta força. Essas manipulações que rivalizavam em engenhosidade consistiam, por exemplo, em fazer cair sobre uma distância de 20 centímetros massas de urânio ou de cobre em duas "câmaras de jato" idênticas onde reinava um vácuo pressionado; ou em estudar os movimentos de uma esfera oca de cobre colocada na superfície de uma tina de água instalada sobre uma escarpa; ou ainda, em efetuar medidas com pêndulos de torção análogos ao de Eötvös, mas muito mais precisos.

Será que o entusiasmo pela quinta força remetia a um efeito de moda? Não só. Grande parte dos cientistas que efetuavam essas manipulações vinha da física das partículas, onde as experiências implicam correntemente dezenas, até mesmo centenas de pesquisadores, para um resultado que não aparece antes de anos. Uma área sobretudo austera, pelo menos para o físico amante da experimentação, que sente prazer em observar os fenômenos em ação. Nos "Encontros de Moriond", era preciso ver esses físicos prolongando até tarde da noite intermináveis discussões sobre os méritos comparados de tal ou tal dispositivo, como crianças maravilhadas com um novo brinquedo! E Fischbach, o condutor do jogo, animando o debate com paixão, dotado de um fluxo verbal digno de um comentarista de futebol americano!

O ponto interessante, na perspectiva que nos interessa aqui, é que a existência da quinta força dependia essencialmente da precisão das medidas. Se Fischbach e seus colegas tivessem posto em evidência pequenos desvios em relação às previsões teóricas, e se pudessem provar que esses desvios não se explicam pela margem de erro inerente a toda medida, eles ganhariam a taça – talvez até o Prêmio Nobel. Infelizmente, parafraseando o provérbio, Nobel não é todo dia... Depois de alguns anos de atividade intensa, os físicos tiveram mesmo que se resignar e admitir, pelo menos até nova ordem, que não existe quinta força. Que pena! Eles deixaram passar assim uma ocasião única de utilizar o sentido da imprecisão.

Falemos um pouco do sentido mais importante, o da imodéstia. O cientista básico carece dele dramaticamente. Mais uma vez, a ciência é incapaz de fazer tábula rasa, de recomeçar tudo do zero (o que não é de admirar, aliás: só para inventar o zero, foram necessários milhares de anos!). A teoria do *Big-Bang*, para retomar esse exemplo, representa o resultado provisório de uma história velha de quatro milênios pelo menos. E ela está longe de ter acabado. *Flashback*: dois mil anos antes de nossa era, os babilônicos imaginam uma Terra plana rodeada por um oceano circular. Duas perguntas permanecem em suspenso: qual é a natureza do Sol e dos astros? O que acontece quando se chega à beirada externa do oceano?

Tales de Mileto – 640 a 652 a. C. – respondeu à primeira supondo que os astros eram copinhos cheios de fogo, fixados na abóbada celeste e capazes de se abrir ou se fechar. Pitágoras, um século mais tarde, afirmou que a Terra era esférica, porque só essa forma perfeita convinha ao nosso planeta. Ptolomeu – 90 a 168 de nossa era – elaborou um sistema que prevaleceu durante quinhentos anos. Nosso globo estava no centro do mundo. O Sol girava ao redor. Os outros planetas percorriam um círculo chamado epiciclo cujo centro imaterial girava também em torno da Terra.

O sistema de Ptolomeu dava conta, *grosso modo*, do movimento aparente dos planetas. Infelizmente, Ptolomeu tinha trapaceado: como as observações não casavam muito bem com a teoria dos epiciclos, ele tinha falseado os números para fazê-los entrar à força no sistema. Ptolomeu era um dos mais perfeitos impostores da história das ciências, como demonstrou o astrônomo americano Robert E. Newton, de nome predestinado.[16]

Quanto aos epiciclos, seu cálculo parecia um pesadelo. Era necessário sobrepor uns quarenta epiciclos, só para justificar o dogma geocêntrico. Finalmente, o sistema de Ptolomeu soçobrou sob os assaltos conjugados de Tycho Brae, Copérnico e Kepler. Reabilitou-se o modelo heliocêntrico proposto por Aristarco de Samos por volta de 250 antes de nossa era. Newton (Isaac) estabeleceu a lei da gravitação universal que explicava o movimento elíptico dos planetas posto em evidência por Kepler.

No século XVII, Herschel descobriu as galáxias, sem poder situá-las corretamente. Nos anos 1920-1930, os astrônomos perceberam que nosso sistema solar era uma ínfima poeira no universo. Hubble mostrou que o espaço era povoado de galáxias que se afastavam umas das outras. O universo estava, portanto, em expansão. O que parecia implicar que de início ele tinha sido menor. Se remontarmos no tempo, será que o mundo não tinha começado sob a forma de um grão de matéria fantasticamente concentrado, um "átomo primitivo", como formulou pela primeira vez em 1927 o abade Lemaître, um astrônomo de Louvain?

A hipótese não foi levada muito a sério até 1965. Nesse ano, Penzias e Wilson detectaram uma irradiação que preenchia o universo com uma igual densidade em todos os sentidos. Para os astrofísicos, essa descoberta constituiu uma prova decisiva da teoria do átomo primitivo: a irradiação de Penzias e Wilson era um resíduo da grande explosão, um fóssil do *Big-Bang*.

Nem por isso tudo estava resolvido. Entre as dificuldades encontradas por aquele que hoje se chama o "modelo *standard*" do *Big-Bang*, existe o problema já mencionado daquilo que acon-

---

16 Ver Charles-Noël Martin, "Ptolomée a triché!", *Science et Vie*, n.730, julho de 1978.

teceu pouco antes da explosão, e também a questão da anisotropia. Se, por um lado, supusermos que o universo é isótropo, isto é, que as leis físicas se aplicam da mesma maneira em todas as direções, é difícil explicar por que as galáxias, aqueles "grumos", se formaram a partir de uma sopa cósmica inicialmente homogênea. Por outro, conceber um universo não isótropo traz outras complicações. Para resolver esses problemas e alguns outros, os físicos inventaram a teoria das "supercordas". Seu nível técnico ultrapassa de longe o deste livro, mas podemos, todavia, precisar que essa teoria se aplica num espaço de dez dimensões, ou até onze. A famosa quinta dimensão pode ir "para o chuveiro"!

Dito isso, nada de sonho: não estamos perto de viajar na décima dimensão, porque segundo a teoria, pouco depois do *Big-Bang*, o universo de dez dimensões dissolveu-se numa bolha de seis dimensões e outra em quatro, a primeira desabando brutalmente para desdobrar a segunda, onde nós residimos.[17] Se você não acompanhou tudo, não se preocupe: tudo isso corre o risco de mudar outra vez. Pelas últimas notícias, o universo seria finalmente "plano" e só teria as quatro dimensões habituais... Mas essa "platitude" poderia corresponder apenas a um efeito dos limites da observação, um pouco análogo àquilo que nos faz perceber, na nossa escala, a Terra como plana, ao passo que, vista de uma nave espacial, sua curvatura aparece.

Nenhuma dúvida de que novos desenvolvimentos se produzirão mais cedo ou mais tarde. A ciência seguiu um longo caminho desde a Terra plana até a cosmologia moderna. Os copinhos de Tales nos fazem talvez sorrir, mas cada descrição teve sua pertinência em dado momento. Longe de assemelhar-se a uma marcha triunfal sobre a estrada do progresso, o avanço da ciência se compara mais ao de uma estrada de ferro em

17 Ver, sobre esse ponto, Michio Kaku, *Visions*, op. cit.

construção numa região acidentada. É preciso ziguezaguear, cavar túneis, lançar pontes. E jamais termina. A todo momento, um obstáculo marca o termo provisório da linha: o oceano circular, ou os epiciclos, ou a mecânica de Newton, ou a teoria do *Big-Bang*, ou as supercordas...

De tempos em tempos, remove-se o obstáculo. Mas ele é substituído imediatamente por outro. A ciência só fornece respostas parciais, VDRL, ou "verdades de responsabilidade limitada". Para obter as respostas absolutas e definitivas que as Verdadeiras Perguntas exigem, não existe outro meio a não ser suprimir o obstáculo, e a via que vai junto. Mas como fazer avançar um trem descarrilado?

Como fazer o trem andar?

Aquilo que nenhum condutor da Estrada de Ferro Francesa faria, o impostor consegue sem dificuldade. Seus trens-fantasmas rodam alegremente no deserto do qualquer coisa e do quase tudo. "Se nos recusarmos a ir adiante, a única alternativa é voltar ao ponto de partida",[18] escreve Rupert Sheldrake, autor de uma teoria muito interessante que estudaremos mais adiante. Fazer as Verdadeiras Perguntas é bom. Responder a elas é melhor. Na falta de um método geral, será útil para o debutante inspirar-se em algumas regras empíricas.

Regra n.1: "Uma causa, muitos efeitos". Igualmente chamada "princípio do tudo-está-em-tudo", ela permite operar imensas sínteses. Com um único fenômeno físico, a ressonância, Lyall Watson consegue prodígios. Claro, Watson não dá à palavra ressonância exatamente o mesmo sentido dos físicos. Para estes, um sistema vibratório entra em ressonância quando

18 Rupert Sheldrake, *Une nouvelle science de la vie*, Monaco: Le Rocher, 1985.

é estimulado por uma vibração afinada com sua frequência própria. A taça de cristal quebrada por uma cantora emitindo uma nota aguda ilustra um caso de ressonância acústica. Outro exemplo de ressonância: uma ponte que desaba sob o passo cadenciado de um regimento em marcha, porque a cadência nesse caso corresponde exatamente a uma frequência própria da obra. A ressonância pode também ser produzida com ondas luminosas, ou mais geralmente eletromagnéticas etc.

No mundo comum, só é possível produzir ressonância se a onda estimuladora é da mesma natureza que a vibração do corpo estimulado. Por exemplo, as ondas eletromagnéticas não se propagam segundo as mesmas leis das ondas acústicas. Não se faz oscilar um circuito elétrico tocando trombeta! O sobrenatural de Lyall Watson ignora essa estúpida dificuldade. Qualquer coisa pode fazer ressoar qualquer coisa. "Liberada" dessa maneira, a ressonância permite explicar, entre outras coisas: o efeito dos raios gama sobre as planárias; o medo dos tremores de terra; a influência da lua cheia sobre os sangramentos em geral e sobre os piromaníacos em particular; a ação da forma piramidal sobre o fio de uma navalha; o fato de que uma planta verde reaja violentamente quando se joga um camarão vivo na água fervente; a telepatia; a psicocinese etc.

Regra n.2: "Um efeito, muitas causas". Simétrica da anterior, ela a completa. Aplicando-a judiciosamente, você poderá descobrir toda a riqueza contida no fato mais banal. Por exemplo, as propriedades múltiplas do campo vital mostram que o assassinato de Sharon Tate por Charles Manson em 1969 se deu, na ordem: 1) por uma violenta erupção solar; 2) por um infeliz alinhamento dos planetas; 3) por uma concentração de íons negativos provocada pela lua cheia; 4) por um abalo sísmico de magnitude 5 na escala Richter; 5) por sinais de fraca energia produzidos pelos raios cósmicos; 6) por um consumo abusivo de pipoca.

Regra n.3: "A forma influencia as funções". Lyall Watson nos dá uma brilhante demonstração: "Uma empresa francesa mandou patentear um recipiente destinado à fabricação de iogurte, porque sua forma particular reforçava a ação do microrganismo implicado no processo. Os fabricantes de uma cerveja checa tentaram substituir seus tonéis redondos por tonéis angulares, mas constataram ... uma deterioração na qualidade da cerveja. Um pesquisador alemão mostrou que os ratos vítimas de ferimentos idênticos saram mais rapidamente se forem mantidos em gaiolas esféricas. Alguns arquitetos canadenses assinalam uma súbita melhora dos esquizofrênicos tratados em serviços hospitalares trapezoidais".

Conclusão: "A forma tem uma influência sobre as funções que se exercem no seio dessa forma".

Regra n.4: "O pula-carniça". Ela permite justificar um ponto duvidoso por um dado indiscutível. *A priori*, a ideia de que uma pirâmide de papelão possa afiar uma lâmina de barbear nos deixa céticos. Graças a um triplo pula-carniça, Watson transpõe o obstáculo. Primeiro salto: um campo magnético age sobre o fio da lâmina. Em vez de perguntar como, Watson encadeia imediatamente o segundo salto: a pirâmide possui um campo magnético.

Por quê? Terceiro salto: a forma piramidal confere ao papelão as propriedades de um cristal de magnetita. Nós já não sabemos – regra anterior – que a forma tem uma influência sobre as funções? Graças a essa ginástica, estamos agora diante de um fato inquestionável: a pirâmide tem a forma de uma pirâmide.

Regra n.5: "Os anéis de fumaça". Ela provém de um uso imoderado do sentido dos índices sutis. Assim, o misterioso Siragusa descobre nos desenhos das pedras de Ica a prova de que cirurgiões cósmicos operaram os dinossauros – algo que não salta aos olhos. O ufólogo Fumoux tira uma conclusão muito forte de um dado tênue e frágil, o excesso de triângulos isósceles. A maioria das pessoas não observaria nesses triângulos nada mais do que figuras geométricas. Fumoux decifra neles a assinatura extraterrestre. O grande bom-senso afirma: não é porque eu acredito distinguir a forma de um coelho em anéis de fumaça que exista realmente um coelho. Mas quem sabe ler os índices sutis não deixa nada ao acaso. Basta desejar realmente para que a observação mais anedótica se torne sinal, traço, sintoma, presságio.

Regra n.6: "O campo magnético". Verdadeiro amuleto, ela permite sair de muitas situações delicadas. Toda vez que você se encontrar em dificuldade, repita três vezes (pelo menos) "CAMPO MAGNÉTICO". Pense em articular. Você pode substituir "campo magnético" por "campo vital", "onda", "ressonância", "vibração", "baixa frequência", "energia" etc. "Campo morfogenético" é um pouco rebuscado, mas muito eficaz. Evite o desgastado "abracadabra". Não utilize "hemorroidas" a não ser em último extremo. Soa vulgar.

Falsa ciência e ciência falsa

O leitor perspicaz – ó pleonasmo, quantas palavras se cometem em teu nome! – terá notado que todas essas regras são de natureza semântica. Elas não concernem à manipulação dos fatos, mas do sentido. Quase todas as imposturas apresentadas nesta lição procedem essencialmente da retórica. Como discurso desconectado do real, elas só encontram sua coerência no campo da linguagem. Ao contrário, a atitude científica exige que a teoria se confronte permanentemente com a observação, o contato com o real. "A verdade científica é uma predição, ou melhor, uma predicação", escreve Bachelard. "Chamamos os espíritos à convergência anunciando a boa nova científica, transmitindo ao mesmo tempo um pensamento e uma experiência, ligando o pensamento à experiência numa verificação: *o mundo científico é, portanto, nossa verificação.*"[19]

19 Gaston Bachelard, *Le nouvel esprit scientifique*, op. cit. (grifos do autor).

Que experiência de física permitiria verificar que o amor é uma atração magnética? Apenas o efeito de sentido permite aproximar essas palavras. De um lado, podemos testar experimentalmente as leis do eletromagnetismo, mas elas não se transpõem para o domínio das emoções humanas. Aliás, o amor jamais conheceu leis.

Não basta juntar as palavras "reencarnação", "certeza" e científico" para fazer ciência. Nessa circunstância, "científico" só está aí para significar "verdadeiro". As teorias como as de Frank Hatem não descrevem fenômenos físicos, produzem efeitos de sentido. Os termos que as definem melhor são os de pseudociência, de ciência fictícia, ou ainda falsa ciência.

Existe outro tipo de impostura científica. A trapaça de Ptolomeu é uma manipulação dos fatos, e não apenas da linguagem. Vê-se imediatamente a diferença: a teoria dos epiciclos pode ser testada. A experiência conclui pelo erro. A teoria, portanto, fracassou. A impostura de Ptolomeu consiste em falsear os dados para transformar o fracasso da teoria em fracasso da verificação. Qualificaremos esse tipo de impostura de ciência adulterada, ou ciência falsificada, ou ainda ciência falsa.

À primeira vista, não existe medida comum entre a falsa ciência e a ciência falsa. A primeira é apenas um simulacro, enquanto a segunda implica uma real atitude científica, mesmo que seja pervertida. Se compararmos a ciência ao jogo de xadrez, o fraudador é um jogador desonesto que move uma peça sem o conhecimento do adversário, para melhorar sua posição. Ele conhece a regra, mas a transgride. O árbitro, o outro jogador ou uma testemunha pode constatar a trapaça.

O impostor da ciência fictícia, por sua vez, comporta-se como se ignorasse as regras do jogo. Ele aplica suas próprias regras. Pode mover um cavalo como se fosse um peão, ou substituir o rei por uma bola de golfe. Nesse tipo de impostura, não existe jogo possível. O árbitro é reduzido à impotência, já que suas regras não são reconhecidas.

Apesar dessa oposição, as duas categorias compartilham um traço comum: a recusa da realidade, seja pela fuga para a linguagem seja pela falsificação dos fatos. A impostura da pseudociência implica um grau maior de perda de contato com a realidade, mas todos os impostores alimentam um pouco ou muito a ilusão de que o real pode ser torcido como as colherzinhas de Uri Geller. Eles desejam com todas as suas forças que "isso funcione", que o mundo se dobre às suas fantasias e às suas vontades. É uma atitude bastante infantil, mas nós todos por acaso não somos crianças grandes?

Exercícios

1 Responda às seguintes Verdadeiras Perguntas:

- Qual é a diferença entre um camelo?
- Qual é a cor do cavalo?
- Quem escreveu: "..." ?
- O quê?

Respostas: ver página...

2 Recorte quatro pedaços de papelão grosso em triângulos isósceles tendo a proporção base-lados de 15,7 a 14,94. Cole-os juntos com fita adesiva. A pirâmide deve ter uma altura exatamente igual a 10 de mesmas unidades. Coloque-a de tal modo que as linhas de base estejam voltadas ao norte-sul e leste-oeste magnéticos. Faça um suporte da altura de 3,33 unidades. Coloque-o bem debaixo do pico da pirâmide para apoiar seus objetos (lâminas sem fio, ratos mortos, ovos de dinossauro, filé inglês etc.). Mantenha tudo longe de aparelhos elétricos (exercício proposto por Lyall Watson).

3 Mesmo exercício, mas cortando a ponta da pirâmide (vê-se muito bem nos cartões-postais que a ação do tempo desgastou a Grande Pirâmide). Você observa os mesmos efeitos?

4 Recubra a Grande Pirâmide com uma embalagem de papelão tendo exatamente a mesma forma – mas sem a ponta truncada. Ela recupera sua aparência inicial (as passagens de avião para Gizé estão à venda em todas as boas agências de viagem)?

Lição 2
O seu nicho, com cuidado escolherás

Livre da gravidade, você plana. Silêncio. Escuridão. Serenidade. Os músculos totalmente relaxados, você flutua na antimatéria. A ausência de peso libera sua energia cósmica. Seu cérebro se separa da ilusória realidade. Suas ondas alfa se intensificam. Audacioso viajante da quinta dimensão, você flutua numa zona letal, a milhares de anos-luz de qualquer região habitada. Os olhos voltados para o Dentro, você folheia o Livro dos Mortos tibetano. Na tepidez líquida e salobra do seu caixote de isolamento sensorial, você revive suas existências anteriores. Você se funde com o Grande Todo. O *flash*. A iluminação. A pedra filosofal. O segredo da pirâmide. O orgasmo vaginal. O alfa e o ômega. 37° 2 para a Eternidade.

Para os beócios, lembremos que o primeiro caixote foi edificado pelas forças telúricas. Uma fratura da crosta terrestre deu nascimento ao Mar Morto, crisol místico onde a Água, fluido da vida, uniu-se ao Sal, substância do Espírito. Por razões de comodidade, substituímos o Mar Morto pela banheira, menos atravancada e mais bem adaptada às necessidades da vida urbana. Por volta de 250 a. C., Arquimedes descobre por acaso o efeito maravilhoso do *tranquillity bath*. Louco de alegria, o grande sábio se lança para a rua, totalmente nu, urrando onomatopeias e brandindo uma coroa de papelão dourado.

Resultado: um belo escândalo, que ainda provoca comentários nos meios seletos de Siracusa. Para evitar que tais incidentes se reproduzam, o neurofisiologista e psiquiatra americano John Lilly, especialista do *brain-storming* com os golfinhos, introduzirá nos anos 1950 o caixote fechado, em forma de sarcófago egípcio. Graças a esse aperfeiçoamento engenhoso, doravante, por um preço mais barato do que uma psicanálise ou uma viagem ao Himalaia, cada um pode viver a experiência suprema do *sabadhi* (fechado aos domingos e às segundas[1]).

Os segredos da banheira com tampa

Aos leitores que este breve apanhado não convenceu das excepcionais possibilidades místico-psicodélicas oferecidas pelo caixote de isolamento sensorial, sugiro vivamente que o testem eles próprios. Isso lhes custará um esforço um pouco menor do que para mergulhar em suas próprias banheiras, mas, afinal, não se consegue nada sem nada. A crer nos seus turiferários, a invenção de John Lilly seria para a consciência humana aquilo que foi a roda para a locomoção! Vale bem a pena gastar alguns minutos para batucar na internet e descobrir lugares que propõem, a preços bem razoáveis, sessões de "tanking".[2] Mesmo se o seu sucesso comercial não esteve à altura das expectativas

1 Não ignoro que esse lamentável trocadilho corre o risco de me privar de leitores adeptos das religiões orientais. Bem, prometo corrigir-me e abster-me na próxima vez, leitor, se tu me *vedas* esse direito.

2 Utilizando um buscador francófono, encontrei endereços na França, na Bélgica, na Suíça e em Montreal, mas, como não sou pago pela publicidade, não vou divulgá-los.

de seus promotores, nem do entusiasmo que provocou quando de sua introdução em nosso país em 1984, o caixote suscita sempre um vivo interesse. Músicos compõem obras especiais para caixote (o selo Rhiz criou uma *Music for isolation tank* para o Festival PhonoTaktik em Viena, em abril de 1999: o ouvinte se instalava num caixote de isolamento e flutuava num som sintetizado por computador a partir de sons do corpo humano). Um tal de John Wobus, da Universidade de Syracuse (Estados Unidos), descreve uma "Dolphin Therapy" – terapia assistida por golfinho – que consiste esquematicamente em mergulhar num *tank* em companhia de um golfinho, e que seria preconizada para o autismo, a síndrome de Dawn ou a distrofia muscular... Num contexto menos dramático, um artigo publicado num número recente do jornal *Le Mutualiste* recomenda o caixote para um "relaxamento científico dos mais avançados".

Em suma, a invenção de John Lilly ocupa um lugar de destaque entre a vasta panóplia das técnicas *New Age*, que permitem encontrar a saúde global e até "holística", harmonizar o corpo e o espírito, aceder ao pleno desenvolvimento de si mesmo, e até mesmo desabrochar seu eu profundo, coisas essas todas contrariadas por nossa civilização técnica e materialista. O efeito do caixote pode ser melhorado pelo recurso a um sintetizador de ondas cerebrais. Sobretudo, detalhe essencial assinalado por todos os especialistas, deve-se utilizar o selo de Epsom. Por que de Epsom? Sem dúvida nenhuma, como esclarece um jóquei meu amigo, porque o Derby não tem falta de selas...[3] Esclareça-se que o selo de Epsom é de fato um sulfato de magnésio ($MgSO_4$), utilizado contra a constipação. Claro, é possível que você seja claustrófobo, ou que não goste de água salgada, sobretudo com um laxante. Nesse caso, inúmeras ou-

3 Eu sei, o trocadilho é abominável. Bem, suprimam também os leitores amantes de cavalos.

tras técnicas permanecem à sua disposição, tais como o *shiatsu*, a meditação taoísta, a psicologia transgeracional, o método Feldenkreis, o xamanismo, a *Daseinsanalyse*, a hidroterapia do cólon, o feng shui, o reiki, o jyotish, a grade de calibragem universal, a PNL, o desenho da aura, a alquimia vibratória, as massagens ayurvédicas, a psicocibernética, a harmonização dos chacras, o banho de leite de jumenta etc.

Mas voltemos ao nosso caixote. Como explicar o entusiasmo desmedido e as elucubrações desenfreadas que suscitaram a invenção de John Lilly? Certamente que isso tem pouco a ver com a realidade material do objeto. Porque, ora essa, o caixote nada mais é do que uma "banheira com tampa" – segundo a feliz expressão de *Science et Vie*.[4] Salvo ter perdido todo o senso comum, não se vê bem o que autoriza a investir um dispositivo tão trivial da potência equivalente à de uma nave espacial capaz de nos levar à quinta dimensão. A alquimia que transmuta uma bacia de vinha-d'alhos em arca de Noé psíquica remete essencialmente a um fenômeno de comunicação. O caixote funciona como uma mensagem. Bem recebido, bem vendido. Longe de oferecer-se por aquilo que é, o caixote é apresentado como uma verdadeira invenção, como ilustra este fragmento de uma plaqueta publicitária: "O inventor do *tank* chama-se John Lilly, e todos aqueles que se interessam de perto pelos golfinhos conhecem seu nome. Mas sua especialidade de médico-neuro-biólogo é o 'cérebro-espírito' do homem".

Lilly não é um simples inventor, é um verdadeiro sábio: essa *cobertura científica* representa o grau zero da impostura: a faca de cortar manteiga promovida, pela magia do discurso, à categoria de descoberta do século. O caixote, eventualmente completado por acessórios como o misterioso "sintetizador de ondas cerebrais", enfeita-se assim com o prestígio da ciência.

4 Michel Rouzé, "La bagnoire à couvercle", *Science et Vie*, n.805, outubro de 1984.

Mas essa roupagem científica, que dá credibilidade ao caixote, não basta para explicar seu sucesso. A mensagem pega porque um público se reconhece no universo imaginário do caixote. Seu impacto se deve à exploração engenhosa de quatro temas.

1) O *Homo delphinus*. John Lilly é o homem que fala no ouvido dos golfinhos, aos quais ele dedicou doze anos de sua vida. Ele também realizou pesquisas sobre o cérebro e o isolamento sensorial no National Insitute for Mental Health (NIMH), de 1953 a 1958. É na solidão do *tank*, relata, que ele concebeu suas pesquisas sobre os golfinhos.[5] Nos anos 1950 e 1960, gravando os sinais emitidos pelos cetáceos, Lilly julga observar que eles reproduzem as palavras trocadas pelos experimentadores. Na época, esses trabalhos interessaram muito aos neurologistas. E aos militares, muito excitados pela ideia de que um golfinho astucioso poderia servir de espião marinho não detectável! Depois, Lilly conheceu algumas vicissitudes, menos por causa de seus queridos golfinhos do que por fazer parte dos pesquisadores americanos que, a exemplo de Timothy Leary, se apaixonaram pelo estudo dos efeitos do LSD. Ele administrou a droga aos cetáceos, o que teria provocado o suicídio de cinco deles... No fim dos anos 1960, o reforço da legislação americana contra as drogas muda o estatuto dos pesquisadores do LSD. Lilly vê serem retiradas suas verbas de pesquisa e muda o rumo de seus trabalhos.

Desde então, o assunto estacionou. Apesar de seus esforços, John Lilly na verdade só conseguiu estabelecer que os sinais delfinianos se aproximavam mais da linguagem humana do que o zumbido de uma abelha. Mas pouco importa que sua

5 Para saber mais, ver John Lilly, *The Deep Self*, New York: Warner Books, 1981; *Programming and Metaprogramming the human biocomputer I*, New York: The Julian Press, 1987; *Man and Dolphin*, Doubleday, 1961. Em francês, Paul Gérome, *Le vaisseau d'isolation sensorielle*, Paris: Sand, 1985 (col. "Le corps à vivre"); Patrice Van Eersel, *Le cinquième rêve*, Paris: Grasset, 1993.

"descoberta" tenha sido produto sobretudo da autoalucinação: o tema do homem-golfinho, esse, não perdeu nada de sua atração. Ele remete à Verdadeira Pergunta por excelência, a de nossas origens mais longínquas, nossas origens marinhas – tema que encontramos num filme como *Imensidão azul*. Na tépida salmoura do caixote, muito mais do que na doçura do ventre materno, encontramos o seio do mar, útero cósmico de onde saiu toda a vida.

2) A *descoberta sensacional*: esse tema vem reforçar aqui a cobertura científica. John Lilly não é apenas um homem sério, digno de crédito, mas um inovador, um criador, como sublinha a plaqueta publicitária já citada: "Uma das teorias correntemente admitidas nos meios científicos era que, privado de informações vindas do exterior, o cérebro 'adormecia'. Para verificar essa hipótese, John Lilly, fã da autoexperimentação, isolou-se num dos caixotes utilizados durante a última guerra para testar escafandros. Ele percebeu que, longe de se entorpecer, seu sistema nervoso parecia ao contrário despertar completamente...".

Todas as crianças que tiveram temores noturnos confirmarão: acontece que, no escuro, a gente não dorme. Às vezes, pode-se até pensar muito. Sobretudo quando se tomou uma dose de ácido. O que seria estranho é se Lilly, meditando em seu caixote, com o cérebro crepitante de LSD, não notasse nada de especial! Parece, todavia, difícil considerar a experiência alucinatória, subjetiva pela dose de ácido lisérgico, como um novo estado de vigília que Lilly teria identificado. E caso se trate de um estado independente da droga, Lilly não produziu nenhuma prova objetiva de sua existência. É certamente exato que o cérebro não está forçosamente adormecido quando está privado de sinais exteriores. A privação sensorial foi até utilizada como tortura, na Alemanha, contra os membros do Grupo de Baader. Se essa privação não tinha outro efeito a não ser provocar uma forma de sonolência, ela não seria tão maléfica! Mas não dramatizemos: o isolamento de Lilly é voluntário e pode ser interrompido a qualquer momento. Mas não deixa de ser verdade que suas pesquisas, elogiadas como uma nova via de exploração da consciência, não fazem aparecer nada de muito extraordinário. Onde está a grande descoberta?

3) A *máquina maravilhosa*, versão moderna da lâmpada de Aladim. Nos filmes de ficção científica, o herói impera no comando de uma nave lançada a vinte vezes a velocidade da luz. Com um dispêndio de energia consideravelmente mais fraco, o caixote abre o acesso às dimensões desconhecidas do universo. Tudo é possível: encontrar um ancestral peludo, vestido com peles de animais, remontar o curso do tempo até o *Big-Bang*, perambular no vácuo intersideral, visitar o futuro, até mesmo o futuro do pretérito. Atenção, porém, para não cair num buraco negro!

4) A *viagem interior*. Contrariamente à máquina da ficção científica, o caixote não exige deslocamento físico no espaço-tempo. Você se torna o cosmonauta do seu "espaço-nervos". Ouvindo apenas os estímulos que provêm do seu corpo, "nu até o fundo d'alma", você se acha em face de seu verdadeiro eu. Como numa "viagem" da droga, cada um encontrará aquilo que trouxe. "Não acontece nada que você não permita", diz a publicidade. Todas as vantagens do LSD, sem os riscos.

A viagem interior é uma *brincadeira de salão*, isto é, a projeção lúdica de um mito, de um ritual, de um movimento social. A viagem certamente existiu nas mais antigas civilizações. Sob sua forma contemporânea, ela é uma invenção de poetas e de artistas, um produto da contracultura: os surrealistas na Europa e depois a *beat generation* nos Estados Unidos captaram aquele momento em que termina a exploração geográfica do planeta e começa a conquista espacial, de tal modo que o único espaço ainda virgem se torna o espaço da consciência: "Um pouco como, com o fim do exotismo e o início dos *Tristes trópicos*, a etnografia teve que encetar um retorno ao interior metropolitano, com o início da era espacial (a Nasa foi fundada em 1958), quando se começa realmente a explorar a galáxia, a sede do além deve curvar-se sobre o 'interior' mental", escreve Pierre-Yves Pétillon.[6]

A voga psicodélica dos anos 1960, marcada pelo ácido e pelas experiências de Timothy Leary, *Um estranho no ninho* de Ken Kesey ou *Sergent Pepper's Lonely Heart Club Band* dos Beatles, atinge seu ponto culminante com o festival de Woodstock, em 1969. A década seguinte vê um recuo do LSD e das drogas alucinógenas, pelo menos como expressão emblemática da viagem. A droga vedete torna-se a heroína, levada para o cinema em *More* de Barbet Schroeder (1969) e simbolizada pelo personagem de William Burroughs, *junkie* cansado de tudo. Progressivamente, a moda cultural recupera a viagem interior dos poetas e dos *beatniks*. Cessa de ser uma experiência fundadora, pondo em ação a essência da personalidade. Normaliza-se numa gama de jogos de salão, praticados por diversos grupos sociais que fornecem os segmentos de mercado sobre os quais a impostura edificará seus nichos.

A arte de escolher um nicho

A mensagem-caixote articula-se sobre quatro temas: a Verdadeira Pergunta (o homem é um golfinho que se ignora?), a descoberta sensacional (a privação sensorial suscita o despertar), a máquina maravilhosa (a nave cósmica), o jogo de salão (a viagem). Esse coquetel detonador confere a um propósito banal a eficácia de uma flecha lançada no centro do alvo.

---

6 Pierre-Yves Pétillon, "Paysages mentaux de la drogue: versions transatlantiques", in Alain Ehrenberg (Org.), *Individus sous influcence*, Paris: Esprit, 1991.

Tentemos analisar sua composição. O primeiro ponto assegura a fixação no senso comum: dizer que podemos falar com os golfinhos, ou que eles podem nos compreender, isso toca a cada um de nós e faz ressurgir um velho sonho. São Francisco de Assis falava com os passarinhos. O homem sempre sonhou em comunicar-se com as outras criaturas, ao mesmo tempo que se orgulhava de sua suposta superioridade. Claro, se Lilly tivesse produzido um golfinho capaz de traduzir a *Baghavad-Gita* para o inglês, ou de relatar os planos secretos dos movimentos dos submarinos russos, isso seria suficiente. Só que é preciso reconhecer que na realidade a comunicação com os golfinhos é limitada. Torna-se necessário outro elemento para dar corpo à mensagem. É aqui que intervém a descoberta sensacional: um estado especial permite viajar em todas as camadas do eu. Não se trata tampouco de uma verdadeira novidade – todos os místicos o disseram antes de Lilly –, mas, no contexto da ciência do cérebro, isso toma outra forma.

A coisa, no entanto, não deixa de permanecer meio abstrata. Para torná-la mais real, nada melhor do que um objeto bem concreto: uma banheira. Não uma banheira comum, seria trivial. Um caixote, isto é, um objeto meio estranho, menos pelo fato de sua originalidade do que pelo seu contexto: o caixote de Lilly é de origem militar, servia para testar escafandros. Fechado e cheio de água do mar, a banheira não tem mais o aspecto familiar, cotidiano e tranquilizador daquela do banheiro.

Para que isso funcione realmente, falta ainda um elemento: o público. Só se pode esperar atraí-lo se o caixote responder a uma demanda social, se encontrar um mercado. Ora, ele aparece no momento em que a viagem, de preferência sem os perigos do ácido, se torna uma moda cultural. O caixote oferece, portanto, a resposta ideal à demanda de viagem interior das classes médias, aquelas que podem pagar esse tipo de fantasia.

Tomados separadamente, os quatro elementos não apresentam nenhum interesse. Reunidos, eles garantirão a notoriedade de John Lilly. E isso a despeito do fato de que não há nenhuma inovação verdadeira em toda essa história. O espantoso é que o caixote, que só tem utilidade real num contexto muito particular – a princípio militar –, tenha podido passar por um novo meio de explorar a consciência. Da mesma maneira, a fascinação exercida por Timothy Leary sobre uma geração que acreditava mudar o mundo mascarou a *military connection* do LSD. "Leary está perfeitamente consciente do fato de que os primeiros a se interessar pelo LSD foram os membros da CIA, obcecados, na época da guerra da Coreia, pela ideia de que os especialistas soviéticos ou chineses 'lavavam o cérebro' dos prisioneiros americanos."[7] Sem essa paranoia dos generais americanos, todos teriam atribuído menos crédito – e crédito em verba – aos pesquisadores que experimentavam o LSD. De maneira bastante irônica, John Lilly e Timothy Leary teriam sido menos os pioneiros de um território desconhecido do que as cobaias mais ou menos voluntárias do exército dos Estados Unidos...

No plano da impostura científica, a invenção de Lilly permanece como um modelo de nicho bem escolhido, permitindo transformar uma pilha de lugares-comuns em posição estratégica. Não há que falar propriamente de método para obter tal resultado. Aliás, seria injusto e errôneo pretender que Lilly tenha chegado a ele de maneira deliberada. Entretanto, o impostor prevenido terá todo o interesse em conhecer na ponta da língua as sete regras de ouro do bom nicho, que aqui estão:

Regra de ouro n.1: *Escolha um filão inesgotável*. Você pode partir de uma Verdadeira Pergunta, que oferece a vantagem de estar sem resposta desde a aurora da humanidade e atingir todo mundo: quem somos nós? Por que existe alguma coisa mais do que nada? Etc. Ou então efetuar uma variação sobre um tema recorrente: os efeitos do magnetismo, Deus e a ciência,

7 Ibidem.

o inato e o adquirido... Ou ainda, atacar um Grande Problema Não Resolvido: a imortalidade, o câncer, as estátuas da Ilha de Páscoa, as hemorroidas...[8]

Regra de ouro n.2: *Seja revolucionário*. Apresente-se como um inovador, um inventor, um criador. Seja um gênio solitário. Afirme em alto e bom som sua singularidade. Ignore aqueles que disseram a mesma coisa melhor que você e bem antes. Se o seu valor não for reconhecido, considere como responsáveis o conformismo da sociedade, a ortodoxia, a "ciência oficial" e até mesmo – por que não? – um vasto complô internacional destinado a fazê-lo calar-se.

Regra de ouro n.3: *Percorra os atalhos batidos*. Frequente os lugares-comuns. Só emita ideias banais, mesmo – e *a fortiori* – se revestidas de um discurso esotérico. Siga a corrente dos preconceitos mais comuns. Alimente as superstições. Os extraterrestres têm forçosamente uma mensagem, o Universo tem forçosamente um sentido, a inteligência é forçosamente hereditária, a atividade humana põe forçosamente o planeta em perigo. Ataque a energia nuclear, não o petróleo – muitas pessoas são apegadas aos seus automóveis.

Regra de ouro n.4: *Nunca invente nada*. Se você traz um elemento inédito, faça que ele seja anedótico, e não arrisque perturbar a ordem estabelecida. Não procure fazer avançar a ciência, há pessoas pagas para isso. O primeiro segredo de uma boa máquina maravilhosa é que ela não funcione. Um poder mágico é tanto mais digno de crédito quando não tem efeito objetivo. E depois, não tente matar a galinha dos ovos de ouro. Se você tem realmente a resposta para a pergunta das origens, ou o remédio capaz de erradicar o câncer, o que sobraria para os seus sucessores?

---

8 O leitor poderia perguntar o que as hemorroidas vêm fazer aqui. Admito que estão um pouco deslocadas, mas tenho minhas razões...

Regra de ouro n.5: *Cultive o segredo*. Não revele suas receitas, *a fortiori* se forem disfarces grosseiros. É o melhor meio de mascarar que você não inventou nada. Esconda suas fontes, isso impedirá de ver que elas não são dignas de crédito. Evite as perguntas embaraçosas. Se necessário, não hesite em acusar os curiosos de opor-se à marcha do progresso. Mesmo que não seja verdade, sempre compensa.

Regra de ouro n.6: *Encontre seu público*. Uma impostura sem público é uma flor que fenece num vaso sem água. Se o seu nicho for bom, em algum lugar haverá forçosamente pessoas prontas para escutá-lo. Mas ainda é preciso chegar a elas. Escolha uma tribuna. Constitua um auditório. Faça conferências. Escreva livros. Abra um *site* na internet. Sirva-se da mídia. Escreva para os jornais. Apareça na televisão. Seja sequestrado ao vivo pelos marcianos (mas antes negocie sua libertação).

Regra de ouro n.7: *Não desista nunca*. De todas as qualidades do impostor, a tenacidade é talvez a mais importante. Mesmo vencido, mesmo derrotado por nocaute, mesmo acusado de má-fé, de mentira, de fraude, de ter estrangulado sua sogra e tê-la jogado às piranhas (afinal, nem sempre a piranha é confiável[9]), não largue do seu pedaço.

O nicho de seus sonhos é aquele em que as sete regras de ouro são postas em prática. Essa situação ideal é quase impossível de realizar, mas a judiciosa aplicação de duas ou três regras, ou até mesmo de uma só, pode dar excelentes resultados (afinal, é melhor bater à máquina com um dedo só do que sem dedo nenhum). Na sequência desta lição, iremos dissecar alguns exemplos para nos familiarizarmos com a estratégia do nicho.

---

9 Suprimam os leitores piscícolas! É por causa desses jogos de palavras – que nem mesmo San-Antonio seria capaz de cometer – que esta obra jamais obterá o Grande Prêmio dos Leitores da Academia Francesa. [O autor se refere aqui ao personagem de Frédéric Darie, famoso por seus trocadilhos infames. (N. T.)]

Sir Cyril Burt e o QI

De onde vem a inteligência? Ela é hereditária? Podemos medi-la? Eis aí o exemplo típico da Verdadeira Pergunta insolúvel. É preciso entrar em acordo desde já sobre o que é a inteligência. Desafio você a encontrar duas pessoas que deem a mesma definição de inteligência. Quanto a medir uma variável tão inapreensível, faz pensar numa anedota que se contava na ex-União Soviética: "O que é a perspectiva? É procurar um gato preto num buraco preto onde não há nenhum gato preto, e dizer que o encontrou".

Como todas as perguntas verdadeiras, essa da inteligência produziu uma pseudorresposta: o quociente intelectual, ou QI, inventado por Alfred Binet no começo do século XIX. No início, Binet tinha construído sua escala, com Théodore Simon, com a intenção de detectar as crianças retardadas ou que apresentavam problemas cognitivos, a fim de propor-lhes um ensino adaptado às suas necessidades. Mas esse louvável objetivo foi rapidamente subvertido. De um instrumento destinado ao contexto da escola, quiseram fazer um instrumento de medida da inteligência geral. Entretanto, a maioria dos psicólogos concorda em reconhecer que o QI só mede um aspecto muito restrito da inteligência. Mais grave que isso, uma corrente conservadora anglo-saxônica simplesmente desviou o QI de sua função para fazer dele uma arma de seleção social a serviço das classes dominantes e, nos Estados Unidos, do racismo contra os negros.

Num livro excelente que fará seu QI subir mais vinte pontos,[10] Richard Lewontin, Steven Rose e Leon Kamin mostram como o projeto de Binet foi desnaturado pelos eugenistas anglo-saxões. Essa corrente remonta ao fim do século XIX. Pode-se

10 Richard C. Lewontin, Steven Rose, Leon J. Kamin, *Nous ne sommes pas programmés*, traduzido do inglês por Marcel Blanc, Robert Forest e Joëlle Ayats, Paris: La Découverte, 1985.

atribuir sua paternidade a Francis Galton, um dos primeiros a afirmar que o talento e as qualidades intelectuais eram transmitidos por hereditariedade. Nos Estados Unidos, galtonianos como Lewis Terman e Henry Goddard introduziram os testes de QI, mas numa óptica totalmente oposta à de Binet. Para eles, as aptidões eram fixadas de uma vez por todas ao nascer. Não era então o caso de procurar ajudar as crianças com fracasso escolar. O QI tornava-se a escala de medida de uma classificação hierárquica do mundo.

Na Inglaterra, a introdução do teste de Binet "foi obra principalmente de Cyril Burt, um psicólogo cujos laços com o eugenismo eram ainda mais fortes que os de seus colegas de além-Atlântico", segundo Lewontin, Rose e Kamin. "O pai de Burt era médico e foi levado a tratar de Galton; este último, por suas recomendações, fez muito para ajudar Burt a ser nomeado o primeiro psicólogo escolar do mundo de língua inglesa."

Burt representava a inteligência como um recipiente cuja capacidade tinha sido fixada de uma vez por todas: "É impossível que um pote de um litro possa conter mais de um litro de leite; e da mesma maneira é impossível que o nível de instrução de uma criança possa ultrapassar o que lhe é permitido por sua capacidade de instruir-se", escreveu ele.[11]

Para demonstrar a hereditariedade da inteligência, Burt recorreu a um método astucioso: estudou pares de gêmeos verdadeiros que, por uma razão ou outra, foram separados no início da vida e criados em famílias diferentes. Os gêmeos verdadeiros têm exatamente os mesmos genes e, portanto, em princípio, as mesmas capacidades inatas. Mas, em geral, crescem juntos, de modo que é muito difícil separar o que eles devem à hereditariedade das influências de seu meio. Os gêmeos separados ofereciam a Burt uma situação em que o inato se dissociava do adquirido,

11 Citado em Richard C. Lewontin et al., op. cit.

já que, começando "em igualdade", eles evoluíam em meios diferentes. Se, pensava Burt, eles conservavam QIs próximos um do outro depois da separação, é porque suas educações diferentes não tinham tido influência sobre suas qualidades intelectuais. Dito de outro modo, a inteligência, nessa hipótese, não dependia do meio, mas somente da herança genética.

De 1943 a 1966, Burt produziu, numa longa série de publicações, estatísticas referentes sucessivamente a 15, 21, 30 e finalmente 53 pares de gêmeos verdadeiros separados. A cada vez, ele encontrava uma correlação muito forte entre os QIs dos gêmeos, demonstrando que a diferença de meio não tinha influído sobre suas capacidades iniciais. Essa descoberta sensacional valeu ao seu autor uma notoriedade considerável. Quando morreu, em 1971, elevado à dignidade de *Sir*, Burt era considerado um grande mestre da psicologia britânica. Hans Eysenck, outro eminente representante da corrente galtoniana, fez o elogio do trabalho de Burt, salientando a "qualidade superior de seus estudos no que concerne à concepção e ao tratamento estatístico dos dados".

Qualquer estatístico competente poderia demonstrar o contrário. Os cálculos de Burt continham uma anomalia. Em todos os seus artigos, o coeficiente de correlação entre os QIs permanecia o mesmo com a diferença de três decimais, ao passo que o número de pares aumentava. Ora, um coeficiente de correlação se calcula a partir dos dados precisos da amostra estudada. Se esta última for modificada, por pouco que seja, o valor do coeficiente não pode permanecer idêntico, mesmo que a tendência observada esteja inalterada. Que Burt tenha encontrado um coeficiente de correlação constante com a diferença de três decimais constituía, portanto, uma coincidência numérica mais do que improvável.

Em 1976, um jornalista curioso, Oliver Gillie, correspondente científico do *Sunday Times* de Londres, fez uma descoberta ainda mais estranha. Os pares de gêmeos verdadeiros separados são uma mercadoria rara. Encontrá-los e medir seu QI não é tarefa fácil. Então Burt contratou, para secundá-lo, duas colaboradoras, *Miss* Conway e *Miss* Howard. Elas supostamente tinham escrito artigos num jornal de psicologia editado por Burt, tinham aplicado testes de QI em gêmeos e efetuado a análise de inúmeros dados publicados por *Sir* Cyril. Gillie foi incapaz de encontrar pistas dessas duas preciosas colaboradoras!

"Os mais próximos associados de Burt jamais as tinham visto e elas lhes eram totalmente desconhecidas", relatam Lewontin e seus coautores.[12] "A governanta de Burt perguntou--lhe uma vez quem eram essas pessoas; Burt lhe respondeu que elas tinham emigrado para a Nova Zelândia ou para a Austrália; mas era numa época anterior, segundo a cronologia dos artigos de Burt, no período em que elas deveriam aplicar testes nos gêmeos na Inglaterra. A secretária de Burt indicou que tinha às vezes escrito artigos assinados após a publicação com o nome de Conway ou Howard. Esses fatos levaram Gillie a sugerir, num artigo publicado na primeira página do *Sunday Times* em 1976, que Conway e Howard talvez jamais tivessem existido." Eram, no sentido próprio, criaturas de Burt.

A prova definitiva da fraude foi apresentada pelo biógrafo de Burt, Leslie Hearnshaw. Fervoroso admirador de *Sir* Cyril, Hearnshaw foi encarregado pela irmã de Burt de escrever a vida do grande homem. Ela lhe entregou um diário íntimo que continha a confissão escrita da trapaça. Burt contava como tinha passado uma semana de janeiro de 1969 a "calcular" os dados originais sobre os 53 pares de gêmeos, que um psicólogo de Harvard, Christopher Jencks, lhe tinha pedido. Esses dados tinham supostamente servido de base para o artigo que Burt havia publicado três anos antes... *Sir* Cyril os tinha inventado de alto a baixo! Na verdade, só os quinze primeiros pares de gêmeos existiam realmente.

---

12 Ibidem.

Por que Cyril Burt trapaceou, em desprezo não apenas às regras científicas, mas à honestidade mais elementar? "Um primeiro elemento de resposta é que ele certamente estava *intimamente* convencido de que sua hipótese... era exata", escrevem Marcel Blanc, Georges Chapouthier e Antoine Danchin em *La Recherche*.[13] "Ora, segundo muitas testemunhas, ele era de natureza um tanto paranoica. Foi sem dúvida esse traço patológico que o levou a fazer passar sua convicção pessoal na frente da objetividade científica... No final das contas, as fraudes de Burt se explicam porque ele sem dúvida preferiu trapacear a ver seus adversários triunfar."

Não se trata, portanto, somente do funcionamento paranoico de Burt, mas também de seu engajamento a serviço de uma poderosa corrente ideológica. Essa implicação ideológica explica o fato de que ninguém ousou tocar nos trabalhos de Burt até muitos anos após sua morte. A anomalia dos coeficientes de correlação deveria imediatamente saltar aos olhos dos colegas de Burt. Redigindo uma resenha da biografia de Hearnshaw para o *British Journal of Psychology*, N. J. Mackintosh escreveu:

> Deixando de lado a questão da fraude, o fato crucial é que não há necessidade de examinar a correspondência ou os diários íntimos de Burt para perceber que seus dados não são cientificamente aceitáveis. Isso pode ser constatado nos próprios dados. Era absolutamente evidente nos seus artigos de 1961. Já era perceptível, para quem sabia abrir os olhos, nos seus artigos de 1958. Mas ninguém prestou atenção nisso até que Kamin, em 1972, descobre pela primeira vez a maneira totalmente irregular que Burt usava para relatar seus dados e a invariância incrível de seus coeficientes de correlação.[14]

---

13 Marcel Blanc, Georges Chapouthier e Antoine Danchin, "Les fraudes scientifiques", *La Recherche*, n.113, julho-agosto de 1980.

14 Citado em Richard C. Lewontin et al., op. cit.

E Mackintosh conclui: "É uma triste crítica que se deve fazer à comunidade científica por ter deixado que 'números indignos da atenção científica' se encontrassem em quase todos os manuais elementares de psicologia".

Mesmo que os números estivessem corretos, deduzir daí que a hereditariedade da inteligência estava demonstrada por acaso não é tirar uma conclusão muito forte de resultados referentes a uns cinquenta pares de gêmeos? A verdade é que os eugenistas galtonianos não estavam nem um pouco preocupados com provas. O nicho inexpugnável de Burt residia nesse domínio do preconceito ideológico sobre a psicologia britânica, que proibia toda verdadeira discussão científica. A tese da inteligência inata constitui a pedra de toque do sofisma maior da filosofia liberal conservadora: 1) os ricos devem sua fortuna ao seu talento; 2) os filhos dos ricos herdam não somente a fortuna de seus pais, mas sua inteligência; 3) essas crianças bem-dotadas são forçosamente mais bem-sucedidas que os pobres débeis. Conclusão: os ricos continuam ricos, os pobres continuam pobres, e tudo vai bem no melhor dos mundos. Como se diz nos Estados Unidos: é melhor ser jovem, branco e rico do que velho, Black e Decker.[15]

Notemos que Burt aplica com virtuosismo as regras de ouro do nicho: partindo do filão inesgotável da origem da inteligência (regra de ouro n.1), ele anuncia uma descoberta revolucionária (regra de ouro n.2), mas esta só serve para demonstrar um preconceito antigo e corrente, a hereditariedade da inteligência (regra de ouro n.3); ele não traz nenhum elemento científico novo (regra de ouro n.4), mas dissimula cuidadosamente os processos pouco corretos que lhe permitiram obter seus resultados (regra de ouro n.5); ele tem um público já formado, a corrente conservadora da psicologia britânica (regra de ouro

15 Ok, suprimam também os leitores negros...

n.6); enfim, com uma tenacidade implacável, ele mantém sem cessar seus resultados fictícios durante mais de vinte anos, e morre sem ter sido acusado de fraude (regra de ouro n.7). Quase um imaculado. Ah! Se não houvesse aquele maldito diário íntimo e aquelas amaldiçoadas estatísticas... *Nobody is perfect*.

A curva do sino de Murray e Herrnstein

O leitor otimista irá supor que, uma vez enfim reconhecida a fraude de Burt, a psicologia anglo-saxônica virou as costas para o sistema de pensamento que a havia engendrado. É dar mostras de uma bela confiança na inteligência humana! Não apenas a estátua de *Sir* Cyril jamais foi definitivamente derrubada de seu pedestal, como suas ideias continuam a produzir êmulos além-Atlântico, a despeito das abundantes provas de sua falsidade. Sem retraçar a longa história do eugenismo segregacionista nos Estados Unidos, lembremos que esse país na vanguarda do progresso e da democracia recorreu à esterilização forçada de milhares de pessoas consideradas insuficientemente inteligentes para serem autorizadas a se reproduzir. As leis sobre a esterilização, reconhecidas como constitucionais pela Corte Suprema em 1927, permaneceram em vigor até 1972. Nessa época, William Shockley, Prêmio Nobel de Física pela invenção do transistor (com John Bardeen e Walter Brattain), lançou uma campanha abertamente eugenista, propondo pagar as pessoas de QI baixo para que elas se deixassem esterilizar! Poderíamos pensar que Shockley pecava sobretudo por ignorância, sendo físico e não especialista de QI, mas sua campanha foi ativamente defendida pelo célebre psicólogo Arthur Jansen, convencido também da inferioridade genética dos negros, e mais geralmente do caráter inato e irremediável das diferenças de aptidão. O auge foi atingido com a criação, na

Califórnia, de um banco de esperma alimentado por prêmios Nobel e destinado a produzir crianças superdotadas. Demonstrando que o ridículo não mata, Shockley propunha generosamente seu sêmen às mulheres inteligentes e... brancas. A história não diz por que ele não recorreu a um processo mais tradicional, nem qual era o valor exato de seu QI.

Mesmo que a inteligência fosse realmente hereditária, o banco de sêmen dos Nobel daria, na melhor das hipóteses, resultados muito aleatórios, por razões ligadas às leis da transmissão genética: cada indivíduo possui genes herdados metade do pai e metade da mãe. Admitamos que Shockley possuísse alguns genes que garantissem uma inteligência superior. Não haveria nenhuma certeza de que isso beneficiasse seus descendentes, porque a loteria genética poderia muito bem decidir de maneira diferente. Conta-se que Isadora Duncan pediu um dia a Bernard Shaw para que fizesse um filho nela: "Considere que ele teria a sua inteligência e a minha graça", garantiu a dançarina para persuadi-lo. "Nem pense nisso, Madame! Imagine se fosse o inverso!", respondeu o célebre humorista, grosseiro mas pertinente. Verdadeira ou apócrifa, a anedota resume os conhecimentos atuais sobre a transmissão da inteligência.

Não se pode, no entanto, deter o progresso, sobretudo o das ideias falsas. Em outubro de 1994, apareceu nos Estados Unidos um volumoso tijolo de 845 páginas densas, recheadas de curvas, quadros e notas: *The Bell Curve – A curva do sino*, alusão à forma do gráfico que representa a distribuição do QI numa população –, do psicólogo Richard Herrnstein (já falecido) e do psicólogo Charles Murray.[16] Antes mesmo de sua publicação, esse *best-seller* programado desencadeava uma tempestade.

16 Richard Herrnstein & Charles Murray, *The Bell Curve. Intelligence and Class Structure in American Life*, New York: The French Press, 1994.

E não sem razão. Os autores reavivavam, em pleno período politicamente correto, a boa e velha tradição racista americana. Mesmo que Murray não a defendesse com vigor, era difícil acreditar quando toda a demonstração de seu livro era centrada na tese de que os negros contribuíam amplamente para fazer baixar o nível intelectual do país! Com apoio das estatísticas, Herrnstein e Murray tinham reunido um número impressionante de dados que faziam aparecer uma diferença de QI de quinze pontos entre brancos e negros.

Notemos que a mesma diferença separa a América atual da de 1945. Durante o último meio século, o QI médio dos americanos aumentou quinze pontos (observações análogas foram feitas em outros países). Ou, se preferirmos, existe a mesma diferença média entre os americanos brancos de hoje e seus avós como entre os brancos e negros do ano 2000. Isso se chama o efeito Flynn – nome do pesquisador que o estudou – e ninguém realmente o explicou. É forçoso constatar que, por razões que nos escapam aqui, nossos descendentes tendem a revelar-se mais espertos do que nós. E é assim que, enquanto Hubert Reeves, nosso astrofísico canadense preferido, é dotado "somente" de um QI de 124 (o que de qualquer modo é superior à média), a atriz Sharon Stone ostenta um dos mais belos QIs de Hollywood: 150, certamente a mais notável das suas medidas. Só um milésimo da população pode orgulhar-se de ultrapassar 145. É bem verdade que Sharon Stone é branca e que forneceu aos milhões de expectadores de *Instinto selvagem* a prova irrefutável de que era uma loira verdadeira...[17]

O que mudou entre a geração de Hubert Reeves ou de seus pais e a de Sharon Stone? Deve-se desconfiar de uma interpretação apressada, mas uma explicação plausível é que as provas

17 Numa cena célebre desse filme de Paul Verhoeven (1992), diante de um punhado de policiais à beira da apoplexia, ela descruza as pernas e torna a cruzá-las na outra direção, revelando que não usa roupa de baixo.

do estilo dos testes de QI são mais banais e frequentes na cultura de hoje. Ora, o QI não é um instrumento de medida "neutro": pode-se aprender a responder aos testes. Não é absurdo supor que as jovens gerações estão mais bem adaptadas culturalmente a esse tipo de provas, e se saiam então melhor, sem que isso implique forçosamente uma inteligência maior.

Outro argumento em favor da influência da cultura sobre o QI vem dos trabalhos de três pesquisadores franceses, Christiane Capron, Michel Duyme e Michel Schiff. Esses três pesquisadores publicaram uma série de estudos diametralmente opostos às teses de Cyril Burt, mostrando que o QI de crianças adotadas é influenciado pelo nível cultural da família de adoção. Num primeiro estudo publicado em 1978 pela revista *Science*, Schiff e Duyme acompanharam crianças de categorias socioprofissionais desfavorecidas que tinham sido adotadas por famílias mais favorecidas. Resultado: "Uma diminuição dos fracassos escolares de 75% e um crescimento de quatorze pontos na média dos sucessos obtidos em dois testes de QI".[18] Num trabalho mais recente, Capron e Duyme apresentaram um estudo mais completo em *Nature*,[19] cuja conclusão podemos resumir em quatro pontos: a) tanto os pais biológicos quanto os pais adotivos têm uma influência sobre o QI das crianças; b) as crianças nascidas de pais de uma classe social elevada têm em média um QI superior às nascidas de uma classe desfavorecida; c) da mesma maneira, as crianças adotadas por uma família de nível social elevado têm um QI superior às adotadas por uma família desfavorecida; d) os dois efeitos são independentes e sensivelmente da mesma amplitude. Dito de outro modo, o efeito devido ao meio é mais ou menos equivalente ao fosso que separa as classes sociais, e pode, portanto, compensá-lo.

---

18 Michel Schiff et al., *Science*, v.200, p.1504-30, 1978.

19 Christiane Capron & Michel Duyme, *Nature*, v.340, n.6234, p.552-4.

Extrapolando um pouco esse resultado, poderíamos supor que o fosso entre brancos e negros nos Estados Unidos não reflete uma diferença hereditária, mas simplesmente o fosso entre as classes sociais e o preço de dois séculos de discriminações. E se William Schokley quisesse realmente fazer avançar a ciência, em vez de querer procriar aleatórios bebês-Nobel de proveta, ele estaria mais inspirado adotando uma criança negra e fazendo-a tirar proveito de sua bela inteligência...

O "gene *gay*" de Dean Hamer

Alguém nasce homossexual? Será que a preferência por parceiros do mesmo sexo resulta de um fator genético independente da vontade ou, ao contrário, da escolha e da história pessoal de cada um? A pergunta pode parecer ridícula, sobretudo na nossa cultura latina em que a sexualidade pertence à esfera privada e à liberdade individual. Se fosse preciso encontrar uma explicação para a homossexualidade, iríamos procurá-la mais na psicologia e na psicanálise do que no DNA. Aos olhos de um leitor francês, a ideia de um "gene *gay*" pode parecer tão reacionária quanto a de um gene que limita de uma vez por todas a inteligência. Não é o que ocorre na puritana América, onde a sexualidade é tudo menos um assunto privado, como atestam os aborrecimentos de Bill Clinton e a sobrevivência de leis antissodomia que, em diversos estados, ainda incita processos. Nos Estados Unidos, a tese da homossexualidade inata foi acolhida favoravelmente por inúmeros *gays*, porque ela lhes fornecia um meio de combater as leis puritanas: se a homossexualidade é inata, "natural", sua prática não pode ser considerada um ato delituoso. No sistema americano, a existência de um gene *gay* justificaria definir os homossexuais como um grupo que dispõe de direitos específicos, ao mesmo título que os negros ou os índios.

É nesse contexto bem particular que Dean Hamer, biólogo molecular do National Cancer Institute de Bethesda, Maryland, publicou na edição de 16 de julho de 1993 da revista *Science*[20] um artigo intitulado "Uma ligação entre marcadores de DNA sobre o cromossomo X e a orientação sexual masculina". Apesar desse título um tanto esotérico, o artigo teve o efeito de uma bomba. Os jornais – a começar pela própria revista *Science* – e o conjunto da mídia proclamaram com grande alarde a descoberta sensacional do "gene *gay*". O que acarretou uma avalancha de comentários, favoráveis ou indignados, segundo a posição do autor, e coberturas de revistas considerando as implicações políticas, sociais, culturais e eróticas dos trabalhos de Hamer. A única coisa de que não se falou foi do conteúdo científico do artigo que havia provocado esse tumulto.

Ora, Dean Hamer não tinha absolutamente identificado nenhum gene que fosse. No máximo, ele tinha transposto a primeira etapa científica que poderia eventualmente – mas não necessariamente – levar ao famoso "gene *gay*". Na verdade, ele tinha realizado aquilo que se chama um estudo de localização, abordagem bem conhecida em genética molecular, utilizada notadamente para identificar os genes das doenças hereditárias (o que não significa, claro, que Hamer considerava a homossexualidade uma doença). Quando se presume que determinado caractere – vamos chamá-lo C – está associado a um gene, mas não se sabe nada desse gene, começa-se por procurar em que região dos cromossomos o gene tem mais chances de se encontrar. Para isso, o procedimento clássico consiste em estudar famílias em que o caractere C é frequente. Procura-se se existe, em algum lugar nos cromossomos, um ou mais "marcadores" típicos das famílias estudadas. Um marcador não é um gene, mas um pequeno segmento de DNA que pode variar.

---

20 Dean H. Hamer et al., "A linkage between DNA markers on the X chromosome and male sexual orientation", *Science*, v.261, p.321-7.

Quando se descobre uma variante rara na população geral, mais comum aos membros das famílias que possuem o caractere C, presume-se que um gene ligado a C encontra-se na mesma região cromossômica que o marcador.

Foi essa abordagem que Dean Hamer aplicou à homossexualidade masculina: ele estudou 114 famílias de homossexuais masculinos, dentre as quais selecionou um grupo de quarenta famílias comportando dois irmãos *gays* cada uma. Em seguida, mostrou que 33 pares de irmãos possuíam marcadores concordantes, situados numa região do cromossomo X chamada faixa Xq28. Nesse estágio, estamos longe de ter encontrado o gene *gay*, e não está sequer provado que ele exista. Existe, no máximo, uma presunção. A existência de marcadores concordantes entre esses trinta pares de irmãos homossexuais poderia muito bem explicar-se por razões não relacionadas com a preferência sexual. Afinal, ser irmão implica ter muita coisa em comum, inclusive no plano genético! Enquanto não se identificar o próprio gene, não se elucidar seu funcionamento, demonstrar que ele influencia efetivamente a orientação sexual, é preciso evitar saltar para as conclusões...

Por conseguinte, no momento de sua publicação, em 1993, o resultado de Hamer podia muito bem ser considerado ou o ponto de partida de uma pista interessante ou uma observação anedótica. Por que, então, tanto barulho? Pode-se invocar a precipitação da mídia, geralmente pouco inclinada às precauções oratórias e às reflexões metodológicas. Depois, como é sabido, o traseiro faz vender, homo ou hétero. Mas seria simplista e maniqueísta considerar Dean Hamer um cientista ingênuo, exaltado contra a vontade pela fúria da mídia. Na realidade, ele prestou-se amplamente ao jogo.

Encontrando-o em 1994, em sua casa de Georgetown, equivalente do Quartier Latin parisiense em Washington, lembro-me de uma longa discussão que abordava tanto os aspectos sociais e políticos do seu trabalho como igualmente seu conteúdo científico. Totalmente envolvido em seu assunto, Hamer contou-me, principalmente, que tinha testemunhado em processos suscitados pelas leis antissodomia; o sentido de sua intervenção era de dar crédito à ideia de que a homossexualidade é um "caractere permanente" – *permanent trait* – e não uma escolha voluntária, de tal modo que ela diz respeito ao direito constitucional e não pode mais ser reprimida. Hamer havia empreendido essas ações em ligação com Simon Le Vay, um neurobiólogo de Los Angeles que militava em associações homossexuais e definia a si próprio como um militante *gay*. Le Vay tinha publicado em 1991 um estudo segundo o qual o cérebro dos *gays* diferia dos heterossexuais: uma estrutura do hipotálamo era duas ou três vezes menor nos homos do que nos héteros![21] Esse estudo não foi confirmado e suscita problemas metodológicos que não escaparam a Simon Le Vay. Eu o entrevistei alguns dias depois de Dean Hamer, e ele me confiou que não tinha certeza se sua hipótese sobre o cérebro *gay* era exata, mas desejava que fosse, no interesse dos homossexuais.

Pode-se ver que, se Dean Hamer se liga claramente à tradição anglo-saxônica da hereditariedade e do "todo-genético", ele não pode ser colocado no mesmo saco reacionário com Jensen, Murray ou Herrnstein. Ao contrário, ele aparece como um progressista favorável à liberdade dos costumes. Mas o que acontece com sua pesquisa? Do ponto de vista da ciência, pouco importam suas opiniões políticas. Por generosas que sejam suas intenções, o que conta é o crédito que se pode dar aos seus trabalhos. E, como vamos ver, é aí que o sapato aperta.

Os atalhos de um pesquisador apressado

Um elemento importante sobre o qual a atenção da mídia quase não se voltou é que Dean Hamer, conforme ele mesmo

---

21 Simon Le Vay, "A difference in hypothalamic structure between homosexual and heterosexual men", *Science*, v.253, p.1034-7.

confessou, não era nem um especialista do sexo nem um *expert* na área da localização genética. No National Cancer Institute, ele trabalhava sobre a regulação dos genes da metalotionina, uma proteína que exerce uma função na proteção das células contra os metais pesados como o zinco e o cobre. Seus trabalhos sobre a metalotionina lhe valeram uma excelente reputação científica. De qualquer modo, localizar um gene do qual nada se sabe no início é uma tarefa muito longa e complexa. Foram necessárias algumas décadas para descobrir os genes responsáveis por doenças como a hemofilia e a miopatia. Ora, Hamer começou a pensar seriamente no seu projeto no início de 1991. Entretanto, bastaram-lhe dois anos para selecionar os sujeitos de estudo, elaborar um questionário adequado, recolher os dados, estabelecer as sequências de DNA, detectar os marcadores, analisar os resultados, tratá-los estatisticamente e publicar seu artigo! Mesmo para um pesquisador de primeiro plano, era uma proeza.

Como Dean Hamer pôde chegar ao fim tão depressa? Seu trajeto, que ele narra com entusiasmo num livro de título revelador, *The Science of Desire* [*A ciência do desejo*],[22] está marcado por aquilo que os anglo-saxões chamam *wishful thinking*, a tentação de tomar seus desejos pela realidade. Quando se lança nessa aventura, ele crê firmemente na tese da homossexualidade inata e na existência do gene *gay*. Mas pocurar o gene na totalidade do DNA humano seria uma tarefa titânica. Hamer decide então pegar atalhos. Com base em considerações no mínimo pouco consolidadas, ele postula que a homossexualidade é transmitida ao homem pela mãe (é saboroso notar que no seu livro Hamer se diz hostil às teorias freudianas que relacionam a homossexualidade masculina ao vínculo com a mãe).

---

22 Dean Hamer & Peter Copeland, *The Science of Desire. The Search for the Gay Gene and the Biology of Behaviour*, New York: Simon & Schuster, 1994.

Como herdamos 23 cromossomos maternos (e 23 paternos), isso ainda deixa muitas possibilidades. Hamer faz então uma segunda hipótese: o gene *gay* é levado pelo cromossomo X, um dos dois cromossomos sexuais que os homens herdam da mãe. Os homens possuem de fato um par de cromossomos sexuais, XY, o Y vindo do pai, enquanto as mulheres têm dois XX, um paterno e o outro materno. Os 22 outros pares, ou autossomos, são formados de dois cromossomos de aspecto idêntico, um do pai e outro da mãe. Todos os genes dos autossomos são, portanto, em exemplar duplo, um paterno e outro materno. Os genes do cromossomo X são em duplo exemplar nas mulheres, mas não nos homens, que não têm segundo X.

Limitando-se ao cromossomo X, Dean Hamer restringiu o campo de pesquisas. Surgiu um novo problema: será que o gene é recessivo ou dominante? Um gene recessivo não se exprime forçosamente, porque seu efeito pode ser contrariado por seu segundo exemplar presente no cromossomo emparelhado. Um gene dominante, ao contrário, exprime-se em todos os casos. Suponhamos que o gene responsável pela homossexualidade seja dominante: as mulheres, que possuem dois cromossomos X, deveriam ter duas vezes mais chances que os homens de ser homossexuais, o que não se observa. Hamer supõe então que o gene é recessivo; assim, uma mulher que possui um cromossomo X com o gene *gay* e outro com o gene "não *gay*" é heterossexual; em contrapartida, para um homem, a presença do gene *gay* no único cromossomo X não podendo ser contrabalançada por um gene equivalente mas "não *gay*", o caractere se manifestará toda vez que o gene for transmitido. Esse esquema de transmissão é o da hemofilia e de outras doenças hereditárias cujo gene é levado pelo cromossomo X: as mulheres são "portadoras", mas muito raramente doentes, porque a probabilidade de ter o gene patológico nos dois X é fraca; em contrapartida, as mulheres transmitem a hemofilia aos homens (e a homofilia também, segundo Hamer).

Notemos que a homossexualidade feminina não é tão rara assim, o que implicaria, se ela também fosse de origem genética, a existência de outros genes.

Não é por sexismo que Dean Hamer ocupa-se dos *gays* e não das lésbicas.[23] Ele se concentra sobre o esquema que comporta menos complicações: a transmissão aos homens de um gene *gay* recessivo levado pelo cromossomo X. Mas os problemas ainda não terminaram para ele, longe disso. O cromossomo X, geneticamente falando, é amplo. Hamer aplica mais uma vez seu senso do atalho: a região Xq28, situada bem na extremidade do longo braço do cromossomo X, é uma das partes mais bem conhecidas do genoma. Por que não procurar aí? "Nós tínhamos que começar por algum lugar, e já que Xq28 era bem explorado ... isso parecia uma escolha tão boa como qualquer outra." Como a sorte sorri para os audaciosos, ele descobre rapidamente os marcadores esperados, provocando o bafafá que já sabemos.

Pensando bem, Dean Hamer não tinha, entretanto, uma chance em um milhão de ter sucesso procedendo da maneira como fez. Imagine que você é amante da pesca e que procura uma truta de 60 kg, sem ter certeza de que essa espécie gigante existe, mas sabendo que, em caso afirmativo, ela possui apenas algumas dezenas de representantes que frequentam o mesmo rio; imagine que esse rio possa encontrar-se em qualquer região do planeta; imagine que você mora na beira do Rio Garona e você decida começar sua busca por aí, e precisamente na parte do rio que passa no fundo do seu jardim; se, no primeiro lance, você fisga a truta gigante, você não pensaria que isso tem a ver com um milagre?

---

23 Na verdade, ele publicou em 1995, em *Nature Genetics*, um novo etudo em que examina a homossexualidade feminina, mas não traz nenhum elemento novo, a não ser a ausência de ligação entre a região Xq28 e o fato de ser lésbica.

Os milagres científicos são raros. A excitação suscitada pela descoberta de Dean Hamer murchou tão rápido como um suflê, tão logo outros pesquisadores se debruçaram seriamente sobre seus resultados. Pareceu então que a metodologia não era impecável, longe disso. Bertrand Jordan, geneticista do Centro Nacional da Pesquisa Científica (CNRS), sublinha que a definição da "orientação sexual masculina" não é "um caractere muito claramente definido, menos ainda uma doença: a classificação dos sujeitos comporta então numerosas incertezas".[24] E o valor estatístico do estudo é fraco. No total, os resultados não são nada probatórios, e não teria as honras da revista *Science* se Dean Hamer não fosse conhecido como um excelente pesquisador. Em seguida, Hamer sofreu alguns tormentos, quando um colega o acusou de ter falseado seus resultados desprezando dados que não concordavam com sua hipótese. Isso equivalia a uma acusação de trapaça, da qual Hamer foi finalmente inocentado por um inquérito do Office Research Integrity (ORI), um organismo americano encarregado de detectar fraudes científicas. Mas nenhuma outra equipe pôde confirmar seus resultados.

Último ato: em abril de 1999, um estudo canadense, igualmente publicado em *Science*, demonstrava, com uma metodologia bem melhor que a de Hamer, a ausência de ligação entre a homossexualidade masculina e a região Xq28. O que Bertrand Jordan comenta assim: "Nova ilustração da fragilidade dos dados apenas no estágio da localização: o resultado que provocou tanto barulho em 1993 é seriamente posto em dúvida, para não dizer anulado, o gene *gay* que fez correr tanta tinta torna-se absolutamente fantasmagórico". Até mesmo o seu "descobridor" o abandonou: ele agora pesquisa os genes da extroversão, da ansiedade e de outros traços da personali-

---

24 Bertrand Jordan, *Les imposteurs de la génétique*, Paris: Seuil, 2000.

dade; no final de 1996, até publicou em *Nature Genetics* um artigo dedicado aos genes da felicidade, o que prova que Dean não virou nenhum bicho-do-mato...[25]

A máquina de curar câncer de Antoine Priore

Você conhece o "anemelectrorecuopedalicortaventombrosoparacravociclo"? Inventado pelo sábio Cosinus,[26] essa espécie de bicicleta utilizava "todas as forças propulsivas conhecidas e até desconhecidas". Imagine por um instante que o sábio Cosinus seja um personagem real e não uma criação de Christophe, e que ele pretende ter rodado sobre a Lua a bordo de sua estranha máquina. Você acreditaria? Não, claro. Mas suponha que o homem tenha conseguido convencer políticos, professores, acadêmicos, prêmios Nobel... Antoine Priore, herói de uma aventura tortuosa que evoca uma versão médica dos aviões fungadores, realizou essa façanha. Durante duas décadas, uma plêiade de belos espíritos ficou deslumbrada pelas luzes escuras da lâmpada maravilhosa de Priore, a qual, porém, só brilhava pelo clarão de seu gênio inquieto, autodidata e desconhecido. O mais estranho é que o próprio inventor talvez nem soubesse como funcionava sua "máquina de curar câncer". Mas não antecipemos nada.

Dois livros foram dedicados aos meandros desse caso tenebroso, um de Jean-Pierre Bader[27] e outro de Jean-Michel Graille.[28] Utilizei sobretudo uma terceira fonte de informação, a meu ver

---

25 E também que o gene *gay* não era nenhuma bicha-de-sete-cabeças... Bem, suprimam os *gays*.

26 Christophe, *L'idée fixe du savant Cosinus*, Paris: Armand Colin. (Reeditada segundo a edição original de 1899).

27 Jean-Pierre Bader, *Le cas Priore: prix Nobel ou imposture?* Paris: Jean-Claude Lattès, 1984.

28 Jean-Michel Graille, *Dossier Priore: une nouvelle affaire Pasteur?* Paris: Denoël, 1984.

a mais fraca, um relatório estabelecido em 1982 por uma comissão de peritos da Academia de Ciências, a pedido do Ministério da Pesquisa e da Tecnologia. O professor Raymond Latarjet, redator do relatório, teve a bondade de me dar ciência.

Canto I: no qual Priore solicita uma patente de invenção e descobre a Causa Oculta do câncer

Priore construiu sua primeira máquina em 1957, num laboratório provisório instalado em Bordeaux. Ele solicita uma patente de invenção em 1º de junho de 1962, concedida no ano seguinte sob o n.1.342.772. Nela, Priore expunha uma nova teoria do câncer:

> Em estado de equilíbrio físico-elétrico normal, o núcleo celular está com carga positiva, mas pode tornar-se de sobrecarga negativa em consequência de fenômenos análogos a uma polarização... A invenção notadamente permite aos órgãos atingidos por esta inversão de seu potencial elétrico, em particular nos casos de sobrecargas negativas patológicas dos núcleos cancerosos, reencontrar seu equilíbrio inicial.

Assim, a Causa Oculta do câncer era um excesso de íons negativos. A máquina devia corrigir esse desequilíbrio por um bombardeio de íons positivos veiculados por uma onda portadora de alta frequência, reforçada por um sistema ciclotron, tudo isso regulado de acordo com as pulsações cardíacas do doente, graças a meios que permitiriam modular "a emissão das radiações, os campos magnéticos e elétricos aceleradores, assim como eventualmente o sistema deflector rotativo".

Você não conseguiu acompanhar tudo? A Academia de Ciências também não: "É impossível fazer uma representação clara e não equívoca da máquina", escreve Raymond Latarjet, acrescentando que "o conjunto do texto comporta cerca de seiscentas linhas onde abundam detalhes que parecem precisos, mas que desde então não permitiram a quem quer que seja reproduzir essa máquina sem a intervenção de seu autor".

Canto II: em que se magnetizam ratos

Qualquer biólogo que lesse a patente de Priore poderia supor que a máquina era apenas uma armadilha de íons. O câncer resulta de uma proliferação anárquica de células que possuem certos genes reguladores defeituosos. Imaginar que campos eletromagnéticos poderiam curar o câncer é quase como dizer que assistir à televisão poderia impedir as crianças de crescer.

Entretanto, desde 1960, o professor Biraben e seu assistente Delmon, docentes da Faculdade de Medicina de Bordeaux, interessaram-se pela máquina. Eles a testaram com ratos portadores de um câncer experimental, o tumor T8 de Guérin, e obtiveram resultados espantosos: nos ratos tratados pelos raios da lâmpada maravilhosa, os tumores regrediam e desapareciam, enquanto os ratos testemunhas que não tinham sido expostos aos raios Priore morriam de câncer generalizado em algumas semanas. O professor Guérin (aquele do tumor T8) e Rivière – ambos pesquisadores do Instituto de Pesquisa sobre o Câncer de Villejuif – associaram-se aos trabalhos. As experiências prosseguiram, sempre coroadas de êxito.

Em 1º de março de 1965, uma discussão animada ocorreu na Academia de Ciências. O professor Lacassagne levantou uma objeção: os ratos tratados pela máquina não eram portadores de tumores "naturais", mas de cânceres provocados artificialmente, e tinham nascido de linhagens especiais selecionadas para que o tumor pegasse; um rato pego ao acaso teria rejeitado o tumor de Guérin; por conseguinte, curar esse tumor "enxertado" num rato não era equivalente a tratar um câncer natural, surgido espontaneamente no animal. Em suma, não era certo que os primeiros sucessos da máquina fossem realmente significativos. Com maior razão, julgava Lacassagne, era cedo demais para extrapolar os resultados para o homem (notemos que, sobre esse ponto, Priore dispensou a opinião da Academia: desde o início, ele magnetizou seus pacientes, e continuou até o fim de sua carreira, sem que nenhuma cura de câncer humano fosse demonstrada).

Uma questão mais grave se apresentava: será que os resultados eram autênticos? Os animais tratados tinham sido bem marcados? Tinham sido adotadas todas as garantias experimentais? Guérin não tinha ido pessoalmente a Bordeaux, tinha enviado uma técnica. A dúvida se insinuava. Robert Courrier, secretário perpétuo da Academia de Ciências, declarou que era fácil verificar as experiências. Mas não era tão fácil assim. Só havia uma máquina, instalada em Floirac, perto de Bordeaux. Priore e seus assistentes, zelosos de seus segredos, mostravam-se pouco dispostos a acolher pesquisadores de fora.

Canto III: em que ratos britânicos interrogam-se sobre sua identidade

Em 1955, entretanto, Priore aceitou trabalhar com a equipe do professor Alexandre Haddow, diretor do Chester Beatty Research Institute (CBRI) da Grã-Bretanha. Haddow estava vivamente interessado pelos resultados de Priore e propôs enviar a Floirac seu colaborador, o Dr. Ambrose. Ficou convencionado que Ambrose levaria do CBRI ratos cancerosos que ele em seguida traria de volta para a Inglaterra, após passá-los pelos raios da lâmpada maravilhosa.

Eis aqui o que escreveu o doutor Kotler, do CBRI, no retorno de Ambrose: "De Bordeaux, todos os ratos voltaram sem tumor. Mas eles nos pareceram estranhos. Fizemos neles enxertos de pele proveniente de ratos de sua linhagem de origem. Todos os enxertos foram rejeitados. Por isso concluímos que aqueles ratos não eram os mesmos que havíamos enviado a Bordeaux"...

Certamente, o meio mais rápido de curar um rato doente é substituí-lo por um rato sadio. Para os britânicos, a substituição, deliberada ou acidental, não trazia dúvida. Outra explicação foi aventada: a radiação Priore teria modificado o sistema imunológico dos ratos de maneira tão profunda que eles não reconheciam mais os enxertos de sua própria linhagem. Em suma, eles não eram mais exatamente eles mesmos, imunologicamente falando. Essa hipótese, que o relatório Latarjet qualifica de "muito inesperada", não convenceu o professor Haddow. Em 22 de dezembro de 1966, ele escreveu a Priore: "Eu fiquei um pouco decepcionado pelo desenvolvimento das experiências de Bordeaux ... e considero que no momento o CBRI não deveria mais participar delas".

Canto IV: em que peritos tentam fazer perícia, antes de renunciar

A situação se tornava tão controvertida que a Direção Geral da Pesquisa Científica e Técnica (DGRST) decidiu intervir. Ela reuniu uma comissão incluindo notadamente o professor Jean Bernard, Robert Courrier, Alfred Kastler (o célebre Prêmio Nobel de Física) e Raymond Latarjet. Segundo a comissão, a única saída era realizar uma experimentação em condições que garantissem a significação dos resultados e tornassem impossível qualquer fraude. Para isso, a comissão elaborou um protocolo de experiências muito preciso. Como duas precauções valem mais do que uma, Latarjet sugeriu que Priore assinasse, antes do início das experiências, um certificado atestando que a máquina funcionava corretamente. Isso para que, em caso de fracasso, o inventor não pudesse invocar uma má utilização do aparelho.

Priore recusou. Em 5 de agosto de 1966, Seligmann, membro da comissão, fez-lhe uma visita. O inventor declarou que suas duas máquinas – outra havia sido construída – estavam quebradas (segundo testemunhas dignas de crédito, elas funcionavam). No fim do verão de 1967, depois de mais de um ano de espera, a DGRST renunciou ao projeto.

Canto V: em que a política se intromete

Depois do lamentável episódio britânico, Priore desistiu de tratar de ratos cancerosos, mas continuou a "tratar" de pacientes humanos, o que atesta uma estranha hierarquia das precauções. Ele se lançou numa nova série de experiências, com ratos suíços infectados pelo tripanossomo, o parasita da doença do sono. Priore passou-os pela lâmpada maravilhosa, e dessa vez a sorte não lhe rateou:[29] os bichinhos resistiram à doença e os parasitas desapareceram do sangue. Em 1969, o professor André Lwoff, Prêmio Nobel de Biologia, deu sua caução a essa experimentação. Lwoff, alguns anos antes, tinha, no entanto, escrito que a patente Priore era um "amontoado de asneiras".

Paralelamente, dois físicos, Berteaud e Bottreau, debruçaram-se sobre a máquina a fim de determinar as características da radiação. Concluíram que a lâmpada de Priore emitia uma onda curta de 17 MHz, uma micro-onda de 9.400 MHz, uma baixa frequência e um campo solenoidal pulsátil. Aparentemente, só a micro-onda agia sobre a doença do sono dos ratos. Para verificar isso, os dois físicos construíram uma versão simplificada da máquina, mas não obtiveram nenhum resultado positivo.

O caso estava enterrado... Ele foi relançado por algumas personalidades políticas, Edgar Faure e sobretudo Jacques Chaban-Delmas, prefeito de Bordeaux e primeiro-ministro que havia presenciado os primórdios da máquina maravilhosa. Ele permitiu que Priore conseguisse uma subvenção da DGRST de

---

29 Dessa vez, não fiz de propósito!

3,5 milhões de francos para uma nova máquina. Esta, atendendo pelo nome de código M 600, devia ser fabricada pela empresa Leroy-Somer. Jamais foi construída.

Canto VI: em que Priore se retira definitivamente

Em fins de 1976, as despesas comprometidas no projeto M 600 elevavam-se a quase 13 milhões de francos, dos quais 2,5 milhões eram fornecidos pela DGRST. Mas a primeira fase do contrato ainda não tinha terminado. A Leroy-Somer, em acordo com Priore, decidiu mudar para um projeto mais modesto. Depois, Priore mudou de opinião, e exigiu voltar à máquina M 600, o que a direção da Leroy-Somer recusou. O governo preocupou-se com essas protelações. Em 1982, uma última comissão foi encarregada de estabelecer o relatório do qual já citei diversas passagens. Esse relatório traça um sombrio balanço do período 1972-1980, constatando o fracasso do projeto M 600 e concluindo que "a comissão designada pela Academia de Ciências não pôde aconselhar ao senhor ministro de Estado encarregado da Pesquisa e da Tecnologia a manter o apoio financeiro deste caso".

Em 9 de maio de 1983, Antoine Priore morria em consequência de um acidente vascular cerebral. Levava com ele o segredo de sua máquina, objeto de um imbróglio jurídico e financeiro que envolvia viúva, o Estado francês e a Leroy-Somer.

Canto VII: em que se faz a autópsia da lâmpada maravilhosa

Segundo Jean-Pierre Bader, de 1965 a 1980, "as subvenções oficiais e os auxílios particulares concedidos a Priore elevaram-se a mais de vinte milhões de francos, sem contar as doações feitas ao pesquisador pelos seus adeptos". Vinte milhões que não levaram a obter nenhum êxito médico significativo. E mesmo quando Priore pareceu obter efeitos biológicos reais, como no caso dos ratos portadores da doença do sono, as experiências jamais puderam ser reproduzidas de maneira satisfatória.

Por que as coisas se passaram assim? Com sua mania de segredo, seus acessos de megalomania e sua paranoia, o inventor não facilitou nada. Mas esse aspecto psicológico não explica tudo. O episódio britânico parece difícil de explicar de outro modo que não seja por uma fraude. E continua sendo inquietante que ninguém alheio ao "sistema Priore" tenha podido repetir o menor dos seus resultados. Então, devemos simplesmente concluir que um charlatão característico engabelou alguns sábios crédulos? Certamente não.

Mesmo se trapaceou, Priore estava visceralmente convencido de que tinha feito uma descoberta importante. Sua oposição a qualquer transparência serve sem dúvida para mascarar seus passes de mágica. Mas ela tem um papel mais profundo: uma verdadeira peritagem teria retirado toda magia da lâmpada maravilhosa, transformado a carruagem em abóbora. Isso Priore quer a todo custo evitar. E, de certa maneira, ele não está só: aqueles cientistas que o apoiam, que se associam às suas experiências, que caucionam hipóteses inverossímeis, o que fazem eles a não ser alimentar o sonho de Priore? Quando André Lwoff, interrogado por Bader, se declara convencido de que Priore fez "provavelmente uma descoberta de primeira grandeza, que ocultou por seu comportamento anticientífico", ele cede à atração da miragem. Mas por que um grande cientista não sonharia, ele também, com uma máquina de curar o câncer?

Não se pode deixar de ver certas analogias entre o caso Priore e o caso Cyril Burt: tanto um como outro recorrem a trapaças para acomodar os fatos, e ao segredo para dissimular as trapaças. Tanto um como outro exploram crenças difundidas.

Tanto um como outro são obstinados. Mas enquanto Burt se apoia em poderosas forças políticas, Priore permanecerá à mercê dos cientistas que o ouvem e dos caprichos dos magistrados. Ele beneficia-se também da confiança dos pacientes que têm fé em sua lâmpada maravilhosa, mas não podem assegurar-lhe os meios de que ele necessita e a glória científica a que ele aspira. Embora muitas pessoas gostassem de acreditar que Priore tem razão, os fatos, porém, dizem o contrário.

Porque os verdadeiros inimigos de Priore não são os peritos, mas sim os fatos. Como não tem domínio sobre eles, Priore não encontra outra saída a não ser posar de gênio incompreendido. Ele encena seu processo imaginário, invertendo os termos do processo de Galileu: o sábio italiano foi julgado por uma autoridade religiosa que queria obrigá-lo a ver o mundo através da luneta do dogma, enquanto ele, por sua vez, preferia contemplá-lo na sua luneta astronômica. As autoridades científicas que se debruçam sobre o caso Priore não se recusam a compartilhar a verdade do inventor. Mas este os proíbe de fazê-lo. Ele quer ser seu único detentor. Então, qualquer diálogo, qualquer transação, torna-se impossível. Quem não está com Priore está contra ele.

A máquina de Priore não é construída com a aplicação de princípios biológicos e físicos que permitiriam tratar o câncer. Assim como aquele já citado "anemelectrorecuopedalicortaventombrosoparacravociclo" (é a última vez que escrevo esta palavra horrível!), ela é construída segundo um princípio retórico, como uma palavra-valise ou uma palavra-inventário. Ela reúne todos os dispositivos capazes de irradiar, pelo menos aqueles em que Priore pensou. Ela nada mais é que essa reunião. O maravilhoso reside nesse inextricável labirinto eletrônico no qual só o inventor sabe se orientar. Não é por acaso que Priore sempre recusou que se dissociassem os componentes da máquina para analisá-los separadamente: não haveria mais máquina nenhuma.

A lâmpada Priore evoca – tirante o humor – os objetos do *Catálogo de objetos inviáveis* de Carelman:[30] frigideira de molas para fazer os crepes saltar mais alto, pantufa com sola de chumbo para escafandrista, martelo luminoso para bater nos cantos mais escuros, pincel de barba com espinhos de ouriço – para barba dura – mais duro ainda! –, pente com rodinhas que não toca no couro cabeludo etc. Só falta a banheira com tampa para proteção da chuva... As máquinas maravilhosas são objetos inviáveis. Mas encontra-se de tudo no catálogo da impostura científica!

Exercícios

1 Reencontre seu irmão gêmeo perdido em Terra de Adélia. Passem ambos por um teste de QI. Se ele obtiver uma pontuação melhor do que você, mande-o de volta: não é seu irmão gêmeo.

2 Demonstre que a aptidão para pescar truta é inata: constitua uma amostra de gêmeos verdadeiros pescadores de truta separados no nascimento; calcule seus QPs (quociente de pescador, obtido dividindo-se o tamanho da maior já pescada reivindicada pelo número de pessoas que a viram); demonstre estatisticamente que existe uma correlação entre os QPs dos gêmeos. Encaminhe uma comunicação à Academia de Ciências. Será que você consegue uma resposta?

3 Mesmo exercício, depois que você conquistou o Prêmio Nobel. Você observa as mesmas reações?

---

30 Carelman, *Catalogue d'objets introuvables*, Paris: Ballanc, 1976 [ed. bras.: *Catálogo de objetos inviáveis*. Rio de Janeiro: Nova Fronteira, 1976].

4 O que é verde, pendurado na sala e canta?

Resposta: uma truta. Eu a pintei de verde e a pendurei no lustre da sala. Ela não canta, mas se eu tivesse dito, seria fácil demais.

5 Construa um martelo de bater claras em neve utilizando um pau de barraca e um cão de espingarda. Este último deve estar vivo, porque vale mais uma vida de cão do que vida nenhuma.[31] Patenteie a invenção. Depois de quanto tempo os japoneses e os coreanos vão copiá-la?

31 Essa foi demais... Suprimam os leitores que sobraram.

Lição 3
A ciência oficial, achincalharás

A terra está inchando e não sabemos por quê! Espantosas revelações do paleontólogo Hugh Owen, do British Museum, no *New Scientist*[1] de 22 de novembro de 1984. Com apoio de esquemas, Owen demonstra que nosso planeta adquiriu algumas abomináveis rotundidades há duzentos milhões de anos. No Mesozoico, os dinossauros devem ter percorrido um globo duas vezes menor do que hoje!

A prova? Owen fez rodar para trás o filme da deriva dos continentes. Outrora, a costa oriental da América do Sul encaixava nas bordas da África, a Groenlândia se embutia entre a Europa e o escudo canadense, a Índia, a Austrália e a Antártida se tocavam sem constrangimentos. As terras emersas formavam um continente único, a Pangeia, circundada pelo "mar de

---

1 Hugh Owen, "The Earth is expanding and we don't know why", *New Scientist*, 22 de novembro de 1984. Ver também Nicolas Witkovski, "Polémiques autour de l'expansion terrestre", *La Recherche*, n.171, novembro de 1985. Para uma apresentação atualizada e ilustrada da teoria de Hugh Owen, consultar o *site* da internet: www.wincom.net/carthexp/n/.

Tétis". Sem molhar suas patas, o mosassauro, um grande lagarto de dentes acerados que viveu 250 milhões de anos antes de nossa era, podia passar do extremo nordeste do Brasil para a Guiné.

Owen quis recolocar o quebra-cabeça no lugar. Pois bem, não encaixa. Impossível reconstituir corretamente a Pangeia sobre uma Terra do tamanho atual. Os continentes permanecem separados em certos locais por golfos triangulares que não correspondem a fundos oceânicos. Será que nosso planeta é um queijo gruyère cheio de buracos? Duro de engolir. Para o paleontólogo britânico, existe uma explicação melhor: a expansão terrestre.

Pegue uma laranja, descasque-a e tente colar a casca sobre uma *grapefruit*. Com toda a evidência, a casca pequena demais vai romper em alguns pontos. Segundo Owen, é o que acontece quando projetamos os contornos dos continentes sobre um globo do tamanho atual. Os golfos triangulares correspondem aos rompimentos da casca da laranja. A anomalia desaparece quando se reconstitui a Pangeia sobre uma Terra de um diâmetro 20% inferior ao diâmetro atual (cerca de 12.700 km), ou seja, uma redução em volume de quase 50%. Os golfos constituem então uma prova indireta da expansão da Terra.

Como um dado tão vital pode escapar aos radares da ciência vigilante? Segundo Owen, os geofísicos não notaram nada porque eles trabalham geralmente sobre porções restritas do globo terrestre, utilizando mapas planos. "A única abordagem correta consiste em fazer a reconstrução sobre um globo e efetuar em seguida uma projeção sobre um mapa plano", escreve o paleontólogo num artigo já citado. Às claras, Hugh Owen acusa os geofísicos de não saber que a Terra é redonda!

Os geofísicos são uns estúpidos?

Tamanha cegueira parece surpreendente. Para Owen, ela se explica facilmente: a expansão terrestre é uma ideia demasiado incômoda para os guardiões do saber estabelecido. Decididamente, o processo de Galileu jamais terminará. Tal como a Igreja recusando-se a olhar o céu pela luneta astronômica, a geofísica oficial prefere vendar os olhos e voltar à Terra plana dos babilônios, em vez de enfrentar as implicações revolucionárias de um planeta inflando. "E, todavia, ela infla...", sussurra Owen que por sua vez infla os cientistas.

O contribuinte honesto, esse representante achincalhado de uma espécie ameaçada, estremece de indignação ante a ideia de que seus impostos servem para sustentar pesquisadores tão retrógrados. Será que é preciso jogar os geofísicos na prisão, lugar propício, como se sabe, para o estudo aprofundado das laranjas? Antes de chegar a tais extremos, vejamos que argumentos a ciência oficial lança para sua defesa. Esses argumentos, eu os colhi com Vincent Courtillot, que na época era um jovem pesquisador do Instituto de Física do Globo, templo parisiense da geofísica ortodoxa, dirigido por Claude Allègre (depois, Allègre teve uma passagem notável no Ministério da Educação Nacional, da Pesquisa e da Tecnologia, onde Courtillot era seu conselheiro). Perguntei então a Vincent Courtillot se, realmente, os geofísicos ignoravam a rotundidade da Terra, o que constituiria manifestamente um escândalo planetário.

Resposta:

> Todas as reconstituições são efetuadas sobre esferas. Em 1961, Bullard, um dos pioneiros da tectônica, observou que, quando se tenta ajustar os continentes, a coisa não encaixa perfeitamente. Muito simplesmente porque seus contornos foram modificados enquanto se separavam. As placas não têm uma rigidez absoluta. É irreal acreditar que as fronteiras conservam no curso do tempo uma geometria fixa. Deveríamos supor, por exemplo, que a fronteira que separou a África da América do Sul produziu-se instantaneamente em todo o seu comprimento, fenômeno altamente improvável.

Ficamos aliviados! A ciência oficial, por limitada que seja, de qualquer modo registrou que nosso planeta era esférico, ou mais exatamente, aliás, elipsoidal, porque ele é ligeiramente achatado nos polos, de maneira que o raio equatorial é uns vinte quilômetros superior ao raio polar. Como bom impostor científico, Owen ignora soberbamente que houve alguns episódios desde a primeira medida da Terra, efetuada no século III a. C. por Eratóstenes. Este calculou uma circunferência terrestre de 250 mil estádios, ou cerca de 46 mil quilômetros, o que é 15% acima das estimativas atuais, mas constitui um excelente resultado, levando-se em conta os meios de que Eratóstenes dispunha. Depois, os satélites Landsat, Cosmos, Spot 1 e 2, sobretudo, forneceram medidas cada vez mais precisas, e o valor fixado hoje é de 40.075,017 km no Equador.

Como, no entanto, fraturam-se os continentes? Vincent Courtillot e seu colega Gregory Vink descrevem o processo num artigo da revista *Pour la Science*.[2] Para acompanhá-los, comecemos por expor as bases da tectônica das placas, a teoria moderna que explica os movimentos da crosta terrestre (tectônica vem do grego *tektonikos*, "próprio do carpinteiro").

A hipótese da deriva dos continentes foi lançada pela primeira vez em 1912 por Alfred Wegener, um jovem astrônomo alemão. Wegener representava os continentes como jangadas gigantes que lavravam o fundo dos mares. No curso de seus deslocamentos, elas engendravam cadeias de montanhas em sua proa e deixavam guirlandas de ilhas em sua esteira. Essas ideias foram de início recebidas favoravelmente, mas depois rejeitadas pelos geofísicos: o fundo dos oceanos era rígido demais para que os continentes pudessem deslocar-se dessa maneira.

Wegener, entretanto, tinha razão, pelo menos quanto à hipótese principal: os continentes derivavam realmente. Foi ne-

---

2 Vincent Courtillot & Gregory Vink, "Comment se fracturent les continents", *Pour la Science*, n.71, setembro de 1983.

cessário quase meio século de exploração submarina para penetrar o segredo de seus movimentos. Um dos pioneiros dessa pesquisa, o geofísico Xavier Le Pichon, relatou essa apaixonante saga científica que começa com a busca dos *rifts* e termina nas fossas de subducção do Pacífico, por seis mil metros de profundidade.[3] Os *rifts*, espécies de vales que sulcam o assoalho dos oceanos, traçam sobre o globo um gigantesco Y de sessenta mil quilômetros. Sobre toda a sua extensão, o magma da capa – a camada que se encontra entre a crosta terrestre e o núcleo central do planeta – estende-se através dos vulcões submarinos.

São fabricados assim 3,5 km^2 de novos fundos oceânicos por ano. Se não desaparecesse uma quantidade equivalente, a Terra dobraria de volume em cem milhões de anos, mais rapidamente ainda do que prevê Owen. Tal como uma gigantesca esteira rolante, o assoalho dos mares emerge do ventre da Terra ao longo dos *rifts* e atravessa o oceano. No contorno do Pacífico, as fossas de subducção engolem a esteira oceânica que se dissolve na capa. O cadáver desse assassinato planetário desaparece para sempre. A cada duzentos milhões de anos, o fundo dos oceanos é integralmente renovado.

Os continentes, por sua vez, não se renovam. Colocados como flutuadores sobre a crosta oceânica, eles se dedicam a uma interminável corrida de *stock-car*. Os *rifts* e a subducção recortaram a crosta terrestre em doze grandes placas de setenta a cem quilômetros de espessura. As seis principais carregam a Eurásia, a África, as Américas, o Pacífico, o Índico-Australiano, a Antártida. As placas se deslocam permanentemente, e os tremores de terra resultam de suas fricções e raspagens. Quando dois continentes entram em colisão, as placas comprimidas se dobram, formando cadeias de montanhas. Os Pirineus e os Al-

3 Xavier Le Pichon, *Kaiko, Voyage aux extrémités de la mer,* Paris: Odile Jacob-Seuil, 1986 [ed. port.: *Kaiko. Viagem aos confins do oceano*. Gradiva, 1988].

pes nasceram do choque da África contra a Europa, e o Himalaia do encontro entre a Índia e a Ásia.

Passemos agora ao modelo de Courtillot e Vink. Primeiro, por que os continentes se fraturam? É um problema de pressões mecânicas. Os movimentos tectônicos provocam estiramentos que, em certas zonas, terminam na ruptura de uma placa continental. Muito esquematicamente, pode-se comparar essa placa a um fundo de torta crua. Se cortamos a massa com a faca, obtemos pedaços cujas bordas são paralelas (se a faca não grudar), e essas bordas se ajustam quando são juntadas. Mas imaginemos que, em vez de cortar a massa de torta corretamente, nós a rasguemos puxando para cima. A massa se estreita nas bordas do rasgo, de maneira que, quando se quer reajustar os pedaços juntos, eles não se adaptam bem. É mais ou menos o que acontece com os continentes: as futuras fronteiras continentais se deformam no curso do processo de fratura. A imagem da massa é apenas uma aproximação, porque a deformação não é a mesma ao longo da fratura. É preciso imaginar uma massa pouco homogênea, mais elástica em alguns pontos e mais seca em outros. A placa continental se quebra nitidamente em certos pontos, mas possui zonas de resistência onde a deformação é importante.

Os golfos triangulares caros a Hugh Owen se explicam por essa deformação irregular. Inútil imaginar que a Terra estufa como um balão. No fundo, o raciocínio de Owen morde o próprio rabo: ele descasca uma laranja pretendendo que seja uma *grapefruit*, e depois se admira de que a laranja seja pequena demais para recobrir a *grapefruit*. Talvez os geofísicos não saibam que a Terra é redonda, mas, em matéria de cítricos, o paleontólogo britânico ainda tem muito o que aprender.

A Terra não é pipoca

Para dizer tudo, a expansão terrestre é uma velha serpente do mar. O geofísico Otto Hilgenberg já agitava o assunto desde

1933, imaginando uma Terra pré-cambriana cinco vezes menor do que hoje. Em meados dos anos 1950, o australiano Warren Carey – grande referência de Owen – tornou-se o campeão do planeta inflável. Ele organizou simpósios sobre o assunto, o primeiro dos quais ocorreu em Sidney em 1981. Vítima de uma estranha fixação, Carey recusava-se a admitir a subducção. Como era necessário que os fundos oceânicos fossem para algum lugar, Carey inclinou-se à hipótese *ad hoc* da expansão terrestre.

Ora, essa hipótese não só é inútil, como fisicamente aberrante. A não ser que se imagine que um alcoolizado deus do Olimpo confunda a Terra com um balão de bafômetro, não se conhece nenhum mecanismo suscetível de explicar uma pretensa duplicação do volume terrestre em duzentos milhões de anos. Será que se poderia atribuir isso ao fluxo de meteoritos que bombardeia o planeta constantemente? "Isso não bastaria", diz o astrofísico Jean-Claude Pecker. "A quantidade de matéria é ínfima comparada à massa da Terra, que praticamente não variou em quatro bilhões de anos. Além disso, o fiozinho de matéria que se acrescenta teria tendência mais a comprimir o centro da Terra e aumentar sua densidade, não a aumentar o raio terrestre." E, com efeito, certas medidas sugerem que o raio terrestre diminui no curso do tempo – embora em proporções ínfimas.

Owen, por seu lado, sugere um roteiro meio doido. O centro do planeta seria instável e empurraria a crosta terrestre como a tampa de uma panela de pressão solta. Mais do que a um balão, a Terra se assemelharia a pipoca. Divertido, mas perigoso para seus habitantes. E inepto do ponto de vista físico. A capa de magma situada sob a crosta terrestre envolve um núcleo cujo centro é uma espécie de bola de ferro e níquel, com cerca de 250 quilômetros de diâmetro e com uma temperatura de 4.300 graus. Essa bola, fortemente comprimida pelas camadas superiores, encontra-se em estado sólido. O motor da compressão é a gravitação (que aumenta com a massa do planeta; é por essa razão que a matéria dos meteoritos tende a aumentar a densidade e não a dilatar a Terra). Para contrabalançar a força de gravitação, o núcleo terrestre deveria transformar-se numa bomba H gigante, como o Sol – o que resolveria a discussão. Felizmente para nós, a massa de um planeta como a Terra é frágil demais para autorizar semelhante roteiro.

E depois, se a Terra estivesse realmente em expansão, por que seria ela o único planeta nesse caso? Nenhuma observação astronômica fornece o menor índice de inflação marciana, jupiteriana ou venusiana. A fluxão terrestre não pode então ser aceita sem postular uma exceção à universalidade das leis físicas. Em suma, Owen nos propõe trocar a teoria da gravitação por uma hipótese que não rende nada: não é precisamente um bom negócio.

Darwin em xeque

Na série "Lancemos ao mar as teorias que funcionam", o etologista Rémy Chauvin, intrépido autor de *A biologia do espírito*,[4] não tem nada a invejar de Hugh Owen. Desde a introdução, o pensamento do leitor é transportado a cimos exaltantes: "Somos muito mais sábios do que há cinquenta anos, mas muitas vezes imagino que, para compreender este mundo vivo de indizível estranheza, precisaremos de um tempo dez ou cem vezes maior". Certamente para ganhar tempo, Chauvin propõe começar por livrar-se do pouco que sabemos praticando "aquela ascese mental tão difícil que consiste em observar o universo fazendo abstração de tudo que já disseram sobre ele".

Chauvin possui manifestamente um dom inato para essa "ginástica espiritual". Ele jamais está tão à vontade como quando fala do que não conhece. Não sou eu quem diz, é ele: "Falarei

---

4 Rémy Chauvin, *La biologie de l'esprit*, op. cit.

por exemplo do Espírito e do 'demiurgo' evitando definir muito precisamente o que entendo por isso: porque não sei muito claramente ... No medonho estado de nossa ignorância, será realmente preciso definir tão precisamente?".

Um senso da imprecisão assumido tão tranquilamente merece admiração. Ele permite a Chauvin varrer para longe, liquidar em algumas páginas o neodarwinismo que constituiria "para os anglo-saxônicos em particular uma verdadeira religião", embora não seja nada mais "que um conjunto de tautologias que só podem satisfazer às almas piedosas". Esses julgamentos peremptórios repousam, como convém, sobre uma sólida ignorância. Chauvin lembra por sinal que sua especialidade é a etologia, embora o assunto fosse mais concernente "aos paleontologistas ou a rigor aos geneticistas". Afirmação que não deixa de ter um grão de sal: estudar os comportamentos animais, objeto da etologia, sem levar em conta a evolução, é mais ou menos como se alguém quisesse fazer história sem saber nada do que aconteceu antes de 1950.

Que bicho mordeu então Chauvin? "Foi aquele danado do Wilson, meu ilustre colega da América. Até a publicação de suas últimas obras, confesso ter dedicado às teorias da Evolução apenas uma atenção difusa e meio irritada." Chauvin interessou-se então pela evolução apenas para atacar Wilson, o que, afinal, é um motivo tão bom como outro qualquer. Entretanto, se alguém quiser derrubar o darwinismo, Wilson não é exatamente um bom alvo.

Faremos uma pequena digressão para os leitores que não estariam familiarizados com as ideias de Edward Wilson (voltaremos mais longamente sobre o seu caso na Lição 7). Esse célebre naturalista, grande especialista em formigas, é conhecido sobretudo pela parte menos científica de seu trabalho: a sociobiologia, uma tentativa de descrever as sociedades animais e humanas a partir de bases biológicas. Para Wilson, os genes não determinam apenas os caracteres físicos, mas a arquitetura geral do psiquismo e do comportamento. Sua ambição última é dar conta em termos genéticos da totalidade da condição humana: "A afirmação central da sociobiologia é que todos os aspectos da cultura humana e do comportamento são, como o comportamento de todos os animais, programados nos genes e foram moldados pela seleção natural", escrevem Lewontin, Rose e Kamin.[5]

A sociobiologia foi recuperada e apresentada de maneira caricatural pela Nova Direita francesa no fim dos anos 1970: seríamos apenas marionetes cujos barbantes são puxados pelos nossos genes. O pensamento de Wilson é mais matizado do que essa fórmula, mas implica, entretanto, uma visão no mínimo mais restrita do homem e da sociedade. Ela implica também que os genes e os caracteres que eles determinam são severamente submetidos às coerções da adaptação: só são selecionados os genes que oferecem a melhor adaptação. Ora, se a seleção se aplica a inúmeros genes, outros evoluem meio ao acaso. Assim, o fato de que os africanos tenham pele negra resulta de uma adaptação ao clima (que encontramos aliás em outras regiões do mundo). Por outro lado, o fato de que entre os bascos exista certa porcentagem de indivíduos que possuem o grupo sanguíneo B, e que essa porcentagem seja diferente entre os bretões, nem tem nenhuma significação do ponto de vista adaptativo: é apenas a herança histórica de uma repartição que no início deveu-se apenas ao acaso.

A ideia de que a totalidade dos genes e dos caracteres associados é regida pela adaptação acarreta paradoxos e sofismas. Um representante típico dessa corrente de pensamento é Robert Wright, autor de *O animal moral*,[6] uma obra muito divertida que pretende explicar em termos de evolução darwiniana as relações conjugais, o adultério e as vantagens seletivas que pode

5 Richard Lewontin et al., *Nous ne sommes pas programmés*, op. cit.

6 Robert Wright, *The Moral Animal*, New York: Pantheon Books, 1994 [ed. bras.: *O animal moral*. Rio de Janeiro: Campus, 1996].

haver em enganar o cônjuge (ou em ser-lhe fiel). Querendo explicar demais, o "adaptacionismo" desemboca em raciocínios análogos aos de Pangloss, o incorrigível otimista do *Cândido* de Voltaire: "As coisas não podem ser de maneira diferente: como tudo é feito para ter um fim, tudo é necessariamente para o melhor fim. Vejam bem que o nariz foi feito para usar óculos, assim nós temos óculos. As pernas são visivelmente instituídas para serem vestidas, e nós temos calções".

O "panglossismo" ameaça os teóricos da evolução que exageram o papel da adaptação. Chauvin não tem nenhuma dificuldade em ironizar sobre tais concepções: "Admitir que o melão francês tem saliências apenas para ser comido em família, como dizia o bom Bernardin de Saint-Pierre, é decididamente um erro". Não se detendo nesse caminho tão bom, nosso autor demonstra que o vício oculto do sistema darwiniano é de ordem lógica e até mesmo tautológica: "O darwinismo postula a sobrevivência do mais apto. Mas quem é o mais apto? Aquele que sobrevive. O darwinismo postula então a sobrevivência dos sobreviventes".

Chauvin só esquece um detalhe: ele não é absolutamente o primeiro a formular essas objeções. Stephen Jay Gould várias vezes criticou os defeitos do adaptacionismo e mostrou como podemos nos apoiar na grande ideia de Darwin, a seleção natural, sem por isso naufragar nos excessos dos darwinistas maximalistas à maneira de Wilson. Nunca será demais aconselhar ao leitor que mergulhe nos ensaios de Gould, que são sempre um regalo.[7] Uma ideia-chave é que a seleção se exerce sobre os organismos, não sobre os caracteres: é o animal inteiro que sobrevive, não seus genes tomados um por um. Mas um

---

7 Ver por exemplo: Stephen Jay Gould, *Le pouce du panda*, op. cit. [cf. ed. bras. citada], ou o ensaio n.9 de *La foire aux dinosaures*, op. cit. [cf. ed. port. citada]. A citação de Voltaire é tirada de um artigo de Stephen Jay Gold & Richard Lewontin, "L'adaptation biologique", *La Recherche*, n.139, dezembro de 1982.

animal pode muito bem sobreviver porque ele está globalmente adaptado ao seu meio, o que não implica que cada caractere considerado isoladamente represente o *optimum*. Por exemplo, o rinoceronte indiano só tem um chifre, o rinoceronte africano tem dois. Tanto para um como para outro, o chifre é uma arma. Mas não há argumento decisivo para afirmar que dois chifres valem mais que um, ou o inverso. Acontece que as duas variantes existiam, e que o acaso fez que uma se tornasse preponderante na Ásia e a outra na África.

O exemplo favorito de Gould, o famoso polegar do panda, é ainda mais esclarecedor. O panda é herbívoro, mas seus ancestrais eram ursos carnívoros. Os movimentos do seu polegar verdadeiro foram limitados pela adaptação ao regime carnívoro. Passando para um regime à base de bambu, o panda "improvisou" para si um polegar falso, a partir de um osso do punho, o sesamoideo, que se alargou. Não é muito elegante, nem ótimo, mas funciona. Para Gould, esse tipo de imperfeição é uma espécie de janela aberta sobre o passado, que permite retraçar os itinerários da história evolutiva. Mas se a evolução procede assim, às cegas, por uma espécie de improvisação, como se explica que haja tão poucos monstros, aberrações da natureza?

"A própria ideia de seleção está contida na natureza dos seres vivos, no fato de que existem apenas na medida em que se reproduzem", escreve François Jacob.[8] "Cada indivíduo novo é submetido à prova da reprodução. Se não pode reproduzir-se, ele desaparece... A seleção se opera não entre os possíveis, mas entre os existentes." Não há então nenhum plano: os organismos que existem hoje estão aí porque seus ancestrais conseguiram existir e se reproduzir, ponto final.

Se desenvolvi essas ideias, foi para mostrar a que ponto a versão do darwinismo que Chauvin critica é uma caricatura.

---

8 François Jacob, *La logique du vivant*, Paris: Gallimard, 1970.

No entanto, ele cita Gould, Lewontin e Jacob. Se ele os leu, parece que não os compreendeu. Mas, para dizer a verdade, Chauvin se preocupa tanto com o que dizem os biólogos como com sua primeira rede de caçar borboletas. O que lhe interessa são suas próprias ideias, que ele resume assim:

> – A evolução é *orientada* no sentido de que jamais se viu um batráquio voltar a ser um peixe, uma ave ou um mamífero voltarem a ser répteis.
>
> – A chave da evolução encontra-se provavelmente dentro do homem: sua vontade é programadora e chega ao seu objetivo por mecanismos dos quais ele não tem consciência. A "programática" da evolução é da mesma ordem. Um programa se cumpre por mecanismos dos quais os organismos não têm consciência, e é a evolução.
>
> – Sua direção geral assemelha-se a uma vontade difusa em todos os seres animais e vegetais...
>
> – A maneira como nosso cérebro age sobre nosso corpo, em resumo, é provavelmente a mesma que a da vontade evolutiva agindo sobre a matéria animada.

Poder-se-ia acrescentar que jamais se viu uma concepção ultrapassada transformar-se em teoria inovadora: pondo à parte o jargão sobre a programação, Chauvin nada mais faz do que reapresentar uma versão não realmente melhorada do finalismo de Lamarck. O que dizia o naturalista francês, morto em 1829, trinta anos antes de Darwin publicar *A origem das espécies*? Que a vida nascia sob uma forma muito simples, depois se tornava cada vez mais complexa sob o impulso de uma "força que tende incessantemente a complicar a organização". O plano de Deus aparece em filigrana por trás dessa ideia de força organizadora. A evolução não é um processo cego, mas assemelha-se a uma marcha triunfal orientada para um objetivo último, o Homem.

Chauvin, portanto, renunciou a "observar o universo fazendo abstração de tudo que já se disse sobre ele". Contentou-se em voltar um século atrás, acrescentando um toque de espiritismo à teoria de Lamarck. Porque, segundo ele, a "vontade programática" permite explicar a ação do espírito sobre a matéria, a parapsicologia, a psicocinese e outras torções de colheres à maneira de Uri Geller. Recreativo, mas mal apoiado no plano factual. Entretanto, a atitude de Rémy Chauvin parte de um bom sentimento. Quando um de seus amigos biólogos lhe disse que se sentia "completamente nu sem Darwin", o sangue lhe subiu à cabeça. Jogar o darwinismo no lixo, tudo bem, mas isso não é motivo para que seus amigos não tenham nada para vestir. Então, em troca, ele lhes propõe os velhos andrajos lamarckianos. Muito gentil, mas é quase como propor a um esquimó trocar suas roupas habituais por um maiô "fio dental".

Não é por dogmatismo, superstição ou fé religiosa que Lamarck foi abandonado em favor de Darwin. É porque, para explicar a história dos seres vivos e o aparecimento das espécies, a teoria darwiniana é um instrumento mais eficaz. A seleção natural é um mecanismo concreto, verificável. A força organizadora, como a vontade programática de Chauvin, é um conceito sem base no real. Aderir a ela é um ato de fé. Claro que Chauvin é livre para crer no que quiser. Mas não se rejeita uma teoria científica por um ato de fé. Nesse caso, trata-se sobretudo de má-fé. Você por acaso seria convencido por uma pessoa segurando uma esferográfica no ar e pretendendo que ela não escreve?

O vácuo é cheio de energia

Você leu direito: na época da gasolina cara e das centrais nucleares, existe uma energia gratuita, inesgotável e menos esgotante que a do desespero: a energia do vácuo. De resto, esses fatos capitais foram divulgados de longa data por Renaud de la Taille na revista *Science et Vie*.[9] Cito:

---

9 Renaud de la Taille, "Qui osera réfuter la synergétique?", *Science et Vie*, n.698, setembro de 1975.

> Enquanto o primeiro gerador sinergético acaba de funcionar, a ciência oficial continua a ignorar os trabalhos do Prof. Vallée. Isso é tanto mais grave quanto esses trabalhos levam à independência energética ... A sinergética foi posta à prova este verão na Bélgica ... Pela primeira vez, um amplificador de potência funcionou tendo como único aporte de energia o universo que nos cerca e pertence a todos. O gerador ... restituiu o quádruplo da potência que lhe haviam dado, o que constitui por si só um resultado desconcertante, e totalmente inexplicável no quadro das antigas teorias da física.

Não menos desconcertante é a explicação desse resultado:

> Essa energia suplementar aparentemente vinda de lugar nenhum vem confirmar de maneira inegável a teoria energética do Prof. Vallée cuja hipótese básica é a seguinte: os espaços interatômicos, interestelares e intergalácticos do universo, habitualmente considerados como vazios, são na realidade o centro de uma atividade eletromagnética intensa, e não material, de distribuição contínua, e que resulta da superposição de ondas elementares distintas que se propagam em todas as direções com velocidades geralmente pouco diferentes entre si ... A estrutura do espaço é energética. A matéria pode então trocar energia com o espaço ... E, ainda mais, essa energia é sem limite, e o aparelho que permite captá-la é relativamente simples.

Essa algaravia pode parecer obscura, mas a mensagem que dela decorre é simples: o vácuo não é vazio, ele é repleto de uma energia inesgotável que podemos recuperar muito facilmente com um dispositivo pouco custoso. Não explorá-la é um verdadeiro crime ecológico e econômico que só se explica por um complô da ciência oficial.

Em linguagem clara, a "teoria sinergética" é uma repetição do moto-perpétuo. Seu criador, René Louis Vallée, um antigo engenheiro do CEA, pretende ter descoberto a "origem eletromagnética dos fenômenos de interação nuclear, ligados aos da gravitação". Mesmo que ele reivindicasse a descoberta da origem eletromagnética das hemorroidas, isso não mudaria grande coisa.[10] Não basta alinhar de ponta a ponta termos científicos e fórmulas para criar uma teoria física.

Em 1976, físicos da Universidade de Paris-VII tentaram verificar experimentalmente uma previsão da teoria sinergética. O resultado foi negativo. A experiência foi apresentada em *La Recherche*,[11] acrescida de um comentário de Jean-Marc Lévy-Leblond do qual cito um trecho:

> Os escritos [de Vallée] assemelham-se à física como à caligrafia se assemelhariam aqueles grafismos de Steinberg que, imitando de longe uma escrita perfeitamente convencional, de perto se revelam apenas como traçados insignificantes.

Vallée desenha rabiscos, mas pretende que seja escrita. O vazio semântico de seu discurso é pleno de uma virulenta energia polêmica. Ele não encontra palavras suficientemente duras para estigmatizar o capitalismo mundial cujos "guardas fiéis a soldo das altas finanças" bloqueiam "todas as vias do progresso científico". Ele condena a "perigosa ignorância dos responsáveis pela Ciência oficial, nomeados em sua maioria por forças ocultas político-religiosas entre as quais, em boa posição, se encontra a Organização Sionista Mundial" (*sic*).[12] Ele fustiga a conjuração da contraverdade, culpada de sacrificar "milhões de homens ... ao Bezerro de Ouro" e evoca uma "recusa que, como a besta do Apocalipse, emerge das profundezas do inconsciente coletivo". Essas invectivas religiosas não transformam em

---

10 Como anteriormente, tenho uma razão particular para escolher esse exemplo, razão que aparecerá no momento certo...

11 M. Kovacs & J.-M. Lévy-Leblond, "La théorie synergétique", *La Recherche*, n.69, julho-agosto de 1976.

12 Passagem extraída de uma nota de René Louis Vallée dirigida a Jacques Chirac, então primeiro-ministro francês, em 21 de maio de 1986.

propósitos compartilháveis um discurso murado na fortaleza vazia de suas certezas. Não é perigoso falar sozinho, exceto quando não se sabe que se fala sozinho.

A memória da água

> Acabarei passando por gênio. Não porque fiz uma descoberta genial: não é uma descoberta genial. Vou passar por gênio porque ataquei. É prodigioso! Vai haver uma extraordinária volta do pêndulo. Estarei na situação ideal para realizar o que tento fazer há vinte anos, demolir o *establishment* científico. O artigo está pronto. A estratégia está pronta. Eu vou berrar para todo lado... Vamos almoçar?

A cena se passa em outubro de 1989, na residência parisiense de Jacques Benveniste, num terraço dominado pela Torre Montparnasse. O homem não é do tipo que tem papas na língua. Ele se exprime com uma franqueza brutal, um gosto pela provocação que muitas vezes arrasta as palavras para além do pensamento. E que se traduz em fórmulas lapidares e em condenações sem apelação. No melhor dos casos, dá nisto: "Fulano é uma besta, isso todo mundo sabe". Pode ser ainda pior. "Eu sou meio provocador", confessa-me ele – na única vez em que eu o veria recorrer a um eufemismo. Mas, nessa bela manhã em que o verão se prolonga, Benveniste está de excelente humor. Em três horas de conversa, ele não "provocará" mais de uma dezena de colegas que, de seu ponto de vista, bem que merecem.

Quinze meses antes, o biólogo ocupava as manchetes dos jornais do mundo inteiro. Em 29 de junho, a notícia figura na primeira página do *Le Monde*:[13] "Uma descoberta francesa poderia revolucionar os fundamentos da física: a memória da água". Os

---

13 *Le Monde*, edição datada de 30 de junho de 1988.

jornalistas Jean-Yves Nau e Franck Nouchi relatam que uma "equipe internacional de biólogos", chefiada pelo doutor Jacques Benveniste, estabeleceu a prova de um fenômeno até aqui desconhecido. A água, esse líquido aparentemente sem mistérios, seria capaz de conservar a "lembrança" da estrutura molecular de uma substância nela diluída, na forma de uma espécie de impressão eletromagnética. A água poderia em seguida retransmitir a informação bioquímica associada à molécula gravada, mesmo na ausência dessa molécula. Um pouco como um gravador restitui, a partir de uma simples fita, os sons e a ambiência de um concerto executado anos atrás e a milhares de quilômetros.

Com toda a evidência, trata-se de uma descoberta sensacional, que merece pelo menos o Nobel. Médico e biólogo, diretor da unidade 200 do Inserm,[14] Jacques Benveniste é conhecido por seus trabalhos sobre o paf-acether, ou paf, uma molécula que exerce um papel importante nos mecanismos da inflamação. É um pesquisador brilhante, nem um brincalhão nem um autodidata como Antoine Priore. Se ele estiver certo, a memória da água poderia permitir desenvolver uma farmacopeia na qual as substâncias ativas seriam substituídas pela sua impressão eletromagnética. Ela explicaria a ação dos medicamentos homeopáticos, que os cientistas racionais consideravam até aqui como bons placebos, para grande dano dos homeopatas. Benveniste teria trazido à luz o segredo daquelas doses evanescentes, cuja ação se mantém depois que a última molécula de princípio ativo desapareceu num oceano de solvente, como o sorriso do gato de Cheshire de *Alice no país das maravilhas*, que "persistiu algum tempo depois que o resto do animal desapareceu".[15]

A polêmica suscitada pelo biólogo francês ainda está em todas as memórias (exceto talvez na da água). Não retomarei

---

14 Instituto Nacional da Saúde e da Pesquisa Médica.

15 Lewis Carroll, *Toute Alice*, Paris: Garnier-Flammarion, 1979.

aqui a cronologia detalhada da história, que já relatei em outro livro.[16] Concentremo-nos apenas nos aspectos do caso que têm relação direta com o tema desta lição. Cinco pontos retêm nossa atenção.

1) O choque do efeito de anúncio

A descoberta sensacional é estampada no *Le Monde* em 29 de junho, véspera do dia em que a revista *Nature* deve publicar o artigo científico de Benveniste. Certamente esse furo jornalístico supõe uma certa preparação, um entendimento entre Benveniste e os jornalistas do *Le Monde*. Houve um tempo, já superado, em que os pesquisadores davam prioridade às publicações científicas em vez da mídia de grande público, mesmo que fossem tão prestigiosas como o *Le Monde* (voltaremos a essa questão na Lição 4). Benveniste escolheu deixar de lado a revista *Nature*, enquanto o diário da tarde, agradecido, lhe concede uma generosa tribuna, na mesma edição em que publica o relatório de suas experiências. Em suma, do ponto de vista jornalístico é um "golpe". E para o público, mesmo o mais prevenido, é extremamente convincente: *Le Monde* é um jornal sério, objetivo, que não tem a reputação de cair no sensacionalismo fácil. É raro esse jornal conceder a honra de sua primeira página a um cientista, mesmo do calibre de Benveniste; se ele concede esse espaço à descoberta, deve ter bons motivos, por estranha que pareça a notícia.

Nesse caso, dificilmente se pode considerar que o *Le Monde* se mostra objetivo. Ele dá uma informação unilateral, sem nenhum ponto de vista suscetível de servir como contrapeso. O resto da grande imprensa, que tem algum tempo de atraso em

16 Michel de Pracontal, *Les mystères de la mémoire de l'eau*, Paris: La Découverte, 1990.

relação ao *Le Monde* e não quer parecer que está a reboque, tenderá a exagerar ainda mais. Poucos órgãos envolverão seriamente os resultados de Benveniste; os ataques mais virulentos virão de *Science et Vie*, mas somente várias semanas depois do anúncio do *Le Monde*.

Jacques Benveniste, por sua vez, antecipa desde o início as objeções racionais à sua tese. Biólogo molecular, ele sabe muito bem que a ideia de um "efeito molecular sem molécula" constitui um absurdo aos olhos de um cientista. De sua tribuna no *Le Monde*, ele insiste sobre a dimensão revolucionária de sua descoberta:

> Os resultados de nossa pesquisa impõem a todos, e sobretudo à comunidade científica, um considerável esforço de adaptação. Trata-se de entrar num outro mundo conceitual. A mudança da maneira de pensar não é menor do que quando se passou da Terra chata para a Terra redonda. Com efeito, se existe uma certeza intangível de nosso universo biológico (e não apenas biológico), é que a toda função corresponde uma molécula estruturalmente definida, para cada fechadura, a sua chave ... Ora, os estudos que apresentamos mostram a existência de um efeito de tipo molecular na ausência de molécula. O processo utilizado é semelhante a girar a chave de um automóvel estacionado na Ponte Nova do Sena e depois recolher no Havre algumas gotas de água para dar a partida no mesmo automóvel, e não em outro.

Benveniste conclui seu artigo com uma audaciosa extrapolação:

> Será que, dessa maneira, poderemos um dia transportar nosso duplo eletromagnético para o outro lado do mundo ou para outro planeta? Será que, a partir da informação que passa por baixo da Ponte Nova, poderemos um dia reconstituir um diplodoco, ou mais simplesmente pescar um peixe eletromagnético, sem espinhas?

Se o autor de tais elucubrações não fosse um membro autorizado daquele *establishment* científico que ele próprio fustiga, se ele não tivesse o apoio do *Le Monde*, se não se prevalecesse de uma publicação na *Nature*, uma das duas revistas científicas mais célebres do mundo (a outra é a *Science*), nós lhe proporíamos tirar algumas semanas de férias. Se a água realmente transmite a informação bioquímica associada a uma molécula ausente, isso faz entrever aplicações bem mais lucrativas do que a homeopatia. "A indústria francesa do vinho sofreria uma reviravolta com essa descoberta! Imagine um pouco: você poderia diluir o seu vinho, agitá-lo, e ele teria o mesmo gosto que o vinho não diluído!", comenta Henry Metzger,[17] biólogo do NIH americano e membro do grupo de *referees* (juízes) que revisaram o artigo de Benveniste antes de sua publicação na *Nature*, conforme o procedimento em vigor nas boas revistas científicas. *Science e Vie* ironiza sobre o mesmo tema: "Despeje um copo de vinho no Lago Leman. Espere um mês. Passe para a outra margem e beba um copo de água do lago. Solicite então um teste de bafômetro: vão cassar todas as vezes a sua carta de motorista!".

Mas, pelo menos num primeiro tempo, o senso comum não bastará para contrabalançar o impacto da boa notícia: uma descoberta sensacional, mesmo falsa, é mais excitante que o exercício prosaico e sem glória da razão.

2) A desproporção entre os fatos e o discurso

Não se pode deixar de admirar o espetacular senso de imodéstia atestado por Benveniste. Para exigir do mundo científico uma mudança radical da maneira de pensar, é necessário ter pelo menos sólidos argumentos, apoiados por dados experi-

17 Relatado por Philippe Alfonsi, *Au nom de la science*, Paris: Barraul-Taxi, 1989.

mentais incontestáveis. Como veremos, está longe de ser esse o caso. No plano teórico, Benveniste propõe apenas considerações vagas sobre a complexidade íntima da molécula de água, o que não leva a muita coisa. No plano experimental, seu dispositivo é uma combinação de dois elementos: de um lado, o sistema chamado das "altas diluições", utilizado em homeopatia; de outro, um teste inventado pelo próprio Benveniste nos anos 1970, o "teste da degranulação dos basófilos humanos" (TDBH), cuja finalidade era detectar reações alérgicas.

Foi um jovem médico, Bernard Poitevin, quem introduziu a homeopatia de unidade 200. Poitevin entrou no laboratório de Jacques Benveniste por volta de 1980, para preparar ali uma tese de biologia sobre o paf e os "radicais livres". Mas ele segue outro objetivo: quer compreender como funciona a homeopatia. Beneficiando-se da tolerância divertida e cética de seu orientador de tese – na época, Benveniste não acreditava na memória da água –, ele improvisa algumas experiências com produtos de pitorescos nomes latinos: *Apis mellifica, Belladonna, Silicea.* "As células que serviam para o meu trabalho durante o dia, eu as fazia trabalhar algumas horas extras à noite...", conta ele. Pouco a pouco, Poitevin se convence de que o gato de Cheshire não é apenas uma criação literária: as células respondem, mesmo em doses infinitesimais.

A escala elaborada por Samuel Hahnemann, que inventou a homeopatia no final do século XVIII, permite subir os degraus sucessivos da evanescência. Tome-se uma "cepa" de *Apis mellifica* (uma solução de abelha esmagada). Dilui-se uma gota dessa cepa em cem gotas de água: primeira "centesimal hahnemaniana", notada "ICH"; diluindo o licor obtido em cem novas gotas, obtém-se a diluição a 2CH; e assim por diante até 10, 20, 30 diluições ou mais. Praticamente, se as diluições forem homogêneas, não resta mais o mínimo traço de abelha para além de 15CH.

Nas provetas de Poitevin, entretanto, as células reagem. Benveniste começa a levar o caso a sério. No final de 1983, ele contrata uma pesquisadora iniciante, Elisabeth Davenas, que se revelará uma experimentadora muito hábil. A dupla Poitevin-Davenas obtém vários sucessos experimentais e consegue publicá-los, é bem verdade que em revistas de notoriedade muito mais modesta do que a *Nature*.

Mas em que consistem precisamente as manipulações? Elas utilizam uma reação bem conhecida dos alergólogos, a "degranulação dos basófilos". Os basófilos são glóbulos brancos do sangue que contêm grânulos, eles próprios portadores de diferentes moléculas, das quais a principal é a histamina. Quando um indivíduo alérgico se acha em contato com um alérgeno ao qual é sensível, como a poeira ou o pólen, seus basófilos soltam seus grânulos. Estes liberam a histamina, desencadeando o primeiro estágio da reação alérgica. O teste de Benveniste consiste em provocar essa reação *in vitro*. Coleta-se uma amostra de sangue do indivíduo que se quer testar e, numa proveta, colocam-se os basófilos do paciente em contato com o suposto alérgeno; se eles "degranulam", é porque o indivíduo é mesmo alérgico ao produto testado. Como se detecta a degranulação? Aplica-se uma cor nos basófilos, depois eles são observados no microscópio: se degranularam, não são visíveis; se não, têm o aspecto de pequenas bolhas vermelhas. O experimentador conta essas pequenas bolhas: se encontrar poucas ou nenhuma, é porque a reação ocorreu; se não, é porque não houve degranulação.

É esse sistema que Poitevin e Davenas vão utilizar para testar o efeito das altas diluições. O produto diluído é um anticorpo, o anti-IgE, cujo interesse é que ele provoca a degranulação de todos os basófilos, quer provenham de uma pessoa alérgica quer não. Mas, normalmente, trata-se de uma ação molecular, o que supõe a presença de uma dose mínima de anti-IgE. Ora, Poitevin e Davenas obtêm degranulações com o anti-IgE a 18CH, uma diluição em que não pode sobrar o menor traço de molécula de anticorpo. Espantoso, não? Poitevin resume sobriamente: "Se a reação não é molecular, é porque ela é de outra natureza". Não se poderia dizer de maneira melhor.

O xis da questão é que o TDBH, sobre o qual se baseia toda a demonstração, não é um teste confiável. *In vitro*, os basófilos têm uma lamentável tendência a degranular com ou sem motivo. Mais ainda, não é tão fácil assim contá-los ao microscópio. De tal modo que os resultados variam de maneira imprevisível de uma proveta para outra. Em 1975, essas desvantagens foram julgadas redibitórias pelo Instituto Pasteur, que Jacques Benveniste tinha previsto para comercializar o TDBH. O professor Bernard David, diretor da unidade de imunoalergia do Pasteur, avaliou o TDBH: "O teste nem sempre era interpretável porque não se viam muitos basófilos ao microscópio", diz ele. Seria preciso aumentar a concentração em basófilos da amostra, ou multiplicar as contagens. O Pasteur recusou o teste. Benveniste ficou furioso.

Foi então esse teste, reprovado na avaliação, que se tornou, na retórica de Benveniste, a pedra angular de uma revolução científica sem precedentes! Essa fraqueza não escapou ao professor Jacques Charpin, alergólogo da Faculdade de Medicina de Marselha, que declara a *L'Express*:[18] "Para dizer o fundo do meu pensamento, parece-me que, para pôr em questão o próprio fundamento da física clássica, são necessários argumentos 'concretos', e uma técnica como essa da degranulação jamais os fornecerá".

3) A impossível verificação

John Maddox, o diretor da *Nature*, jamais escondeu seu extremo ceticismo em relação aos resultados extraordinários de Benveniste. Ele os publica acompanhados de um editorial inti-

18 5 de julho de 1988.

tulado "Quando crer no incrível?", que dá o tom desde a primeira frase: "As observações inexplicáveis nem sempre são o sinal do sobrenatural". Além disso, Maddox aliou a publicação a uma condição *sine qua non*: exigiu que Benveniste permitisse que uma comissão de peritos designados pela revista procedesse a uma contraprova sobre a unidade 200. Esta foi realizada no início de julho de 1988, em condições bastante rocambolescas. A comissão designada por Maddox era composta pelo célebre ilusionista James Randi, aliás o "Estupefaciente" (ver introdução), por Walter Stewart e pelo próprio diretor da *Nature*. A presença de um "mágico" no laboratório provocou comentários variados, sobretudo no *Le Monde*. Maddox declarou-me sem rebuços que era porque suspeitava de uma fraude que ele tinha feito essa escolha insólita: "Eu julgava que havia um trapaceiro no laboratório. Eu pensava sinceramente que alguém estava pregando uma peça em Benveniste. Foi por isso que pedi a Randi que viesse". O tipo de trapaça em que Maddox pensava podia consistir, por exemplo, em deixar escorregar de maneira sub-reptícia uma pequena dose de anti-IgE numa diluição considerada como contendo apenas fantasmas de moléculas.

Num primeiro momento, os *ghostbusters* da *Nature* pedem à equipe da unidade 200 que repitam as experiências conforme o procedimento habitual. Os resultados assim obtidos confirmam aqueles que a revista tinha publicado. Randi não descobre nenhuma trapaça. Maddox começa a ficar preocupado: "Eu me comprometi a publicar o relatório do inquérito", diz ele. "Eu corria o risco de me achar numa situação de ter de redigir um relatório cuja conclusão seria: a mágica é verdadeira!".

Uma nova série de experiências é então realizada, segundo um protocolo muito estrito que impõe que todas as manipulações se desenvolvam às cegas. O objetivo era eliminar qualquer possibilidade de trapaça e qualquer viés do observador (se a pessoa que conta as células na lâmina sabe qual resultado deve encontrar para que a experiência seja válida, ela corre o risco de ser influenciada na sua observação). "Nós codificamos os tubos contendo as diluições", relata Randi.[19]

> Todas as operações se desenvolveram sob o controle de uma câmera de vídeo. Elisabeth Davenas levou os tubos numerados contendo as diluições para uma sala separada, colocou-os sobre a mesa, depois saiu da sala. Stewart, Maddox e eu próprio permanecemos na sala, cujas janelas vedamos com papel opaco para que ninguém de fora pudesse ver o que acontecia. Certificamo-nos igualmente de que não havia nenhum microfone. Em seguida, sempre diante da câmera, apagamos os números inscritos sobre os tubos e os substituímos por etiquetas numeradas segundo um código aleatório. Esse código foi transcrito numa folha de papel, que colocamos num grande envelope fechado com um adesivo especial. Se alguém tentasse abrir o envelope, deixaria traços visíveis. Tampouco se podiam ler os dados codificados através do envelope, porque envolvi o papel numa folha de papel-alumínio.
>
> Então devolvemos os tubos a Elisabeth Davenas. Nesse estágio, nenhum experimentador podia saber o que continha determinado tubo. Se alguém quisesse trapacear, não podia saber qual tubo contaminar. Em seguida, as diluições codificadas foram colocadas em contato com os basófilos, acrescentamos o colorante, e colocamos a preparação numa câmara fria.

Randi decide colar no teto do laboratório o grande envelope contendo os resultados. Assim, ninguém poderá abri-lo sem deixar traços visíveis. No dia seguinte, procedeu-se à contagem dos basófilos, em condições em que é impossível saber quais resultados correspondem a qual diluição. Terminada a manipulação, o fatídico envelope é finalmente aberto. Segundo Randi, alguns traços mostravam que alguém havia tentado abri-lo antes, mas sem sucesso:

---

19 Cito fragmentos de um relato colhido diretamente de Randi, e que transcrevi exaustivamente em *Les mystères de la mémoire de l'eau*, op. cit.

> Eu era o único a saber que os dados estavam envoltos por uma folha de papel-alumínio e que não se podia lê-los através do envelope. Na minha opinião, a pessoa que tentou ler o código deve ter percebido que deixaria traços evidentes e desistiu... Quando abrimos o envelope, Benveniste viu imediatamente que não havia resultados significativos. As experiências eram nulas. Ora, era a primeira vez que as manipulações tinham sido realizadas realmente às cegas e controladas corretamente.

Um mês após o anúncio da descoberta sensacional, a *Nature* publica seu relatório, que começa por esta severa sentença: "As surpreendentes afirmações enunciadas na *Nature* pelo Dr. Jacques Benveniste e seus colaboradores baseiam-se principalmente sobre uma longa série de experiências malcontroladas, das quais não se procurou excluir os erros sistemáticos, notadamente o viés de observação". O relatório conclui: "A hipótese segundo a qual a água guardaria a memória de uma substância nela diluída é tão inútil quanto fantasista".[20]

Esse golpe não desencoraja Benveniste. Ele continua a afirmar que seus resultados são exatos, e que só o procedimento iníquo da *Nature* explica um fracasso amplamente compensado pelos resultados positivos. Um ano mais tarde, o biólogo convencerá Alfred Spira, estatístico, epidemiologista e diretor da unidade 292 do Inserm, a proceder a uma nova contraprova. Em 1989-1990, uma série de manipulações efetuadas em duplo-cego, sob o controle de Spira, chega a um novo resultado favorável a Benveniste. Spira declarou-me em 1990:

> Nós reproduzimos os resultados publicados no primeiro artigo da *Nature*. Nosso trabalho responde aos argumentos metodológicos da contraprova de julho de 1988. Pelo que se pode saber, os resultados de Benveniste não se explicam por um viés experi-

---

20 John Maddox et al., "High dilution experiments a delusion", *Nature*, v.334, 28 de julho de 1988.

> mental grosseiro... Nas condições do laboratório de Clamart [onde se acha a unidade 200], o fenômeno existe. Nós não provamos que ele não existe. Agora, seria preciso trabalhar sobre outros modelos, em outros lugares.

Spira põe aqui o dedo sobre um ponto decisivo: se o objetivo é verificar a hipótese da memória da água, um único modelo experimental não pode ser suficiente. Porque se a água tem realmente uma memória – seria preciso também defini-la precisamente, coisa que Benveniste jamais fez –, semelhante fenômeno deve ter múltiplos efeitos. E deveria ser possível testá-los por meio de experiências menos arriscadas que o aleatório TDBH. Uma abordagem mais confiável consistiria, por exemplo, em dosar a histamina liberada pelos basófilos – o que resolveria as dificuldades ligadas à contagem ao microscópio. Essa dosagem está ausente da publicação da *Nature*. Teria sido igualmente possível medir os parâmetros bioquímicos característicos de degranulação, como a mobilização do cálcio no interior dos basófilos. E depois, por que se limitar aos basófilos? Deveriam existir muitas outras reações bioquímicas, mais reprodutíveis.

Não existe nenhuma razão para que um fenômeno tão geral como a memória da água, se é que ela existe, só aja sobre um tipo particular de glóbulos brancos. Apesar do que diz a lenda, Newton não imaginou a lei da gravitação simplesmente porque viu uma maçã cair. Se as maçãs caíssem, mas as peras não, não haveria gravitação universal. Da mesma maneira, se Galileu afirmou que a Terra girava em torno do Sol, não é apenas porque ele observou o céu na sua luneta. É porque um vasto conjunto de observações apontava na mesma direção. De resto, Galileu não foi o primeiro a levantar a hipótese heliocentrista, longe disso. Galileu nada mais fez do que confirmar o sistema de Copérnico, que tinha publicado seu tratado sessenta anos antes. A ideia de que uma experiência crucial, única, pode derrubar de um só golpe o edifício científico construído durante longos anos talvez seja sedutora, mas é um mito. Se as coisas se passassem realmente assim, nenhuma teoria científica aguentaria o golpe durante o tempo suficiente para ser publicada.

Benveniste recusa todas as sugestões que permitiriam verificar a sua hipótese corrigindo os defeitos de seu dispositivo experimental. Quer dizer que, de fato, ele torna impossível qualquer verificação.

4) O fantasma da fraude

Ao longo de toda a polêmica, pairaram suspeitas de trapaça sobre as experiências realizadas na unidade 200. É isso que explica o dispositivo um tanto folclórico elaborado por Randi por ocasião da contraprova. Quando eu os encontrei, Maddox, Randi e Stewart fizeram alusão à possibilidade de fraude, mas finalmente não a incluíram em seu relatório. Em contrapartida, uma série de manipulações realizadas em Israel por Elisabeth Davenas levantou sérias dúvidas. A pesquisadora foi para um laboratório do Hospital Kaplan de Rehovot, ao sul de Tel Aviv, onde trabalhava um médico homeopata, Menahem Oberbaum. Este estava interessado nos trabalhos da unidade 200, mas sentia dificuldade em reproduzir as experiências. Ora, com Elisabeth Davenas, as manipulações funcionaram muito além do que se poderia esperar. Esse sucesso, belo demais para ser verdadeiro, levou a uma contraprova da qual resultou que certos tubos utilizados pela assistente de Benveniste continham proteínas, quando deviam conter apenas água pura.[21] A jovem pesquisadora foi então acusada de ter falsificado as experiências. Segundo sua versão, Elisabeth Davenas tinha apenas acrescentado albumina nas soluções, "a fim de que as células se comportassem melhor".

21 Ver *Les mystères de la mémoire de l'eau*, op. cit.

A meu ver, a questão da fraude é relativamente secundária no caso: existem de qualquer modo tantas falhas no dispositivo que os resultados, autênticos ou não, simplesmente não podem ser levados a sério. O espantoso é que se tenha tido tanto trabalho para verificar uma experiência que era desqualificada de imediato pelos resultados caprichosos do TDBH. Imaginem se Galileu tivesse utilizado uma luneta de muito má qualidade, permitindo apenas enxergar a uma distância de cinquenta metros: suas observações teriam tido credibilidade?

5) A encenação do processo de Galileu

Desde o início, entretanto, é na instância do fictício processo de Galileu que Benveniste age para desviar a atenção da fraqueza do seu dispositivo experimental. Ele considera seus resultados como estabelecidos de uma vez por todas e passa uma vassoura nas objeções dos contestatários. A crer no que ele diz, só o atacam porque suas pesquisas são incômodas, com o risco de sufocar a novidade ainda no ovo. "Matam o bebê-resultado", proclama ele quando lhe pedem verificações. Ele desenvolve esse tema num artigo intitulado: "A verdade científica, verdadeiro passaporte falso para fronteiras verdadeiras".[22] Segundo Benveniste, os fatos científicos não nascem iguais em direito:

> Existem inúmeros exemplos desse processo de exclusão imediata, a tal ponto que alguns retiveram resultados que foram redescobertos mais tarde. Semmelweis compreendeu que as mulheres não morriam mais de parto quando os parteiros lavavam as mãos; riram-lhe na cara; ele enlouqueceu. Lord Kelvin: "Os raios X? Uma fraude!". Um anônimo acadêmico de ciências: "O fonógrafo de Édison? Um truque de ventríloquo". Ele tinha razão: quem poderia crer que se pode conservar uma voz em cera?

---

22 Publicado em *Traverses*, revista do Centre Georges Pompidou, n.47, novembro de 1989.

Mas não basta querer para ser Galileu. As recriminações de Benveniste não impedem que se tenha concedido muito mais atenção aos seus trabalhos sobre a memória da água do que eles mereciam. Nenhuma autoridade o impediu de exprimir-se. Até mesmo os "aiatolás do conselho científico" do Inserm – segundo a expressão de Benveniste – que o interessado fustiga, esquecendo-se de que ele próprio faz parte desse conselho, jamais aplicaram a menor sanção contra ele. Tendo chegado ao termo do seu mandato de diretor da unidade 200, o biólogo prossegue em suas pesquisas sobre a memória da água e a "biologia numérica",[23] sem ter sofrido nenhuma outra avania a não ser o fictício processo de Galileu que ele próprio encenou.

A tela da ciência oficial

Hugh Owen, Rémy Chauvin, René Louis Vallée ou Jacques Benveniste se comprazem em pintar um retrato muito pouco lisonjeiro dos cientistas: estes seriam limitados, intolerantes, supersticiosamente apegados às teorias ortodoxas. A "ciência oficial" aparece como fixada e refratária ao progresso. Será que devemos compartilhar a opinião do filósofo das ciências Paul Feyerabend, que acusou a ciência de ser uma nova Igreja, "a mais recente, a mais dogmática e a mais agressiva das instituições religiosas"?[24] Sem negar a rigidez do sistema científico, esse julgamento é excessivo e falacioso. A ciência não é estruturada como uma Igreja, nem como um partido totalitário. Ela não exerce autoridade sobre os indivíduos, mesmo se o seu prestígio é grande. Ela não pretende ser detentora da Verdade com V maiúsculo. Nenhuma religião dogmática aceita submeter seus dogmas à prova dos fatos.

---

23 Para mais informações, consultar o *site* de Jacques Benveniste na internet: www.digibio.com.

24 Paul Feyerabend, *Contre la méthode,* op. cit. [cf. ed. bras. citada].

O que propõem os contemptores da ciência oficial? Riscar com uma canetada a física clássica, o darwinismo ou a biologia molecular, simplesmente porque julgam ter encontrado uma ideia melhor. Como essa ideia é geralmente fantasista, ultrapassada ou simplesmente inepta, e de qualquer modo não apoiada pelos fatos, eles têm dificuldade em conquistar a convicção dos cientistas. Mas eles seduzem o grande público, jogando com três mitos conhecidos:

1) *O mito de que em ciência tudo é possível*, mito credenciado pela apresentação simplista que a mídia faz da pesquisa: todo dia, são anunciados novos resultados espetaculares, novas descobertas sensacionais; então, por que as afirmações fantásticas dos impostores, elas também, não seriam exatas?

2) *O mito da revolução científica*, realizada sem nenhum esforço por um gênio que uma bela manhã se levanta dizendo: "Hoje vou revolucionar os fundamentos da física!". Seria agradável se a ciência progredisse dessa maneira, mas a realidade é mais complexa. Só que a história das ciências é mal conhecida pelo público e, nesse ponto, mais uma vez, a mídia raramente retifica a mira do tiro.

3) *O mito do gênio desconhecido*: quando está privado de verdadeiros argumentos científicos, o que acontece muito logo, o impostor desloca a discussão pretendendo que querem reduzi-lo ao silêncio, que sua descoberta é inovadora demais para ser aceita, e assim por diante. Como existem efetivamente exemplos históricos em que não deram atenção aos verdadeiros inovadores, pelo menos num primeiro momento, e como muitas pessoas gostam muito da ideia do gênio desconhecido, o argumento é quase irrefutável.

É claro que cada um de nós, num dia inspirado, gostaria muito de fazer uma descoberta que merecesse o Prêmio Nobel. Mas o fato de que uma ideia pareça inovadora quando formulada em linguagem corrente não basta longe disso, para fazer dela uma boa ideia científica. A verdade é que muitas ideias não funcionam. É a realidade material que as rejeita, não a ciência oficial. Fazendo desta última a responsável por seus fracassos, o impostor constrói uma tela retórica sobre a qual projeta seu filme, e tenta fazer esquecer a pobreza de sua própria ciência.

Exercícios

1 Realize a montagem seguinte, destinada a testar a teoria sinergética de René Louis Vallée: um bastão de carbono retirado de uma pilha redonda está ligado ao setor interpondo uma bobina que serve de resistência. Em volta do carbono, uma bobina de fio de cobre também ligado ao setor através de uma montagem D garante a oposição de fase do campo magnético assim criado e do campo elétrico no grafite. Se o par campo elétrico/campo magnético foi bem escolhido, multiplica-se pelo menos uma centena de vezes a potência ligada ao setor. A manipular, portanto, com precaução, já que o acaso pode muito bem fazer uma das suas (exercício proposto por Renaud de la Taille no seu artigo sobre a teoria sinergética).

2 Por que a montagem só pode funcionar durante um corte de corrente?

Resposta: se a potência da corrente é multiplicada por 100, o seu disjuntor desliga.

3 A partir dos resultados anteriores, demonstrar o seguinte teorema: toda lâmpada maravilhosa L só acende quando os fusíveis queimam.

Lição 4
A mídia, com arte usarás

Na tarde de 31 de março de 1989, o físico Douglas Morrison estava sentado nos degraus do auditório do CERN – grande laboratório europeu de física das partículas, situado perto de Genebra, nos limites da fronteira franco-suíça. Não que Morrison apreciasse particularmente as escadarias, mas ele não havia encontrado o mínimo assento livre, ainda que tivesse chegado com vinte minutos de antecedência, prevendo que o seminário excepcional dado pelo professor Fleischmann teria sala cheia. De qualquer maneira, Morrison não esperava que um auditório habitualmente reservado às sérias conferências de física fundamental fosse tomado de assalto por um bando de jornalistas, fotógrafos e equipes de televisão, vindos do mundo inteiro. Martin Fleischmann fez sua entrada sob os flashes dos fotógrafos, escoltado por um enxame de microfones e câmeras. A agitação era tanta que Carlo Rubbia, o diretor do CERN, que presidia ao seminário, pediu às pessoas da mídia que deixassem a sala, explicando que se tratava de uma reunião científica e que uma coletiva de imprensa ocorreria em seguida. Quando a calma foi – dificilmente – estabelecida, Fleischmann fez enfim a sua exposição. Assim que terminou, os *cameramen* invadiram de novo o auditório, e foram uma segunda vez solicitados a sair para permitir a discussão que habitualmente segue um *talk* científico.

É raro que a mídia se apaixone pelos seminários do CERN. Mas é preciso reconhecer que, nesse caso, havia uma boa razão: oito dias antes, em 23 de março, Martin Fleischmann e seu colega Stanley Pons, ambos químicos de seu Estado, espantavam o mundo inteiro anunciando que tinham conseguido produzir uma reação de fusão nuclear controlada à temperatura normal. Se os resultados de Pons e Fleischmann se confirmassem, a "fusão fria" representava a realização de um sonho perseguido há décadas pelos físicos, com o auxílio de máquinas superpotentes e centenas de milhões de dólares: "domesticar" para fins pacíficos a energia colossal que permite que o Sol nos ilumine, que as estrelas brilhem e que as bombas H exerçam sua ameaça terrificante. Ora, esse sonho, Pons e Fleischmann pretendiam tê-lo realizado na pia de seu laboratório, numa simples célula de eletrólise contendo água pesada. Eles afirmavam ter mantido durante uma centena de horas uma reação que, através de uma agulha de paládio de dez centímetros de comprimento, liberava uma quantidade de calor pelo menos quatro vezes superior à energia elétrica consumida pelo aparelho. Fenômeno inexplicável pelas reações químicas conhecidas. Em suma, Pons e Fleischmann prometiam mais do que a Lua: o Sol, e ainda por cima engarrafado!

Se estivessem certos, a descoberta revolucionaria a produção de energia. A fusão fria fazia luzir a perspectiva de centrais alimentadas por água fria, um combustível quase gratuito e inesgotável já que abunda nos oceanos, e que produz muito menos rejeitos radioativos do que as centrais nucleares clássicas. A perspectiva desse milagre termonuclear suscitou uma febre sem precedentes nos laboratórios de física do mundo inteiro. Nas semanas que se seguiram ao anúncio de Pons e Fleischmann, centenas de equipes de pesquisadores tentaram reproduzir seus resultados nos Estados Unidos, na Europa, no Japão, na Índia, no Brasil, na China... Na França, o CNRS e o CEA associaram-se para formar uma equipe especial consagrada à fusão fria. Empresas como IBM, Westinghouse ou General Electric realizaram experiências em seus laboratórios particulares. A cotação do paládio disparou. E os parlamentares de Utah votaram uma subvenção de cinco milhões de dólares para desenvolver a fusão fria.

Quando a noiva é muito bonita, todos olham debaixo da saia. Ante a importância econômica que representava a fusão fria, impunham-se escrupulosas verificações. Ainda mais que o modo de divulgação dos resultados não era habitual. Antes de qualquer publicação numa revista científica, Pons e Fleischmann deram uma coletiva à imprensa na Universidade de Utah, em Salt Lake City, diante de jornalistas maravilhados mas incapazes de julgar a credibilidade de sua comunicação. A bem da verdade, até mesmo um especialista não poderia avaliar as experiências com base na descrição fornecida por Pons e Fleischmann. Faltavam muitos detalhes precisos, e os cientistas ansiavam por saber mais.

Em 31 de março, o artigo de Pons e Fleischmann,[1] submetido ao *Journal of Electroanalytical Chemistry*, ainda não estava disponível (ele foi oficialmente publicado em 10 de abril, depois que cópias "piratas" circularam nos laboratórios do mundo inteiro). É compreensível a confusão em torno da visita de Fleischmann a Genebra. Douglas Morrison assistiu ao seminário e à coletiva à imprensa que se seguiu. Sua primeira impressão foi muito favorável, embora inúmeras interrogações ainda subsistissem. No relatório que redigiu para seus colegas do CERN, ele escreveu:

> Martin Fleischmann tinha a reputação de ser um grande especialista na sua área. Ao ouvi-lo, pareceu-me claramente que

---

1 Martin Fleischmann & Stanley Pons, "Electrochemically induced nuclear fusion of deuterium", *J. Electroanal. Chem.*, v.261, p.301-8, 1989.

Fleischmann era um cientista de primeira classe e que tinha feito uma descoberta importante, embora os processos fundamentais não fossem ainda totalmente compreendidos.

Três meses mais tarde, em 6 de julho, o diretor da *Nature*, John Maddox, intitulava assim o seu editorial semanal: “End of cold fusion in sight”, ou seja, “O fim da fusão fria está à vista”...

O Sol numa proveta?

O princípio básico da manipulação de Pons e Fleischmann está ao alcance de um aluno do colegial científico: trata-se simplesmente da eletrólise da água, ou seja, de sua decomposição em oxigênio e hidrogênio por uma corrente elétrica. O leitor que conservou algumas lembranças do colégio há de se lembrar que o oxigênio se concentra em anodo (eletrodo positivo) e o hidrogênio em catodo (polo negativo), formando formosos feixes de pequenas bolhas de gás que são recolhidos em tubos de ensaio virados sobre cada um dos eletrodos. Aproximando-se rapidamente um palito de fósforo do tubo que contém o hidrogênio, pode-se então verificar que esse gás forma com o ar uma mistura explosiva. Claro que a pequena detonação assim obtida não corre o risco de fazer explodir o laboratório, e não tem nada a ver com a fusão termonuclear. Trata-se de uma energia devida a uma reação química inteiramente clássica, na qual os átomos não são transformados.

Uma reação nuclear, ao contrário, implica uma transformação dos núcleos atômicos, os quais são constituídos de prótons, partículas portadoras de uma carga elétrica positiva, e de nêutrons, que não têm carga: o núcleo é, portanto, globalmente positivo, e é cercado por um cortejo de elétrons negativos, de maneira que as cargas se equilibram. Na fissão nuclear, fragmenta-se um grande núcleo de átomo como o do urânio em núcleos menores. É o que acontece numa bomba atômica como a de Hiroshima: a explosão é obtida provocando uma reação em cadeia, na qual os fragmentos saídos de uma fissão vão quebrar outro núcleo, cujos fragmentos provocam uma nova fissão, e assim por diante, até que o processo embale. Numa central nuclear, a fonte de energia é a mesma – a fissão dos núcleos –, mas o ritmo das fissões é insuficiente para provocar uma reação em cadeia (pelo menos é o que esperamos, já que 80% da eletricidade francesa é produzida dessa maneira!).

Inversamente, a fusão nuclear, por sua vez, consiste em aproximar os dois núcleos de átomos até que eles se unam para formar um novo núcleo maior. A fusão mais simples efetua-se reunindo dois núcleos de hidrogênio, cada um formado de um próton único, para obter um átomo de hélio que possui dois prótons. Esse processo libera uma energia ainda mais considerável que a fissão. Ele explica a potência destruidora de uma bomba H, que se baseia na fusão do hidrogênio. O Sol e as estrelas são bombas H em escala cósmica, nas quais as reações de fusão produzem a série dos elementos químicos, desde o hélio até o ferro e os átomos pesados.

Mas sem nada não se consegue nada: para que dois núcleos aceitem se unir, é preciso que uma força colossal os obrigue a aproximar-se um do outro. Em tempo normal, as cargas positivas dos prótons se repelem. Numa estrela como o Sol, a força da gravitação obriga a matéria a concentrar-se sobre si mesma, de modo que a pressão fantástica que reina no centro da estrela obrigue os núcleos a fundir-se. Isso só é possível se a estrela atingir uma massa suficiente – *grosso modo* a do astro-rei. Numa bomba H, é uma primeira explosão que dá início ao processo. É fácil compreender que esse procedimento não é aplicável à produção de energia doméstica. Então os físicos exploraram duas outras vias: os tokamaks, máquinas que "capturam" prótons em potentes campos magnéticos; e o "confinamento por laser", que consiste em "prender", com o auxílio de feixes lasers, os prótons num espaço minúsculo a fim de forçá-los a fundir-se. Se as duas abordagens são promissoras, nenhuma, até agora, chegou a uma exploração prática da fusão, porque os dispositivos realizados consomem consideravelmente mais energia do que produzem.

Voltemos à experiência de Pons e Fleischmann. Nossos dois químicos substituíram, na clássica célula de eletrólise, a água pesada pela água comum. Uma molécula de água comum é formada por dois átomos de hidrogênio e um átomo de oxigênio (H_2O); na água pesada, o hidrogênio é substituído por deutério – hidrogênio pesado, cujo núcleo comporta um próton e um nêutron –, o que dá a fórmula D_2O. Pons e Fleischmann utilizam igualmente eletrodos especiais, platina de anodo e paládio de catodo. Será que modificações tão simples são suficientes para transformar a clássica célula de eletrólise em central de fusão? Pons & Fleischmann afirmam que, na microscópica rede formada pelo eletrodo de paládio, estabelece-se uma pressão enorme, de tal modo que os núcleos de deutério se fundem e produzem hélio. O paládio se comportaria como uma espécie de esponja em escala atômica, encharcada de núcleos de deutério. Segundo os dois químicos, a energia produzida ultrapassaria 10 watts por cm^3 de paládio e poderia até atingir 1 quilowatt, o que é enorme.

Para dizer a verdade, é a história inteira que é enorme! Por que os cientistas não rejeitaram imediatamente as surpreendentes reivindicações dos dois químicos de Salt Lake City? Com efeito, por espantosos que fossem os resultados, eles não eram *a priori* absurdos: estatisticamente, dois núcleos podem encontrar-se e fundir-se mesmo que não sejam confinados por uma força colossal. A probabilidade de semelhante acontecimento é minúscula: se todo o sistema solar fosse feito de deutério, haveria uma única dessas "fusões espontâneas" por ano! Muito insuficiente para nos aquecer durante o inverno. Mas imaginem que a probabilidade de encontro entre os núcleos de deutério seja fortemente aumentada, por causa das condições especiais que reinam no eletrodo de paládio. É o que sugeriram Pons e Fleischmann, e os pesquisadores se lançaram sobre essa pista sedutora. Passado o tempo, parece evidente que, sem o lance econômico e sobretudo sem o papel da mídia, a notoriedade de Martin Fleischmann e Stanley Pons jamais teria ultrapassado o círculo dos gênios desconhecidos da eletroquímica. Examinemos agora a cronologia do caso.

Febre nos laboratórios

A partir do seminário de 31 de março, Douglas Morrison seguiu dia após dia os progressos da fusão fria. Seus relatórios regulares e detalhados dão uma ideia muito clara do desenvolvimento dos acontecimentos.[2] Físico, Morrison tem como segunda especialidade a análise de resultados falsos, daí seu interesse pelas experiências de Pons e Fleischmann. Deve-se ressaltar que, no início, Morrison é nitidamente favorável à fusão fria, ainda que a sua qualidade de especialista em erros científicos o incite ao ceticismo.

Assim, em 1º de abril, ele escreve:

> Dei conferências sobre resultados falsos em física e descobri que esses resultados apresentam certas características que permitem detectá-los antes que a falsidade seja provada, e depois de ler os artigos na imprensa [sobre Pons e Fleischmann], eu me perguntava se estávamos diante de um caso como esse, mas depois de ter ouvido a conferência [de Fleischmann], inclino-me a pensar que seus resultados são corretos.

---

2 Esses relatórios me foram amavelmente passados pelo professor Marcel Froissart, do Collège de France; Morrison também fez chegar a mim comentários sintéticos redigidos após a época "quente" da história.

Em seu relatório n.4, datado de 9 de abril, Morrison conseguiu enfim ler o artigo de Fleischmann e Pons, e observa que as medidas relativas aos nêutrons apresentam um problema. Sem entrar nos detalhes técnicos, os físicos destacaram desde o início uma incoerência entre a quantidade de calor detectado – superior a 10 watts por cm^3 de paládio – e o fraco número de nêutrons emitidos. Com efeito, 1 watt de potência deveria produzir cerca de 1.000 x 1 bilhão de nêutrons por segundo, e um número equivalente de outras partículas, mais que suficiente para matar Fleischmann, Pons e sua equipe... Eles tinham afirmado que só tinham detectado quarenta mil nêutrons por segundo, o que não constituiria uma dose letal, mas não parecia compatível com a produção de calor por fusão. Morrison assinala, contudo, que "numerosas experiências foram lançadas para verificar os resultados de Fleischmann e Pons – pelo menos quinze, mas provavelmente mais". Ele cita os laboratórios de Brookhaven (Estados Unidos), de Harwell (Grã-Bretanha), da Universidade de Debrecen na Hungria, e outro em Lausanne.

No relatório n.7 (16 de abril), intitulado "Quem dirá ao rei que ele está nu?" – alusão ao conto de fadas –, o tom se torna francamente cético. Morrison indica que numerosos grupos estão realizando experiências, "centenas, segundo o jornal *International Herald Tribune*"; ele menciona diversas experiências confirmando a fusão fria, mas nota que duas das equipes que anunciavam resultados positivos se retrataram; ainda mais, as principais informações sobre as experiências provêm de coletivas à imprensa, e não de artigos científicos. Morrison assinala ainda que nenhum artigo relatando uma experiência infrutífera foi publicado. Ora, após as informações que ele recolheu com uma "rede informal" de físicos, vários grupos realizaram manipulações, mas não detectaram o efeito. Parece a essa altura que, embora a fusão fria continue a ocupar o centro do palco na mídia, os físicos mais bem informados não acreditam mais nela.

O relatório n.8 de Douglas Morrison, datado de 17 de abril, é dedicado essencialmente à visita feita ao CERN por Steven Jones, um protagonista do caso do qual não tínhamos falado até aqui. Pequeno recuo no tempo: por ocasião da conferência de 23 de março, Pons e Fleischmann apresentaram seus trabalhos como se fossem os pioneiros da fusão fria. Ora, já no dia seguinte, ficava-se sabendo que Steven Jones, um físico da Universidade Brigham Young, em Provo, cidadezinha de Utah situada a uma centena de quilômetros de Salt Lake City, tinha realizado uma experiência análoga à dos dois químicos, mas que liberava apenas uma quantidade de calor tão ínfima que não se podia detectá-la. Jones confirmava então a possibilidade da fusão fria, mas num tom bem mais moderado: segundo ele, ela não podia fornecer uma fonte de energia explorável. Constatou-se também que Pons e Fleischmann estavam em contato com Jones, e que os três pesquisadores tinham até firmado um acordo para publicar seus artigos conjuntamente na *Nature*. Depois, os dois químicos mudaram de opinião e deixaram Jones plantado, atitude que este último não apreciou nem um pouco. No dia seguinte ao da conferência de Salt Lake City, ele envia seu artigo à *Nature*, que o publicou em 27 de abril,[3] ao mesmo tempo que recusava o de Pons e Fleischmann.

Segundo o relatório n.8 de Morrison, Jones proferiu uma conferência "muito atraente e agradável". Ele expôs seu conceito de "fusão piezo-elétrica", que explica como uma forte pressão pode obrigar moléculas de hidrogênio pesado a fundir-se. Jones confirmou que suas experiências não produzem uma quantidade de energia praticamente utilizável e forneceu diversos outros dados que contradizem os resultados de Pons e Fleischmann. Parece impossível que as duas equipes estivessem certas. No que concerne à querela de prioridade, Jones indicou

---

3 Steven Jones et al., "Observation of cold nuclear fusion in condensed matter", *Nature*, v.338, p.737-40.

que seus trabalhos com células de eletrólise começaram em maio de 1986, independentemente de seus rivais. Jones exibiu, em apoio a suas palavras, seus documentos de laboratório (Morrison soube que Jones mandou até registrar alguns documentos em cartório!). Pons e Fleischmann alegam ter começado em 1983, mas não têm nenhuma prova antes de fins de 1987. Em suma, as coisas não andam boas entre os dois químicos de Salt Lake City e o físico da Universidade Brigham Young.

Em 19 de abril (relatório n.9), Morrison dá conta de uma interessante descoberta, ou melhor, redescoberta: Pons e Fleischmann têm um precedente histórico. Em 1926, dois químicos de Berlim, Fritz Paneth e Kurt Peters, julgaram ter conseguido transmutar hidrogênio em hélio fazendo-o passar através de uma microscópica peneira de paládio! Disso resultou uma publicação na *Nature*, seguida, um ano depois, de uma segunda publicação em que Paneth e Peters explicavam que as quantidades muito pequenas de hélio obtidas podiam provir não da fusão do hidrogênio, mas do ar armazenado nos minúsculos poros do vidro dos tubos usados na manipulação.[4] Depois, Paneth e Peters abandonaram suas pesquisas, mas o *New Scientist*[5] ressalta que "talvez seja mais do que uma coincidência que Paneth e Fleischmann tenham estado no mesmo departamento de química da Universidade de Durham nos anos 1950"...

Morrison não duvida mais que Pons e Fleischmann se enganaram:

> O "resultado" segundo o qual uma fonte desconhecida de calor forneceu 10 watts por cm^3 de paládio deve ser considerado errôneo... Com grande pesar, [deve-se concluir] que a fusão fria jamais poderá ser uma fonte de energia explorável porque é necessário fornecer muito mais energia do que se recupera.

---

4 *Nature*, v.118, p.455-6 (1926); e v.119, p.706 (1927).

5 *New Scientist*, 29 de abril de 1989, p.22.

A essa altura, no plano científico, o caso está encerrado. No início de maio, a conferência anual da American Physical Society, que reúne 1.500 físicos em Baltimore, oficializa o fracasso da fusão fria. Os dois físicos de Salt Lake City, convidados a comparecer, declinaram do convite. Uma série de comunicações demonstra que os resultados podem ser explicados de maneira clássica, sem recorrer a um efeito termonuclear. A água pesada começa a virar água de barrela.

Erro ou fraude?

A energia das ideias falsas, no entanto, é inesgotável. Ao longo dos anos seguintes, enquanto as provas se acumulam contra eles, os promotores da fusão fria, sem convencer os cientistas, lograram inegáveis sucessos no terreno da comunicação. O MITI, Ministério Japonês do Comércio Exterior e da Indústria, concedeu uma verba de trinta milhões de dólares para financiar um instituto de estudo da fusão fria. Segundo Morrison, o MITI calculou que, "como o Japão não tem reservas petrolíferas, uma chance de 1% de que a fusão fria cumpra sua promessa permitiria lucros de centenas de bilhões de dólares!".[6] O raciocínio lembra aquele dos Shadoks que, sabendo que seu foguete tinha uma chance em um milhão de decolar, apressaram-se em fazer 999.999 tentativas malogradas, na esperança de que a última seria a certa...

Quanto às chances da fusão fria, elas são muito inferiores às do foguete Shadok, e diminuem ao longo do tempo: em julho de 1989, no jornal *Deseret News*, via-se uma foto de Stanley

6 Douglas Morrison, "Science pathologique, fusion froide et autres histoires", in *Sciences: raison et déraisons*, Lausanne: Publicação da Universidade de Lausanne, Payot, 1994.

Pons diante de um aquecedor de água que, segundo o artigo, poderia fornecer a água fervente necessária para preparar uma xícara de chá; ainda esperávamos o chá quando, em 1992, Martin Fleischmann garantiu que um sistema produzindo de 10 a 20 quilowatts seria operacional daqui a um ano; em novembro de 1993, Stanley Pons declarou que um aparelho doméstico estaria disponível pelo ano 2000; e um mês mais tarde, quando da IV Conferência Internacional sobre a fusão fria, realizada no Havaí, o prazo passou para vinte anos. Tal como o horizonte, a fusão fria é uma linha imaginária que recua infinitamente à medida que se procura atingi-la.

Em 1993, Fleischmann, Pons e três físicos italianos entraram na justiça contra o diário *La Repubblica*, que publicou um artigo em que acusava de fraude científica os dois químicos de Salt Lake City. *La Repubblica* apelou para os conselhos de Douglas Morrison. O tribunal pediu a um físico de Cagliari, o professor Giovanni Licheri, que avaliasse os quinhentos documentos científicos apresentados pelas duas partes. Depois do exame, o tribunal julgou que Pons e Fleischmann cometeram erros indiscutíveis. Eles tinham omitido qualquer referência aos trabalhos de Steven Jones, tinham apresentado a fusão fria como se fossem os primeiros a ter essa ideia e afirmavam ter começado cinco anos e meio antes de março de 1989, portanto por volta de setembro de 1983. Tinham também relatado que, em maio de 1984, um acidente grave tinha queimado uma coifa de aspiração e feito um buraco de dez centímetros no cimento... Mas, no total, Pons e Fleischmann não podiam produzir nenhuma prova de sua atividade sobre a fusão fria antes do fim de 1987. Jones, por seu lado, tinha 2.400 páginas de argumentos e um caderno de laboratório registrado em cartório.

Outro ponto obscuro: Pons e Fleischmann tinham modificado no meio do caminho seus dados sobre os nêutrons. Numa primeira versão, até 28 de março (antes, portanto, da publicação de seu artigo científico), eles mostravam uma figura com um "pico" de 2.450 keV, o que era impossível. Físicos britânicos chamaram sua atenção para isso numa conferência em Harwell. Em 30 de março, para uma apresentação em Lausanne, o pico tinha-se deslocado milagrosamente para 2.200 keV, o valor indicado no artigo do *Journal of Electroanalytical Chemistry*. Era no mínimo uma manipulação dos dados.

Enfim, ainda não se compreende como Pons e Fleischmann não foram mortos pelas radiações, se tinham observado aquilo que descreviam. Finalmente, o tribunal italiano pronunciou em 1996 um veredicto dando razão a *La Repubblica*, e condenou os queixosos ao pagamento das custas.[7]

Em 2000, a fusão fria ainda corre mundo. Suas perspectivas parecem cada vez mais fantásticas. Num livro intitulado *Biological Transmutations* [*Transmutações biológicas*], um tal de Kervan explica que a fusão fria está na origem do cálcio da casca de ovo. Morrison menciona um filme da BBC onde se vê "um automóvel que, segundo Stanley Meyer, tira sua energia da água submetida à fusão fria – embora o filme que mostra o carro saindo da garagem revele também a presença de dois indivíduos empurrando-o". Um *site* da internet dedicado à "pesquisa sobre a energia do vácuo"[8] faz o elogio de Pons e Fleischmann, ao lado de outros pesquisadores vítimas do complô da ciência oficial. Assinalemos ainda uma conexão inesperada: dois dos físicos italianos indeferidos pelo julgamento de 1996, Giuliano Preparata e Emilio Del Giudice, eram autores de uma teoria do "laser aquático", invocada por Benveniste em 1988 para explicar a memória da água...[9]

---

7 Alison Abbott, "Scientists lose cold fusion libel case", *Nature*, v.380, p.369, 4 de abril de 1996.

8 http://www.multimania.com/quanthomme/PageDVS_3.htm. É apenas um exemplo entre muitos outros.

9 Ver *Les mystères de la mémoire de l'eau*, op. cit.

Como reconhecer uma impostura científica?

Segundo Douglas Morrison, vários critérios permitem diagnosticar bem depressa um resultado falso. O primeiro desses critérios é a maneira como é divulgado o resultado. Para a fusão fria, assim como para outros exemplos em que o anúncio de uma descoberta sensacional teve vida curta, é possível distinguir três fases na comunicação do resultado:

- fase 1: a experiência inicial é rapidamente confirmada por dois ou três grupos (mas as descrições precisas das experiências ficam faltando);
- fase 2: instaura-se um período de confusão, com rumores contraditórios de experiências bem-sucedidas e um número equivalente de experiências que não encontram o resultado anunciado;
- fase 3: assistimos a uma avalancha de resultados negativos, que se desencadeia porque todos os pesquisadores que fracassaram em reproduzir os resultados esperaram antes de publicar, temendo ter cometido um erro ou ter omitido um detalhe crucial; depois sobrevém uma espécie de viravolta, uma ou duas equipes publicam um resultado negativo e as outras as seguem rapidamente.

Essas três fases são facilmente identificáveis no caso da fusão fria. Nas primeiras semanas, os cientistas hesitaram em anunciar experiências infrutíferas, porque muitos pensavam que Pons e Fleischmann tinham um segredo de fabricação para preparar seus eletrodos de paládio. À medida que se soube mais a respeito, pareceu que nenhum segredo podia explicar um milagre, ou mais exatamente uma série de milagres. O recurso aos milagres é outro critério distintivo de um resultado falso. A fusão fria necessita de pelo menos quatro desses milagres, segundo Morrison.[10]

---

10 Douglas Morrison, *Review of Progress in Cold Fusion*, texto de uma comunicação por ocasião da IV Conferência Internacional sobre a Fusão Fria. Havaí, dezembro de 1993.

a) Para que o excesso de calor possa ser atribuido à fusão do deutério, é necessário que os núcleos de deutério, ou dêuterons, se encontrem bem próximos uns dos outros. Ora, por causa da geometria do cristal de paládio, os dêuterons "forçados" a introduzir-se nas malhas da rede cristalina se encontram afastados demais para fundir-se. É o primeiro milagre.

b) Durante três anos, Pons e Fleischmann afirmaram que o fenômeno era observado com o deutério, mas não com o hidrogênio leve normal, e que isso era uma prova decisiva de que o excesso de calor provinha da fusão: com efeito, se se tratasse de um simples fenômeno químico, o fato de utilizar deutério não mudaria nada. Em outubro de 1992, entretanto, cinco grupos apresentaram efeitos obtidos com o hidrogênio normal, e quatro outros no ano seguinte! Era preciso então encontrar uma teoria que explicasse logicamente que a fusão fria é verdadeira porque ela só funciona com o deutério, funcionando também com o hidrogênio leve, e vice-versa. Resolver essas contradições seria um segundo milagre.

c) Se uma potência da ordem do watt fosse produzida por fusão, as partículas nucleares e os raios gama teriam posto um fim prematuro à carreira de Pons e Fleischmann, cuja sobrevivência se deve a um milagre da ciência.

d) As proporções das diferentes partículas relatadas por Pons e Fleischmann não batem, com um erro de fator de mais de dez milhões. É o quarto milagre da fusão fria.

Como diria Alice (aquela de Lewis Carroll), "tudo isso é um pouco de milagre demais, sobretudo antes do café da manhã".

O tempo da ciência e o tempo da mídia

Mesmo depois de engolir uma xícara de chá (preparado com um ebulidor elétrico) e algumas torradas, muitos cientistas, entretanto, acreditaram na fusão fria. Foram necessárias algumas semanas para fazer o balanço das coisas. Os critérios de Morrison não são aplicáveis de maneira instantânea, mesmo quando certos indícios fazem presumir um resultado falso. Encontrar o erro demanda um trabalho de verificação. Segundo uma concepção ideal da ciência, esse trabalho deveria ser feito antes da divulgação dos resultados, sobretudo quando são anormais. Em princípio, a publicação de resultados científicos está sujeita a um processo de controle muito estrito. Quando um pesquisador realiza uma experiência, ele se esforça para eliminar qualquer elemento parasita que poderia falsear o resultado; se este último é estranho ou surpreendente, ele se certifica de que isso não se explica por uma medida errônea, um fator no qual não se pensou ou um defeito da manipulação. A atitude que consiste em "procurar provar que se está errado" faz parte de uma metodologia científica rigorosa (quando do seu seminário no CERN, Fleischmann afirmou que ele e Pons "tinham passado cinco anos tentando provar que estavam errados"...).

Quando pensa ter atingido um grau suficiente de certeza, o pesquisador propõe seus resultados à publicação. Como vimos, nas boas revistas científicas, como *Nature* ou *Science*, um segundo controle é efetuado por uma comissão de *referees*, constituída de cientistas competentes na área respectiva. Esforçando-se para serem imparciais, os *referees* examinam o artigo, sugerem modificações, pedem esclarecimentos suplementares e finalmente decidem publicar ou não o artigo. Determinados artigos são aceitos com muito poucas mudanças, outros são revistos com maior profundidade; outros, enfim, são recusados. Para tomar um exemplo, foram necessários nada menos de dezoito meses de discussões para que John Maddox publicasse o artigo de Benveniste sobre as altas diluições; e pelo menos um dos *referees*, Henry Metzger, opôs-se à publicação.

Esse sistema de controle garante, em princípio, a validade dos resultados científicos. Mas demanda tempo. A mídia não é paciente. Com o desenvolvimento da internet, ela procura até produzir uma informação "em tempo real". A tendência seria anunciar no domingo à noite as novidades da semana seguinte, como com os boletins meteorológicos. A rapidez da informação se opõe à lentidão da ciência, como sublinha Philippe Lazar, antigo diretor do Inserm, num livro publicado pouco depois do caso da memória da água:

> A informação tem todos os direitos, salvo aquele que seria a meu ver exorbitante, de modificar intimamente o modo de progressão próprio do conhecimento... É preciso ter a coragem de admitir que só o tempo – que não corre no mesmo ritmo em todas as atividades humanas – pode permitir que se desenvolva na sua sábia plenitude o processo coletivo que faz que a ciência acabe sempre por separar o joio do trigo ... A ciência caminha a passos curtos: paciência e lentidão de tempo nesse caso valem mais do que força e furor. A informação, por sua vez, corre, voa, e às vezes se vinga. Mantenhamos a calma![11]

O problema é que um número crescente de pesquisadores não dá importância à sábia plenitude tão cara a Philippe Lazar. A mídia só em parte é responsável por isso. Foram Pons e Fleischmann, não os jornalistas, que passaram por cima das instâncias de controle anunciando sua "descoberta" numa coletiva à imprensa. Não se trata de um exemplo isolado, longe disso. O caso de Benveniste ilustrou de maneira notável a propensão de certos cientistas a preferir a tribuna da mídia à discussão com seus pares. Lembremos também que a descoberta do vírus da Aids foi anunciada em 23 de abril de 1984, em Washington, numa coletiva à imprensa dada pelo professor Robert Gallo na presença de Margaret Heckler, secretária de Estado para a Saúde do governo americano: infelizmente, Gallo

---

11 Philippe Lazar, *Les explorateurs de la santé*, Paris: Odile Jacob, 1989.

deixou de assinalar que tinha utilizado um vírus isolado um ano antes no Instituto Pasteur...

A história da Aids foi fértil em anúncios tão espetaculares quanto impróprios. Em outubro de 1985, três médicos do Hospital Laennec, Jean-Marie Andrieu, Philippe Even e Alain Venet, davam uma coletiva à imprensa com Georgina Dufoix, ministra da Saúde, para descrever os efeitos de um tratamento com ciclosporina para pacientes portadores ou pré-portadores de Aids. A ciclosporina é um imunossupressor poderoso utilizado para lutar contra os fenômenos de rejeição em transplantes. Logicamente, ela devia agravar o estado de pacientes atingidos por uma síndrome imunológica. A ideia paradoxal de administrá-la a portadores de Aids resultava de um raciocínio absurdo que resultou numa morte menos de quinze dias depois da coletiva à imprensa.

Num registro menos trágico, o "gene *gay*" de Dean Hamer (ver a Lição 2) ocupou a primeira página dos jornais ao mesmo tempo que era publicado o artigo de *Science*. Desvio suplementar: a própria revista científica incitava a grande imprensa à extrapolação apressada. A revista *Science*, ao lado de artigos científicos propriamente ditos, comporta páginas que descrevem as descobertas recentes em termos acessíveis. No número de julho de 1993, em que figurava o artigo de Hamer, essas páginas bastante públicas continham uma entrevista-comentário do pesquisador intitulada: "Evidência em favor de um gene da homossexualidade". Ali se lia, entre outras afirmações perigosas: "Segundo Dean Hamer, parece verossímil que a homossexualidade derive de causas diversas, genéticas e talvez ambientais". O título original do artigo era menos atrativo: "Uma ligação genética entre marcadores de DNA sobre o cromossomo X e a orientação sexual masculina". Ficamos espantados, como destaca Bertrand Jordan, pela incrível distorção efetuada a partir de um artigo científico que sugere, com muitas precauções, a localização de uma contribuição genética para esse comportamento,para um eco publicado no mesmo número afirmando a existência de um "gene da homossexualidade".[12]

E o que dizer do Teleton, que todo ano drena somas importantes com base numa representação midiática ingênua da genética apresentada como uma panaceia? Lembremos que, de início, o objetivo do Teleton era curar a miopatia. Dizer que estamos longe disso é um eufemismo. Além disso, é deveras surpreendente observar que a popularidade do Teleton contrasta com a desconfiança em relação aos OGM: entretanto, as pesquisas que o Teleton financia visam manipular os genes humanos, enquanto as manipulações que produzem os OGM só atingem plantas ou animais...

É bem verdade que, na área da genética, a preocupação de coerência não caracteriza absolutamente a comunicação jornalística, como ilustram os anúncios sobre o sequenciamento do genoma humano. No começo de abril de 2000, a sociedade de biotecnologia Celera Genomics, criada pelo americano Craig Venter, fazia saber que tinha estabelecido uma primeira sequência completa dos genes de um ser humano (esclarecendo que se tratava de um *draft*, uma espécie de "esboço"); três meses mais tarde, no fim de junho, sabia-se uma segunda vez que o sequenciamento estava concluído, dessa vez pelos pesquisadores de um consórcio público predominantemente americano-britânico, dirigido por Francis Collins. Conferência televisionada na Casa Branca, com rufar de tambores e apertos de mão de Bill Clinton aos pesquisadores: a notícia correu mundo, e pôde-se ler em toda parte que o genoma humano estava "decriptado". Mediante o que foi preciso explicar em seguida que o genoma estava tão bem decriptado, que a decriptação efetiva demandaria ainda anos de trabalho... Quanto à sequência de Venter, a primeira anunciada, ela ainda não tinha sido publicada no fim do verão, por causa dos imperativos do segredo industrial.

---

12 Bertrand Jordan, *Les imposteurs de la génétique*, op. cit.

Por mais sábios que sejam os conselhos de Philippe Lazar, eles parecem irrealistas, pelo menos para uma parte das atividades de pesquisa, quando se trata de temas com fortes envolvimentos sociais, sobretudo em biologia e medicina. A concepção segundo a qual se trataria de simples derrapagens, de exceções à "boa regra", é ilusória. A concorrência entre as equipes científicas, a necessidade de "publicar ou perecer", incita os pesquisadores a utilizar todos os meios de que dispõem para aumentar sua influência. Além disso, a atividade científica está cada vez mais em ligação direta com a sociedade. Se dão apoio às pesquisas sobre a vacina contra a Aids ou sobre o efeito estufa, é porque elas supostamente respondem a uma demanda social. Cada vez menos, o sábio pode prevalecer-se de um comportamento de pesquisa desinteressada do conhecimento: ele deve prestar contas. Muito logicamente, os pesquisadores mais empreendedores, ou os menos escrupulosos, tomam a dianteira. Para quem sabe servir-se dela, a mídia é um fantástico instrumento de poder.

A consequência direta desse estado de fato é que o sistema de autorregulação da ciência moderna, posto progressivamente em ação no curso dos dois últimos séculos, cada vez mais é posto em xeque. A tradição que queria que um resultado científico não fosse divulgado sem precauções foi abandonada. Não apenas não se espera mais o tempo da verificação, como, uma vez que um resultado sensacional ou atípico é distribuído aos grandes órgãos da mídia, torna-se impossível dominar o conteúdo das mensagens. Morrison poderia acrescentar uma quarta fase às três que descreve na progressão de um resultado falso. Essa fase 4 seria aquela em que, lançada no espaço da mídia, a mensagem daí por diante escapa a qualquer avaliação crítica. Dez anos depois, a fusão fria ainda rende. Talvez não nos laboratórios de física ou de eletroquímica, mas na literatura fantástica ou nos *sites* da internet dedicados à física atípica.

Nosso propósito não é julgar essa situação. Podemos deplorar a perda de credibilidade que daí resulta. Podemos também felicitar-nos por ver a ciência "sair dos laboratórios de marfim" – como diria John Sladek – e pôr-se ao alcance do grande público, mesmo difundindo ideias falsas. Uma coisa é certa: o dado novo da informação oferece à impostura formidáveis perspectivas. A mídia é o Eldorado do impostor, porque a triagem da informação e o julgamento crítico são aqui desfavorecidos. O anúncio de uma descoberta sensacional terá sempre mais impacto que sua refutação metódica. Bastam duas palavras para dar vida à fusão fria, enquanto são necessárias longas considerações para explicar por que ela não funciona.

A capacidade da mídia para produzir mentiras que passam por verdades não é nova. Em 30 de outubro de 1938, Orson Welles semeia o pânico pelos Estados Unidos. Sua versão radiofônica da *Guerra dos mundos* é tão convincente que os ouvintes acreditam realmente na invasão dos marcianos. Desde essa demonstração, a principal mudança foi o aumento de potência da mídia mais rápida, atingindo um público mais numeroso, e dotada de um temível poder de reinvenção da realidade. Vamos ilustrar isso com exemplos concretos.

O recalque nos computadores

Será que certas panes informáticas são devidas aos anjos? Max Glaubenicht levanta essa grave questão na revista *Science et Vie* sob este título intrigante: "A teoria do recalque nos computadores".[13] Glaubenicht relata as surpreendentes revelações feitas por ocasião da III Conferência CRATM, realizada no início de 1979 na Universidade de Sherblyth. A conferência era dedicada a um assunto explosivo: as exopanes.

---

13 *Science et Vie*, abril de 1979.

"As exopanes, que observamos há alguns anos em quase todos os grandes sistemas informáticos", escreve Glaubenicht, "são panes não previstas, que não sabemos explicar pelas causas habituais: não se trata nem de erros de programação, nem de falsas manobras dos operadores, nem de qualquer outra coisa desse tipo. Elas se traduzem em paradas imprevisíveis das máquinas, ou demoras de transmissão anormalmente longas nas redes de computadores".

Assim, conta Glaubenicht, em 18 de fevereiro de 1978, foi observado no NOPE Data Network, rede de computadores que liga diversos grandes bancos da costa oeste dos Estados Unidos, um atraso de transmissão totalmente anormal. Durante mais de 90 minutos, a exopane bloqueou todas as transações bancárias. Quando a rede enfim reiniciou – de maneira igualmente misteriosa –, numerosas transações estavam definitivamente perdidas. O incidente foi objeto de uma comunicação que teria "interessado vivamente" aos especialistas do Pentágono...

Numa atmosfera insolitamente tensa, o célebre sociólogo Chuck McMuhlan inaugurou a conferência de Sherblyth. No seu estilo brilhante e incisivo, ele traçou a história das exopanes, demonstrando que os conhecimentos na matéria podiam se resumir num triplo zero. Estávamos ainda nesse ponto, até a espantosa exposição de um neurofisiologista desconhecido, Roster Varup, especialista em transferência de funções pelas conexões inter-hemisféricas da Universidade de Zedj.

Segundo Varup, os computadores são capazes de sofrer, por razões que lhes são próprias e que não têm nada a ver com as panes mencionadas nos manuais. Esse sofrimento se traduz por panes que não se manifestam, porque são "escondidas" pelas panes habituais. Existe então um fenômeno de recalque, as exopanes constituem de certo modo um "retorno do recalque".

Não abusarei ainda mais da paciência do leitor expondo a comparação fulgurante que Roger Varup opera entre o problema das exopanes e as teorias sobre os anjos do teólogo Karl

Ropar. Basta dizer que um programa sofre mais ou menos como um anjo que se teria encarnado numa mesa estilo Luís XIV, mas teria mantido a consciência de todas as mesas possíveis, e as procurasse desesperadamente. É certo que o caso não foi previsto por Freud. Nem por nenhum pesquisador de qualquer disciplina que seja. Porque a teoria das exopanes é uma mistificação, escrita por este seu servidor depois de uma noitada regada a álcool passada em companhia de alguns amigos especialistas em inteligência artificial. Essa fantasia era destinada a celebrar a tradição de primeiro de abril. Vários indícios eram destinados a deixar o leitor por dentro do segredo. O subtítulo da rubrica trazia a menção "Abrilologia". O pseudônimo de Max Glaubenicht constituía uma advertência para qualquer germanista (ele significa "não creio"). Os nomes de Chuck McMuhlan e de Karl Ropar evocam dois personagens conhecidos. Quanto ao chefe indígena Honeywell Bull, ele devia em princípio dissipar qualquer ambiguidade.

Mesmo sem essas piscadelas, a história parecia suficientemente "henorme" para que ninguém se enganasse. Entretanto, recebi várias cartas de leitores confessando que teriam acreditado sem os indícios (não muito) sutis. Um leitor perguntava onde encontrar obras das quais eu citava referências imaginárias. E quantos teriam engolido tudo sem fazer perguntas? Assim, pastichando o estilo habitual de um artigo de *Science et Vie*, fiz uma pura fantasia passar pela resenha de uma verdadeira teoria científica.

Um leitor de divulgação científica tem poucos meios de estabelecer a diferença entre uma mistificação como as exopanes e um artigo "sério" sobre os quarks. Calculando por cima, o artigo sério ocuparia dez páginas de *Science et Vie*, enquanto uma exposição rigorosa da teoria dos quarks demandaria vinte ou trinta vezes mais. Por outro lado, os estudantes que racham um artigo sobre os quarks não estão entregues a si mesmos. Eles seguem cursos, discutem com seus professores, fazem exames, defendem teses. Podem apaixonar-se pela beleza da teoria dos quarks, mas têm também um objetivo prático: integrar-se à comunidade da física das partículas.

O artigo de divulgação sobre os quarks está cortado desse contexto prático. A situação é muito diferente, por exemplo, de um artigo do jornal *L'Equipe* sobre a final a Copa do Mundo de Futebol. Os leitores conhecem as regras do futebol, jogaram na infância ou ainda jogam. Basta ao jornalista narrar o jogo para ser compreendido. Mas como compreender os quarks sem passar por um formalismo matemático sofisticado e por conceitos físicos difíceis? O artigo de *Science et Vie* sobre os quarks é para a teoria real dos quarks aquilo que "ta-ta-ta-ta" é para a *Quinta sinfonia* de Beethoven: um tema evocativo, sobre o qual o vulgarizador floreia com mais ou menos talento. O divulgador não diz a ciência – ela é indizível fora de seu contexto –, ele conta histórias da ciência. Por mais dotado que seja, seu relato estará muito mais longe da realidade que relata do que a narração de uma partida de futebol.

Do ponto de vista do grande público, a impostura e a mistificação são muitas vezes indistinguíveis de um conteúdo científico sério. A história das exopanes seria semelhante em todos os pontos aos artigos de *Science et Vie*, se fosse apresentada sem humor nem piscadelas. Para que o leitor saiba – sem malícia – que está embarcando, *Science et Vie*, que privilegia uma representação da ciência como verdade, indica a fronteira entre ficção e real. Isso significa que tudo o que *Science et Vie* escreve é verdade, mas que a preocupação de distinguir o verdadeiro do falso exige nessa revista uma indicação precisa.

Viagem ao ventre da mãe

Essa indicação está ausente num jornal como *Actuel* que, de maneira efêmera, retomou a bandeira de uma forma de fantástico ilustrada no passado pelo *Despertar dos mágicos* e pela revista *Planète*. Um conto fantástico de *Actuel*, da lavra de Patrice van Eersel, narra a história de Stanislas Grof, médico checo que, em plena voga psicodélica, aterrissou em Big Sur, na Califórnia. Como alguns outros (ver Lição 2), Grof se interessa pelos efeitos do LSD. No embalo, ele viaja na loucura, acompanha os doentes mentais em seu delírio. Um dia, ele se vê transformado em urso dos Cárpatos. Sofre o martírio, quase morre sufocado, conhece simultaneamente o êxtase e o pesadelo.

Depois de muitos anos, Grof chega à conclusão de que, para elucidar os traumatismos da neurose, não basta, como preconiza Freud, remontar à tenra infância. É preciso ir muito além disso. É no ventre da mãe que tudo começa. Grof elabora a teoria das *matrizes perinatais*, "quatro tambores formidáveis, sobre os quais todas as cadeias de nós, psíquicos futuros, vão vir ancorar-se, em quatro tranças ressonantes". Os quatro tambores nada mais são que os quatro tempos do nascimento: 1) euforia na doçura uterina; 2) inferno das contradições; 3) "violência apocalíptica" da abominável compressão no fundo do sexo de mamãe; 4) alívio, tingido do pesar inextinguível de ter sido expulso do paraíso.

A visão mítica de Grof possui uma forte carga evocativa, embora se apoie em puras especulações. Já é forçado demais admitir que conservamos a lembrança precisa do nosso nascimento. Quanto a concluir que os traumatismos perinatais condicionam todo o desenvolvimento psíquico, é um passo que só é possível com botas de sete léguas. Patrice von Eersel as calça alegremente, e se lança numa descrição de lembranças "revisitadas" pelos pacientes de Grof. O mais fascinante é que esses pacientes "revivem" – sob o efeito do LSD – cenas que se desenrolaram bem antes de seu nascimento!

> Lembrança de uma festa-surpresa que sua mãe deu, em fevereiro de 1946, quando estava grávida de sete meses de você. Lembrança do choque da morte de seu pai, quando ela estava grávida de três meses de você ... Lembrança de ter sido, durante

uma eternidade antes da constituição do ego, espermatozoide, óvulo. Lembrança de ter sido outro alguém. Ou toda uma tribo. (Lembranças tibetanas de uma padeira de Praga.) Uma tribo precisa, até então desconhecida por você, mas que, feita a verificação, realmente existiu. Com uma riqueza de detalhes sobre os rituais ou as artes dessa tribo. Lembrança de ter sido um animal. Uma planta. Uma floresta.

Patrice van Eersel não põe em dúvida um instante sequer a autenticidade dessas "lembranças", cujo aspecto delirante faz pensar um pouco nas narrativas sob hipnose dos indivíduos atacados pelo "distúrbio da personalidade múltipla". Essa estranha epidemia, que se espalhou em alguns anos nos Estados Unidos, levou a colocar seriamente a questão de saber em que medida o distúrbio não era induzido pelo terapeuta.[14] Aqui, podemos pensar que a pergunta correta é qual é a importância do papel representado por Grof e pelo uso do LSD. Sem falar da reencarnação nas regiões orientais, a fantasia de ter vivido vidas anteriores e de ter conservado sua memória é bastante difundida, e exprime sem dúvida o medo da morte e do vazio que a cerca. Mas colocar o problema nesses termos levaria a desmontar o conto fantástico, a privá-lo de sua magia. Van Eersel prefere sair "pela brecha escancarada que a física abriu, já há meio século, na antiga visão do mundo. Nossas estranhas lembranças seriam de fato o acesso a uma informação particular, escapando ao *tempo cartesiano-newtoniano*".

Ora, vamos! Então agora seria a física que faria pouco caso do espaço e do tempo! Van Eersel chama em seu socorro David Bohm, Karl Pribam e Rupert Sheldrake, cujas espantosas teorias

---

14 Ver o livro apaixonante de Ian Hacking, *L'âme réecrite. Étude sur la personnalité multiple et les sciences de la mémoire*. Institut Synthélabo, col. "Les Empêcheurs de penser en rond", Le Plessis-Robinson, 1998 [ed. bras.: *Múltipla personalidade e as ciências da memória*. Trad. Vera Whately. Rio de Janeiro: Livraria José Olympio Editora, s. d.].

estudaremos na Lição 7. Em duas palavras, trata-se de extrapolações da física quântica que levam a atribuir ao mundo em que vivemos propriedades tão fantásticas quanto inobserváveis. Em particular, Van Eersel recorre à versão mais recente do princípio "tudo está em tudo", o universo-holograma. A ideia é que, como os pontos de uma imagem holográfica, cada ponto do universo contém todo o resto. Metáfora poderosa – sem ser nova – que permite com efeito pulverizar os quadros da ciência "cartesiana-newtoniana", e mais simplesmente os limites do bom-senso.

> A ciência clássica... não consegue compreender como funciona a memória. Ela parece inapreensível, essa coisa! Ela está ao mesmo tempo em toda parte e em nenhuma parte do corpo... Uma das hipóteses malucas a que chegam [os trabalhos de Pribram] pretenderia que a memória não esteja "contida" nem no cérebro nem no "corpo".

Ela funcionaria como "um aparelho de televisão, que captaria, holograficamente, lembranças".

Reencontramos um tema caro a Lyall Watson (ver Lição 1): o cérebro receptor de ondas, oscilador capaz de entrar em ressonância com todas as vibrações do cosmos. A enxaqueca nos espreita.

Rika Zarai é solúvel na medicina?

Felizmente, para nos curar, Rika Zarai possui remédios inigualáveis. Autora de *A minha medicina natural*,[15] *best-seller* citado em referências pelos defensores das "patamedicinas" de todo tipo, a célebre cantora era convidada, em 10 de janeiro de

15 Rika Zarai, *Ma médecine naturelle*, Paris: Carrère-Lafon, 1985 [ed. bras.: *A minha medicina natural*. São Paulo: Ground, 1991].

1986, para o programa de televisão chamado *Jogo da verdade*. No palco do apresentador Patrick Sabatier, ela teve assim a oportunidade de levar a melodia da flauta mágica aos píncaros musicais, se não medicais, quase tão vertiginosos quanto as cifras de venda de seu célebre tratado (amplamente mais de um milhão de exemplares). Escrevo isso "sem rancor e sem remorso", pois não vejo nenhuma razão decisiva que impedisse *A impostura científica em 10 lições* de igualar as tiragens de Rika Zarai, mesmo que isso leve três séculos. O leitor que duvidar só tem que tomar um banho de assento com água fria. "Nada melhor para drenar os dejetos, fortificar o organismo e despertar as defesas." E para as hemorroidas, então![16]

Para voltar ao *Jogo da verdade*, Rika Zarai dá início ao programa com uma declaração peremptória: "O buxo é um antiviral muito poderoso". De fato, ela recomenda o chá de buxo para "combater as doenças de vírus como gripe, herpes, hepatite etc.". E a Aids? Nossa autora, prudentemente, abstém-se. Ela se mostra mais audaciosa quando fala dos doentes de câncer tratados com radiação. Embora esse tratamento seja evidentemente contrário à sua ética, Rika Zarai reconhece que ele nem sempre pode ser evitado (certamente ela não quer arriscar um processo por exercício ilegal da medicina). Mas, declara ela, "um cataplasma de argila permite limitar os danos, porque ele absorve a radioatividade excessiva". Em *A minha medicina natural*, lê-se também que "a argila permite suportar melhor as radiações".

Só uma observação: no tratamento do câncer, o doente só é exposto aos raios durante um tempo limitado. Não se trata de fixar uma substância radiativa no corpo. Lembremos que a irradiação tem por objetivo destruir as células cancerosas, não plan-

16 É claro que essa alusão está totalmente fora do assunto, mas, como já indiquei, tenho minhas razões...

tar no paciente um segundo câncer. Não existe "radiatividade excessiva". O conselho de Rika Zarai equivale, em suma, a sugerir para se empanturrar de tela total antes de apagar a luz e ir para a cama...

A minha medicina natural está de fato tão próxima de um tratado de medicina quanto um honesto e pueril manual de civilismo está próximo da *Crítica da razão pura*. Trata-se sobretudo de uma coletânea de receitas culinárias e regras de higiene ou de comportamento, baseada num "código da vida saudável". Esse código visa ao que é bom ou mau, não apenas para o corpo, mas também para a alma. Bons: os legumes, a argila, as vitaminas, a respiração. Maus: a carne, o fumo, o álcool, a solidão, os medicamentos químicos – quais são os outros? – a fadiga física ou intelectual. Sobre esse último ponto, Rika Zarai parece ter-se colocado ao abrigo de qualquer risco inútil.

Seu ódio à carne leva nossa autora a faltar com a objetividade. Ela produz um quadro onde aparece que 100 gramas de cogumelos contêm duas vezes mais proteínas que a mesma quantidade de carne. Dado que o cogumelo fresco contém entre 84% e 92% de água, e menos 3% de proteína, a única explicação possível é que Rika Zarai fala de cogumelos alucinógenos. Mas a droga – mesmo natural – está de acordo com o código de uma vida saudável? Outra pergunta: Rika Zarai afirma que "a queda de cabelos para claramente diante do agrião"; mas o que acontece com os cabelos que tinham começado a cair *logo antes* da chegada do agrião?

A impostura não reside tanto nas pérolas de Rika Zarai quanto na situação que lhe permite aproveitar-se impunemente de milhões de telespectadores. Na tela, o médico mais competente não tem nenhuma chance em face da cantora. Rika Zarai não é solúvel na medicina, porque sua imagem é um produto da mídia. Aqueles que a convidam para a televisão não se preocupam nem um pouco em saber se sua medicina é realmente medicina. Único problema: qual é a taxa de audiência?

A criatura de Roswell

A ignorância dos cientistas em matéria de extraterrestres não precisa mais ser demonstrada. Pergunte por exemplo a um cientista de que moléculas poderia ser feita a carne de um ET. Ele certamente lhe responderá que a vida – aqui ou acolá – repousa sobre o carbono e as moléculas orgânicas. Na realidade, graças às revelações trazidas durante o verão de 1995 pelo apresentador Jacques Pradel, especialista incontestável do fantástico, podemos afirmar com certeza: as inteligências extraterrestres são feitas de látex e de silicone, como os implantes mamários de Pamela Anderson! Seria apressado concluir que a vedete de *SOS Malibu* ofereceu o refúgio de suas curvas a dois pequenos seres vindos do espaço, mas uma coisa é certa: a criatura de Roswell está desembarcando mais provavelmente do planeta Hollywood do que de Marte ou Sirius, o que é sem dúvida a chave de seu sucesso na mídia.

> Para os leitores que teriam passado o verão de 1995 em Marte, lembremos os principais episódios do caso do extraterrestre de Roswell. Na primavera de 1995, um boato (que teve início no outono de 1993) começa a circular: o filme da autópsia de um extraterrestre hidrocéfalo, provido de seis dedos e desprovido de umbigo, [será] logo revelado ao público. Imagens filmadas, dizem, por um *cameraman* do exército americano em 1947, depois da queda de um óvni em Roswell, Novo México. Esse extraterrestre teria tido a extrema gentileza de vir espatifar-se com seu disco voador perto de uma base militar americana em 1947 antes de aterrissar num congelador secreto da Air Force, e depois sobre uma mesa de dissecação. Como a força aérea tinha esquecido (!) de recuperar 22 rolos de filme entre os duzentos rodados na ocasião do evento, um produtor inglês, Ray Santilli, os teria comprado do *cameraman*, antes de propor revendê-los a vários canais de televisão, entre os quais a TF1 francesa.

Essa passagem é extraída do livro de Pierre Lagrange, *O boato de Roswell*,[17] investigação profunda e perspicaz sobre a criação de uma lenda moderna: a captura, em 1947, pelo Exército americano, dos restos de um óvni e dos corpos de seus ocupantes, caídos no deserto do Novo México. Não voltarei a falar aqui sobre a polêmica dos discos voadores e da criatura de Roswell. Queria apenas ressaltar o ponto seguinte: em 1995, foi estabelecido que a história de Roswell é uma lenda. Já em 1989, o americano Philip Klass, um dos mais hábeis desmistificadores de fenômenos paranormais,[18] demonstrava que um suposto documento que passava por ser a prova irrefutável do "terrível segredo" da US Air Force era uma falsificação. Esse documento trazia a assinatura do presidente Truman, que, na verdade, tinha sido copiada a partir de outro documento. Esse "detalhe que mata" já bastava para resolver a controvérsia sobre a criatura de Roswell. Depois, em setembro de 1994, a Air Force deu a solução completa do caso: o pretenso óvni de Roswell era de fato um balão estratosférico desenvolvido no quadro de um programa secreto para espiar as explosões atômicas soviéticas. A lenda então, como toda lenda, tinha um fundo de verdade, mas sem relação com a vida extraterrestre.

Ora, esses dados históricos, acessíveis a qualquer investigador informado, são soberbamente ignorados por Jacques Pradel. Organizando toda uma encenação em torno do "furo jornalístico do milênio", Pradel e o canal TF1 começam por difundir uma fita cassete mostrando a autópsia da criatura – é horrível demais para ser mostrado na televisão num horário de grande audiência! – sobre a qual é, todavia, indicado em letras miúdas que "o fato de que a criatura filmada não seja humana

---

17 Pierre Lagrange, *La rumeur de Roswell*, Paris: La Découverte, 1996.

18 Philip Klass é membro do Commitee for Scientific Investigation of Claims of Paranormal (CSICOP), sobre o qual voltaremos na Lição 8.

não pode ser verificado". E não sem motivo: ninguém mais a não ser Ray Santilli viu os rolos originais do filme e, para dizer tudo, ninguém mais pode afirmar que eles existem realmente! Isso não impediria que Pradel e a TF1 mantivessem o suspense durante meses, sem mostrar nenhuma conclusão decisiva nem dar a seus espectadores os instrumentos que permitissem situar-se. Jacques Pradel conseguiu enfim mobilizar as multidões em torno de um filme que não existe, mostrando uma criatura na qual ele próprio provavelmente não acredita, cuja cabeça grande de humanoide hidrocéfalo, perfurada com dois grandes olhos negros sem pupila, já frequentava a popular ficção científica americana do pré-guerra...

A verdade não basta

Para um conhecedor como Pierre Lagrange, é evidente desde o início que a história da criatura de Roswell não para em pé: sua autenticidade parece ter tanta verossimilhança quanto "uma moeda marcada 'seis mil anos antes de Cristo' teria no universo de um arqueólogo da Mesopotâmia". Mas é preciso reconhecer também que, delirante ou não de seu ponto de vista de especialista, a história é "legitimada" pelo formidável poder do canal TF1. Dito de outro modo, pouco importa a história real, reconstruída pacientemente pelos pesquisadores. Quando a TF1 decidiu "criar o acontecimento", todo o resto é literatura.

Essa espantosa capacidade de "apagar a história" é uma propriedade da grande mídia audiovisual. Não que a imprensa escrita esteja a salvo de tais tentações, mas ela permanece submetida aos limites do discurso, seja qual for seu conteúdo. É mais fácil criticar um discurso do que envolver uma imagem. O simples fato de mostrar na tela a criatura lhe dá – aos olhos de milhões de telespectadores – uma presença, uma existência que ela jamais terá num texto. Para convencer-se disso, basta observar que, nos jornais populares de grande tiragem que falam das estrelas da televisão, estas são apresentadas como personagens muito próximas, que fazem parte de nossa vida cotidiana, quase membros da família.

Acrescentemos, para fazer a ligação com as duas histórias anteriores, que a divulgação científica, quando passa pela imprensa escrita, implica uma certa ideia da ciência. Tanto em *Actuel* como em *Planète* é a ideia do realismo fantástico, da ciência como "viagem", regulada pelo princípio: "Tudo é possível". *Science et Vie*, por sua vez, acentua a representação da ciência como verdade. É por isso que o primeiro de abril é realmente um primeiro de abril. *Science et Vie* não cessa de marcar as fronteiras do verdadeiro. Alguns títulos de capa entre numerosos outros: "A verídica história do pai da parapsicologia", "A verdade sobre o gás de combate", "A verdadeira história do Boeing coreano" etc.

Outro aspecto dessa indicação do verdadeiro se manifesta na denúncia sistemática de fraudes e imposturas científicas, nas quais *Science et Vie* se tornou uma especialista. A parapsicologia, Uri Geller, a homeopatia, os curandeiros filipinos, as artimanhas da Aids, o sudário de Turim, a memória da água ou a criatura de Roswell incorreram na condenação de *Science et Vie*. Entretanto, esse notável trabalho de informação – ao qual este livro deve muito – não basta para pôr fim às imposturas e às lendas que se formam em torno delas. Acontece até de *Science et Vie* ficar embaraçada, como quando a revista ofereceu uma tribuna a René Louis Vallée (ver Lição 2). O relativo fracasso da atitude "verista" deve-se em parte a razões culturais profundas, ligadas à maneira como o pensamento humano elabora o sentido. Voltarei a esse assunto, que ultrapassa amplamente o quadro deste livro, nas últimas lições. Digamos simplesmente que aquilo que Claude Lévi-Strauss chamou de "pensamento selvagem", e que podemos também chamar de pensamento mágico, jamais desapareceu de nossas culturas supostamente modernas e racionais, provavelmente porque se trata de um tipo de raciocínio inerente à condição humana. O pensamento chamado racional não tem nada de natural, é uma construção, uma ascese, um exercício que demanda um trabalho contínuo. O eterno "retorno do irracional" nada mais é de fato que a manifestação recorrente de uma forma de pensamento que jamais nos abandonou.

Mas há também uma explicação mais prática, mais terra a terra: a mídia atual permite simular ou reconstituir painéis inteiros de realidade, sob uma forma facilmente compartilhada e que não demanda nenhum esforço de assimilação. É mais fácil deixar-se embalar pelos contos fantásticos de Jacques Pradel do que perguntar se a sua história para de pé. O problema é que acabamos por ser hipnotizados por essas mensagens sem dimensão crítica que nos encharcam. E isso tão mais facilmente quando a credulidade é apresentada como um valor positivo, o sinal de uma grande abertura de espírito. Como escreve Umberto Eco em *A guerra do falso*:[19]

> Dizer que tudo *é* possível equivale a dizer que *tudo* é verdadeiro *da mesma forma*, tanto a ioga como a física nuclear, tanto a elevação dos poderes psíquicos como a cibernética, tanto a abolição da propriedade privada como o ascetismo místico. Essa atitude não se chama mais curiosidade intelectual, mas sincretismo.

A revista *Planète* tem razão quando nos recomenda não desprezar nenhuma possibilidade, acompanhar todos os resultados da antropologia ou das ciências exatas. Esse é também o projeto de *Actuel*. Mas, observa Eco, "acompanhar não quer dizer misturar tudo e aceitar tudo como favas contadas, como se o trabalho parasse aí. Pelo contrário, isso quer dizer começar por aí e ver se, numa nova situação cultural, é possível reconstituir de maneira crítica uma certa totalidade do saber". Ora, esse tra-

19 Umberto Eco, *La guerre du faux*, Paris: Grasset, 1985.

balho torna-se impossível num universo que confunde o real e o possível e abole qualquer fronteira entre verdade e ficção. *Actuel* ou *Science et Vie*, apesar de seus pontos fracos, referem-se a uma realidade externa. A mídia mais recente põe em jogo uma relação tão pervertida com o real que nem é mais possível definir a impostura, como ilustra o caso de Rika Zarai. A televisão comercial de hoje não se preocupa em representar o real. Ela só remete a si mesma. O mundo é aquilo que você vê na tela.

Umberto Eco estabelece uma distinção esclarecedora entre a "paleo-TV" e a "neo-TV". O protótipo da primeira são os "programas do Papai" como *Cinco colunas na primeira página*. Essa televisão tenta ser "uma pequena fresta aberta para o vasto mundo". Pode-se discutir para saber se sua informação é digna de crédito, se a descrição da realidade é adequada. Mesmo que não seja esse o caso, o sistema conserva uma referência ao real.

A neo-TV, cujos exemplos típicos são os programas de Patrick Sabatier ou de Jacques Pradel, já não fala do mundo exterior. "Ela fala de si mesma e da relação que está estabelecendo com seu público", escreve Umberto Eco. Pouco importa o que ela diz ou do que está falando (porque o público munido de um controle remoto decide qual o momento em que ela pode falar e qual o momento em que ele muda de canal). Para sobreviver a esse poder do público, ela tenta reter o espectador dizendo: "Eu estou aqui, eu sou eu e sou você". Quer fale de foguetes ou do Gordo e o Magro derrubando um armário, tudo o que a neo-TV consegue dizer é: "Comunico-lhe, ó maravilha, que você está me vendo; se não acredita, disque este número e me chame, eu responderei". Mas essa única mensagem repetida diz muito, porque ela abole a distância entre o emissor e o receptor. O discurso da mídia torna-se autorreferente. Eu não tenho que estar de acordo ou não com Rika Zarai. O telespectador poderia dizer, parafraseando Flaubert: "Rika Zarai sou eu". Ou Zidane, ou a criatura de Roswell, ou qualquer outra criatura do universo televisual.

A ubiquidade da mídia contemporânea supera a utopia negativa do *1984* de Orwell: "De todas as encruzilhadas importantes, o rosto de bigode preto fixava você com o olhar". Mas Big Brother é um tirano, ele carrega ainda a marca da história real. Depois, Big Brother tornou-se nosso amigo. É cada um de nós. Não é ele que empresta seu nome a um programa de grande sucesso, mostrando simplesmente pessoas numa casa se vestindo, se lavando, comendo, lendo, fazendo amor ou coçando a bunda? Não se trata mais de "*Big Brother is watching you*", somos nós que vemos *Big Brother*, para observar nossa própria vida privada, que se tornou transparente.

O par formado pela nova televisão e a internet é comparável ao universo descrito por John Bruner em *Todos em Zanzibar*: aqui, a mentira não é mais necessária, já nem há necessidade de retocar as fotos de arquivo ou apagar os textos comprometedores, porque existe uma perfeita simbiose entre o simulacro da mídia e aqueles a quem ele é destinado. A ubiquidade assume os traços de um casal moderno que é todo mundo e qualquer coisa: "Senhor e Senhora Estouemtodaparte são personagens de síntese, equivalentes contemporâneos dos Jones, dos Dupont e dos Muller, exceto que não é preciso estar ou não de acordo com eles. Compre um televisor personalizado com identificação de ambiência, pode estar certo de que os Estouemtodaparte terão a sua cara, sua voz e seus gestos".

Vertigem de um mundo de simulação no qual, como em *Matrix*, o real se fez artifício, e o artifício, realidade. O milagre não é que ainda se creia na fusão fria ou na criatura de Roswell. O milagre é que ainda haja fragmentos de significação, lugares em que se permutam sentidos. Alguém falou?

Exercícios

1 Graças a ensaios duplo-cegos – método duas vezes mais confiável do que o do simples zarolho –, prove que a celulite é derretida com limão (exercício proposto por Rika Zarai).

2 Publique essa descoberta numa revista médica, com o apoio de um célebre biólogo aposentado. Não divulgue os detalhes de suas experiências (que aliás não foram realizadas). Não fale de limão nem de celulite, mas de "triácido-álcool cítrico" e de "inibição da hipertrofia do tecido gorduroso subcutâneo". Faça um comunicado para anunciar uma coletiva de imprensa no Salão das Medicinas Naturais.

3 Espalhe o boato segundo o qual a epidemia de Aids resulta de experiências militares americanas para testar uma arma bacteriológica destinada a combater os marcianos. Divulgue a história num grande jornal ávido por furos científicos escabrosos, por exemplo o *Sunday Times* de Londres. Quando você for convidado para a televisão, relate a sua investigação para encontrar o arquivo altamente secreto do caso, multiplicando os detalhes fora do assunto. Aos cientistas e aos céticos, explique que o Pentágono faz de tudo para abafar o caso. Alegue misteriosas ameaças contra você. Publique suas memórias e suma para um lugar que só você conhece (não sem antes indicar os dados de sua conta bancária ao seu editor).

4 Depois que o assunto estiver encerrado, faça uma nova revelação: o relatório altamente secreto era uma falsificação divulgada pelos marcianos, que são os verdadeiros responsáveis pela epidemia de Aids. Você descobriu um documento da CIA que explica tudo. Título do seu segundo *best-seller*: *O segundo relatório.*

Lição 5
Os fatos, manipularás

No dia 18 de dezembro de 1912, Charles Dawson e Arthur Smith Woodward fizeram uma comunicação estrondosa à Sociedade Geológica de Londres. Conservador do British Museum, Smith Woodward, que se tornaria mais tarde "*Sir* Arthur", era um figurão da paleontologia britânica. Dawson, que exercia a função de procurador judicial, era conhecido sobretudo como arqueólogo amador. Ele já contava em seu ativo com vários achados interessantes, mas a descoberta que Dawson e Smith apresentaram nesse dia derrotava todas: de um areal situado em Piltdown, Sussex, eles tinham desenterrado um crânio e uma mandíbula que, segundo eles, constituíam os primeiros fragmentos fósseis do famoso elo entre o macaco e o homem!

Nascia assim o *Eoanthropus dawsoni*, ou homem de Piltdown. Para a paleontologia de além-Mancha, ele representava uma formidável desforra: enquanto a França se orgulhava dos célebres homens de Neanderthal e de Cro-Magnon, a Grã-Bretanha tinha permanecido desesperadamente pobre em fósseis humanos. "O homem de Piltdown vinha na hora certa para reverter a situação", escreve Stephen Jay Gould em *O polegar do panda.*[1] "Ele parecia consideravelmente mais velho do que os neanderthais." Adão era inglês! "A raça de Neanderthal", declara *Sir* Arthur, "era um ramo degenerado enquanto o homem moderno que sobreviveu deve provir diretamente dessa fonte primitiva da qual a descoberta de Piltdown fornece a primeira prova".

Os restos do "homem da aurora" – é esse o sentido de *Eoanthropus* – tinham toda a aparência de idade muito antiga. Fortemente corados, tanto o crânio como a mandíbula pareciam contemporâneos da antiga areia, de onde tinham sido extraídos também diversos fragmentos de mamíferos fossilizados. Certas singularidades, porém, refreavam o entusiasmo chauvinista de Smith Woodward. A mandíbula parecia tão simiesca quanto o crânio parecia humano! Disparidade ainda mais espantosa porque a mandíbula tinha conservado dois molares que apresentavam um desgaste liso, coisa comum nos humanos, mas jamais vista nos macacos.

"Infelizmente", explica Gould, "a mandíbula estava quebrada em dois pontos que poderiam estabelecer de maneira formal sua relação com o crânio: a região do queixo, com todos os sinais que distinguem o macaco do homem, e a articulação com o crânio".

Nos anos que se seguiram, Dawson e Smith Woodward opuseram a seus detratores uma série de descobertas que, "consideradas retrospectivamente, não poderiam ser mais bem programadas se quisessem dissipar a dúvida". Primeiro, em 1913, foi um canino inferior, também simiesco mas desgastado como um dente humano. Depois, em 1915, Dawson encontrou, a três quilômetros do primeiro sítio, dois novos fragmentos de crânio humano associados a um dente simiesco desgastado como um dente humano, ou seja, exatamente a mesma combi-

1 Stephen Jay Gould, *Le pouce du panda,* op. cit. [cf. ed. bras. citada].

nação da primeira vez. Foi coincidência um dos mestres da paleontologia americana, Henry Fairfield Osborn, ter julgado que era belo demais para ser verdadeiro: "Se existe uma Providência intervindo nas questões de homens pré-históricos", escreve ele, "com toda a evidência ela se manifestou aqui, porque os três fragmentos do segundo homem de Piltdown encontrados por Dawson são exatamente aqueles que seriam escolhidos se desejássemos confirmar a comparação com o tipo original".[2]

Osborn não acreditava no Papai Noel da paleontologia. Pelo menos num primeiro momento. No tempo em que era diretor do Museu Americano de História Natural, ele foi convidado, em julho de 1921, a ir admirar os restos do "homem da aurora" no British Museum. Operou-se então nele uma conversão espetacular, ao declarar que Piltdown era "uma descoberta de uma importância transcendental para a pré-história do homem". Acrescentou esta observação que, mais tarde, assumiria um sabor particular: "Devemos nos lembrar sempre que a natureza é plena de paradoxos e que a ordem do universo não é a ordem humana". Nesse caso, uma descoberta que devia mais à ordem humana do que à ordem do cosmos iria ser levada muito a sério por uma geração de paleontólogos. A energia de Charles Dawson e a convicção de Arthur Smith Woodward acabaram por levar a melhor. O *Eoanthropus dawsoni* figurou em todos os tratados durante três décadas. Certamente ele ainda se encontraria lá se um paleontólogo perspicaz, Kenneth Oakley, não tivesse se intrometido...

Mistificação ou falcatrua?

Ao longo do tempo, as ossadas fósseis impregnam-se do flúor contido no solo e nas rochas onde jazem. Dosando o flúor,

2 Ibidem.

pode-se datar o momento em que um fóssil foi enterrado. Em 1949, Oakley submeteu os vestígios do *Eoanthropus* a esse teste. Ele só descobriu ínfimos traços de flúor, quase imperceptíveis. Conclusão: as ossadas descobertas por Dawson não podiam ter permanecido muito tempo nas areias de Piltdown.

Oakley primeiro pensou que as ossadas, embora autênticas, tivessem sido enterradas só recentemente. Mas, observando melhor, auxiliado pelo anatomista Le Gros Clark, Oakley teve de render-se à evidência: o "homem da aurora" era uma falsificação. O crânio e a mandíbula tinham sido pintados com bicromato de potássio. Tinham limado os dentes para simular um desgaste humano. A incrível associação de uma mandíbula de macaco e de um crânio humano explicava-se da maneira mais simples do mundo: a caixa craniana pertencia a um homem moderno; a mandíbula, a um orangotango. A justaposição de ambos não era um capricho da evolução, mas obra de um impostor.

Quem foi o autor da trapaça? Quando o caso foi revelado no início dos anos 1950, as suspeitas recaíram sobre Dawson. O arqueólogo amador encontra-se de fato no início de toda a história. Foi ele que, em 1912, aliciou *Sir* Arthur, apresentando-lhe os fragmentos do primeiro homem de Piltdown. Até aí, o conservador do British Museum jamais havia imaginado a existência de fósseis humanos em Piltdown. Embora Smith Woodward tenha se associado às descobertas ulteriores, foi o próprio Dawson quem desenterrou a maior parte do material. No final das contas, o papel de Smith Woodward consistiu essencialmente em credenciar o *Eoanthropus dawsoni* aos olhos da comunidade científica. Totalmente absorvido por sua paixão, o conservador ia dedicar sua vida ao fóssil falsificado de Dawson. O esquema que parece mais verossímil é que Dawson ludibriou um Woodward sincero mas demasiado crédulo e deslumbrado pela miragem da descoberta sensacional do "primeiro inglês" (*The Earliest Englishmen* é o título do seu último livro, datado de 1948; ele morreu antes que a impostura fosse desmascarada).

Existe, no entanto, um terceiro personagem, que o respeito devido a um eclesiástico que é também uma grande figura espiritual nos proíbe de qualificar como terceiro ladrão. Porque se trata de ninguém menos que o célebre teólogo e paleontólogo Pierre Teilhard de Chardin! Pode parecer um sacrilégio associar o nome do autor do *Fenômeno humano* a uma vulgar falcatrua. Entretanto, como já constatamos e constataremos ao longo deste livro, a reverência concedida a um grande homem não pode ser considerada um argumento científico. O importante são os fatos. E, no plano dos fatos, o dossiê de acusação estabelecido por Stephen Jay Gould é esmagador. Gould, que tinha doze anos quando a falcatrua foi desmascarada, apaixonou-se pelo homem de Piltdown e lhe dedicou uma investigação mais aprofundada.[3] Sua teoria informa melhor que qualquer outra sobre as peripécias do caso. O leitor julgará por si mesmo.

Nascido em Auvergne em 1881, Teilhard entrou para a ordem dos jesuítas em 1902. Estagiou em seguida em Jersey, depois no Cairo. "Em 1908, voltou para terminar sua formação teológica no seminário jesuíta de Ore Place em Hastings, providencialmente situado perto de Piltdown, na costa sudeste da Inglaterra", relata Gould. "Aí ele passou quatro anos e foi ordenado padre em 1912. Em teologia, Teilhard mostrava-se um estudante muito bem-dotado, mas medianamente motivado. O que o apaixonava e sempre tinha apaixonado em Hastins era a história natural. Ele percorria os campos à procura de borboletas, pássaros e fósseis. E, em 1909, ele conheceu Charles Dawson no lugar geográfico que era a paixão de ambos – um areal onde procuravam fósseis."

---

3 Ver Stephen Jay Gould, *Le pouce du panda*, op. cit. [cf. ed. bras. citada], e, para um relatório mais detalhado, *Quand les poules auront des dents* (Paris: Fayard), reeditado pela Seuil, 1991 [ed. port.: *Quando as galinhas tiverem dentes*. Gradiva, 1989].

Teilhard, na época com vinte anos, percorreu então com Dawson o areal de Piltdown três anos antes que qualquer outro especialista ouvisse falar dos primeiros achados do procurador judicial. Foi ele quem encontrou o famoso canino de 1913. Quando Smith Woodward entrou na conjuração, Teilhard e Dawson já eram bons amigos e, nas cartas aos seus pais, o jovem jesuíta chamava Dawson de seu "correspondente em geologia". Os dois homens passavam longas horas juntos naquele terreno. Gould os imagina "fomentando seu complô", Dawson para "trazer à luz a credulidade daqueles profissionais que exibiam ares de grandeza", Teilhard para "zombar mais uma vez dos ingleses, que não possuíam nenhum fóssil humano legítimo, ao passo que a França orgulhava-se de uma superabundância que fazia dela a rainha da antropologia"...

Mas por que Dawson não teria montado o golpe sozinho? Vários elementos tornam essa hipótese improvável.

a) *A correspondência entre Teilhard e Oakley*. Numa carta de 28 de setembro de 1953 dirigida a Oakley, que lhe pedia ajuda para identificar o autor da impostura, parece que Teilhard se contradiz. Ele começa felicitando Oakley por ter resolvido o problema daquele "monstro" anatômico que constituía o *Eoanthropus*: "Estou fundamentalmente satisfeito por suas conclusões", escreve Teilhard, "a despeito do fato de que, sentimentalmente falando, elas estragam uma das minhas lembranças mais luminosas e mais antigas". Nesse ponto, ele prossegue tentando limpar Dawson, e comete um erro fatal: "[Dawson] limitou-se a levar-me ao local do segundo sítio e me explicou que tinha encontrado o molar isolado e os pequenos fragmentos de crânio nos montes de cascalho e pedregulho que tinham sido empurrados para a superfície do campo".

Essa cena se passa em 1913. Ora, foi somente em 1915 que Dawson divulgou as "descobertas" feitas no segundo sítio. Nesse entretempo, Teilhard tinha sido chamado para a frente de batalha em dezembro de 1914 e lá ficou até o fim da guerra. Como podia ele estar a par de tudo *a menos que tenha participado da falcatrua?* "Ele não podia ... ter visto os vestígios de Piltdown 2 com Dawson, salvo se os dois os tivessem fabricado juntos antes de sua partida (Dawsojn morreu em 1916)", comenta Gould. Sem suspeitar de Teilhard, Oakley destacou a contradição e reescreveu a Teilhard, que lhe respondeu embaraçado, alegando suas lembranças "um tanto vagas", como se tentasse corrigir sua burla. Oakley julgou que em 1913 Dawson tinha mostrado o material a um Teilhard inocente, e o tinha escondido de Smith Woodward durante dois anos. Mas essa interpretação é pouco verossímil: Teilhard e Smith Woodward eram amigos e tinham discussões frequentes sobre sua paixão comum; a qualquer momento, Teilhard teria podido fazer uma alusão que revelasse o grande segredo; ele não tinha nenhuma razão para não falar de Piltdown 2 a Smith Woodward, a não ser que ele estivesse no golpe.

b) *O silêncio de Teilhard.* No curso de sua longa carreira, Teilhard escreveu inúmeros artigos de paleontologia. Entretanto, nessa abundante produção, o homem de Piltdown, sua "lembrança luminosa", só é citado por breves alusões. Pode-se compreender que o jesuíta não tinha a mínima vontade de estender-se sobre o assunto depois que a falcatrua foi desmascarada, mas seu silêncio foi quase total durante os trinta anos de glória do *Eoanthropus*, embora essa descoberta constituísse um dos argumentos mais fortes em favor da filosofia evolucionista do *Fenômeno humano*. O único texto de Teilhard sobre o "homem da aurora" é um artigo publicado em 1920 pela *Revue des Questions Scientifiques*, no qual ele denuncia implicitamente a impostura! Ele escreve que, como a morfologia do espécime é inverossímil, "devemos raciocinar como se o crânio de Piltdown e a mandíbula pertencessem a dois indivíduos diferentes". Tendo resolvido assim a questão, ele deixa no desvio de uma frase um indício sutil e inquietante. Depois de explicar que se o maxilar tivesse conservado seu côndilo (articulação), seria possível verificar sem hesitação se as duas partes se ajustavam – ele acrescenta: "Como se fosse de propósito, o côndilo se acha ausente!". Certamente isso pode ser apenas um giro de estilo. Gould julga, porém, que "Teilhard tentava nos dizer algo que não ousava revelar diretamente".

c) *O elefante e o hipopótamo*. Dawson e seu hipotético cúmplice tinham espalhado pedaços de mamíferos nos cascalhos de Piltdown, a fim de reconstituir uma matriz geológica. Todos esses restos podiam provir da Inglaterra, exceto um dente de hipopótamo talvez originário de Malta, e um dente de elefante que vinha quase certamente da Tunísia. Alguns colegas de Gould, entre os quais Louis Leakey, suspeitaram que Teilhard, que tinha viajado, havia "fornecido" essas peças. Segundo Gould, o argumento não é decisivo: Dawson poderia tê-los arranjado, já que trabalhava com uma rede de amadores que realizavam intercâmbios.

d) *A sorte de Teilhard*. Todos os arqueólogos e paleontólogos confirmarão: descobrir vestígios interessantes num campo de escavação é uma tarefa difícil, fastidiosa e aleatória. Embora tenha passado menos tempo em Piltdown que seus dois colegas, Teilhard encontrou um fragmento de dente de elefante, um sílex talhado e o famoso canino limado para simular o desgaste. Uma colheita abundante, mesmo para um homem de seu talento. "Um dente num canteiro é quase tão visível quanto a proverbial agulha no palheiro", observa Gould. Na sua carta a Oakley, Teilhard escreve: "Lembro-me até de que *Sir* Arthur me felicitou pela minha vista tão boa". É claro que se vê melhor ainda quando se sabe onde procurar.

São esses os principais elementos "de acusação" reunidos por Gould. Falta a prova inatacável que permitiria afirmar que o mistério de Piltdown está definitivamente resolvido. Entretanto, o estatuto dessa prova evoca a fábula do conde russo que suspeitava de que sua jovem e bela mulher o enganava. Ele lhe comunicou que precisava partir para uma longa viagem, e depois, às escondidas, postou-se na janela da casa vizinha. Na noite seguinte à sua pretensa partida, espiando em segredo sua própria residência, o conde viu um lépido tenente da guarda do tzar bater à sua porta. Viu sua esposa abrir a porta para o rival, cumprimentá-lo, mandá-lo entrar. Alguns instantes depois, o conde avistou ambos beijando-se na boca diante da janela de um quarto de dormir. Depois, sopraram a vela e veio a escuridão. "Ah! Se eu tivesse uma prova!", exclamou o conde...[4]

Mas qual teria sido o intento de Teilhard? Na época em que encontrou Dawson, o jovem jesuíta ainda não pairava na "noosfera", aureolado pelo prestígio místico de uma espécie de guru cristão (um guru de plantão, certamente). "Era um homem apaixonado – um verdadeiro herói durante a guerra, um aventureiro no campo, um homem que amava a vida e as pessoas, que se esforçou por conhecer o mundo com todas as suas alegrias e todas as suas dores", escreveu Gould. "Suponho que Piltdown para ele representou simplesmente uma agradável farsa – no início." Uma farsa que não deu certo. Em 1918, Dawson estava morto, o *Eoanthropus* tinha lançado Smith Woodward numa trajetória que lhe valeria ser chamado de *Sir* Arthur, enquanto Teilhard, agora profissional, não podia mais confessar uma impostura sem arruinar uma carreira promissora que devia culminar com a descoberta do homem de Pequim – autêntico este. Ele teria então seguido o conselho do salmista: "Seja calmo, e saiba". Aforismo que se tornou mais tarde a divisa da Universidade de Sussex, situada a alguns quilômetros de Piltdown.

---

4 A história do conde russo foi contada num contexto totalmente diferente: em 1959, Alton Ochsner, diretor do American Cancer Society, tentava convencer seus colegas de que o abuso do cigarro era realmente o responsável pelo aumento do câncer de pulmão: para aqueles que reclamavam incessantemente provas suplementares, ele contou essa fábula edificante (ver Richard Kluger, *Ashes to Ashes*, New York: Alfred A. Knopf, 1996).

Elogio do *Eoanthropus*

Embora conserve uma parte obscura, o "homem da aurora" também esclarece o lento e tortuoso caminho da verdade científica. Como as estatísticas impossíveis de Cyril Burt, a incongruência anatômica do *Eoanthropus* deveria ter suscitado, no mínimo, um forte ceticismo. Pelo contrário, ela resultou no enobrecimento de Smith Woodward e de seus dois ilustres colegas Grafton Eliott Smith e Arthur Keith – o que leva a perguntar se o meio mais seguro de obter o título de *Sir* não é participar de uma impostura científica!

Mais seriamente, o sucesso do homem de Piltdown, segundo Gould, pode ser explicado por quatro razões que, juntas, "se inscrevem como falsidade contra os mitos referentes à prática científica: os fatos têm primazia e vida difícil, enquanto o saber aumenta graças à coleta paciente e ao exame minucioso de dados objetivos de pura informação".

1) *Uma forte esperança predomina sobre provas duvidosas*. Para ter "seu" fóssil humano, os sábios britânicos estão prontos para engolir a aberração que constitui o *Eoanthropus*. Um pouco como Dean Hamer, tão desejoso de encontrar "seu" gene *gay* a ponto de não se deter sobre as fraquezas metodológicas de sua demonstração. Ou como as centenas de pesquisadores que se lançaram sobre a pista da fusão fria sem recontar os nêutrons de Pons e Fleischmann. Quanto aos que admitiram sem discussão os resultados fabricados por Burt, eles sobretudo desejavam acreditar que a hereditariedade da inteligência estava demonstrada.

2) *A influência dos preconceitos culturais*. "Hoje, a associação entre um crânio humano e uma mandíbula de macaco nos pareceria suficientemente incoerente para colocá-la imediatamente em dúvida", observa Gould. Em 1913, inúmeros paleontólogos de primeiro plano conservavam um *a priori* em favor do primado do cérebro na evolução humana. Pensavam que o homem devia

seu lugar privilegiado no reino animal a um desenvolvimento cerebral que teria acarretado o resto em sequência. Preconceito ligado a uma ideologia racial: os brancos teriam acedido à verdadeira humanidade antes dos negros, e os amarelos graças ao impulso do seu cérebro. O que implicava que os primeiros espécimes de humanidade completa fossem fósseis encontrados em terra branca, de preferência na Europa.

Muito ironicamente, parece que tudo se passou no sentido inverso. O berço de nossa espécie situa-se mais provavelmente na África do que no Sussex. E nosso cérebro superdesenvolvido certamente não é a primeira etapa da hominização. Sem serem bons caminhantes, nossos ancestrais mais antigos, os australopitecos, já conheciam a posição vertical, mas ainda não tinham adquirido a cabeça grande. Há dois milhões de anos, um salto evolutivo transformou o australopiteco arborícola num ágil bípede onívoro e caçador: o *Homo ergaster*, nosso ascendente direto e talvez até já um humano completo. O volume craniano dobrou, mas não a largura da bacia. Tornou-se difícil pôr uma criança no mundo. A pressão mecânica impõe ao bebê humano um nascimento mais precoce do que seus primos primatas, antes que sua cabeça se tornasse grande demais para transpor a bacia estreita de sua mãe. Prematuro, por assim dizer, ele necessita de cuidados atentos, de uma presença constante. Daí a organização social complexa que cerca o parto e a tenra infância. Segundo alguns pesquisadores, o desenvolvimento cognitivo humano e em particular a linguagem seriam provenientes dessas necessidades, elas próprias consequências do acaso da evolução.[5]

3) *A arte de acomodar os fatos*. Smith Woodward e seus colegas eram partidários de um nítido avanço do cérebro na evolução

---

5 Ver Pascal Picq, *Les origines de l'homme*: l'odyssée de l'espèce. Paris: Tallandier, 1999.

humana. Em todo caso, observa Gould, não levavam esse preconceito até o ponto de imaginar uma independência tal, que "o cérebro se teria tornado humano antes que a mandíbula sofresse a menor transformação!". A dificuldade não lhes tinha escapado, mas preferiram modelar os fatos para ajustá-los à teoria. Eles afirmaram que o crânio do homem de Piltdown, a despeito de sua modernidade, apresentava caracteres decididamente simiescos, tese muito saborosa se pensarmos que esse crânio devia pertencer a um súdito de Sua Graciosa Majestade, morto alguns anos antes... Ao contrário, eles emprestaram caracteres humanos à mandíbula de orangotango. O que demonstra que até os sábios estão sujeitos a alucinações.

4) *Certas práticas fazem obstáculo à revelação da verdade.* No início do século, não era fácil ter acesso às coleções do British Museum. A regra era: "Olhar sem tocar". No caso de Piltdown, os pesquisadores frequentemente tiveram de contentar-se com manipular moldagens em gesso, sobre as quais não se podia detectar a abrasão artificial dos dentes ou a coloração das ossadas. A situação só mudou quando os fósseis de Piltdown foram colocados sob a guarda de Kenneth Oakley, que pôs em evidência a mistificação.

Poder-se-ia pensar que os pesquisadores não encontram mais esse tipo de obstáculo. Todavia, se o acesso à informação é – em geral – mais fácil que outrora, o aumento exponencial do saber e seu grau de especialização complicam a situação. Um geofísico ou um astrofísico pode desmontar em quinze minutos a teoria da expansão terrestre de Hugh Owen (Lição 3); mas seu autor, paleontólogo, dirige-se a uma audiência tão desprovida de "cultura física" como ele próprio. E, como vimos na lição anterior, os físicos que tentaram avaliar a validade da fusão fria trombaram ao mesmo tempo com seu desconhecimento de eletroquímica e com o gosto pelo segredo de Pons e Fleischmann.

A fragmentação do saber e da prática científica multiplica as áreas que são dominadas apenas por um número muito pequeno de especialistas. A isso se junta o fato de que até mesmo os especialistas nem sempre têm um bom conhecimento da história de sua especialidade: assim, no caso da fusão fria, foi um pouco por acaso que Douglas Morrison encontrou o precedente histórico de Paneth e Peters. Essa situação na prática torna as fraudes e as imposturas difíceis de desmascarar. Se a análise de Gould nos interessa é porque o homem de Piltdown não é um caso isolado. Os exemplos que balizam essa lição esboçam o retrato de uma ciência movida pela esperança irracional, os preconceitos, a busca da glória, a rivalidade, os lances ideológicos e os interesses econômicos, assim como pela busca da verdade. Por mais decepcionante que possa parecer, os sábios não correspondem à imagem das gravuras coloridas fabricada pela escola e pela mídia (embora esta última, divulgando amplamente casos como a polêmica sobre a descoberta do vírus da Aids, tenha cortado seriamente o chifre do ícone). O *Eoanthropus* merece todo o nosso reconhecimento, por ter contribuído para dissipar a ilusão de uma ciência desencarnada, exercida por puros espíritos num mundo ideal.

As ervilhas de Mendel ou como trapacear com proveito

Bem antes de Cyril Burt, a história nascente da genética fornece o exemplo paradoxal de uma fraude que, com o recuo do tempo, talvez tenha servido à verdade. Em 1865, alguns anos após a publicação de *A origem das espécies* de Darwin, o monge morávio Gregor Mendel publica suas *Experiências sobre as plantas híbridas*, onde expõe as leis da hereditariedade que hoje levam seu nome. Todos sabem que Mendel descobriu suas leis estudando a transmissão de caracteres biológicos em ervilhas (aliás, na minha opinião, é o único uso sensato que alguém já fez das ervilhas). Existe, todavia, um detalhe sobre o qual as obras de genética se mostram pouco eloquentes: Mendel formulou suas leis com base em experiências falsificadas!

Foi Ronald Fisher, célebre estatístico e biólogo britânico, quem levantou a lebre: "Fisher mostrou claramente em 1936 que Mendel não podia ter obtido as proporções estatísticas que forneceu para justificar as leis que levam seu nome: seus resultados chegam perto demais das previsões teóricas, são belos demais para serem verdadeiros", escrevem Marcel Blanc, Georges Chapouthier e Antoine Danchin.

> E Fischer sugeriu que algum assistente, que conhecia muito bem o resultado que o mestre esperava, poderia ter cometido a fraude. Outro biólogo britânico, *Sir* Alister Hardy, por sua vez, sugeriu em 1965 que seriam talvez os jardineiros os responsáveis por essa perfeição tão grande dos resultados: sabendo que Mendel esperava uma determinada proporção, e vendo-a desenhar-se sob seus olhos enquanto contavam as ervilhas, era muito tentador modificar um pouco o inventário das amostras no sentido já previsto, a fim de poupar trabalho![6]

Os horticultores responderam a essas suspeitas, pela voz de uma de suas revistas profissionais, *Hort Science*, que envolve o próprio Mendel numa versão pitoresca da descoberta das leis da genética:

> No começo era Mendel, ruminando seus pensamentos solitários. Depois, ele disse: "Que haja ervilhas", e houve ervilhas, e isso era bom. Depois, ele pôs essas ervilhas na horta e lhes disse: "Crescei e multiplicai-vos, diferenciai-vos e combinai-vos independentemente". Assim elas fizeram, e isso era bom. Depois adveio que Mendel juntou suas ervilhas e as separou em grãos redondos e enrugados; ele chamou os redondos dominantes, e

---

6 Marcel Blanc, Georges Chapouthier e Antoine Danchin, "Les fraudes scientifiques", *La Recherche*, n.113, julho-agosto de 1980.

> os enrugados recessivos, e isso era bom. Mas Mendel viu então que havia 450 ervilhas redondas e 102 ervilhas enrugadas. Isso não era bom. Porque a lei estipula que deve haver três redondas para uma enrugada. E Mendel disse para si mesmo: "*Gott im Himmel*, isso é obra de algum inimigo que terá semeado más ervilhas na minha horta aproveitando-se da noite". E Mendel, tomado de uma justa cólera, socou a mesa e disse: "Afastem-se de mim, ervilhas malditas e diabólicas, retornem às trevas ou serão devoradas pelos ratos e camundongos!". E assim foi; não restaram mais do que 300 ervilhas redondas e 100 ervilhas enrugadas, e isso era bom. Excelente até. E Mendel o deu a público.

Os americanos William Broad e Nicholas Wade, ambos jornalistas científicos, citam esse texto saboroso – intitulado *Peas on Earth* – no seu livro *O camundongo falsificado*.[7] "A questão de saber se Mendel consciente ou inconscientemente melhorou seus resultados não pode ser resolvida com certeza, porque grande parte de seus dados originais já não existe." Os trabalhos de Mendel tiveram pouca repercussão no momento da publicação. Se a evolução parece hoje indissociável da genética, não era esse o caso no século XIX. Darwin elaborou sua teoria, baseada no papel da seleção natural, ignorando a obra de Mendel e sem se preocupar com mecanismos precisos da transmissão de caracteres. Foi somente nos anos 1930 que Ronald Fisher (o mesmo), Sewall Wright, John Holdane e outros elaboraram o neodarwinismo, síntese da teoria de Darwin e da genética mendeliana. Eis aí por que Fisher debruçou-se sobre as estatísticas do monge morávio.

Mesmo se não é mais possível dedicar-se à interessante comparação entre os resultados brutos de Mendel e o relato que ele fez, os conhecimentos de hoje permitem levantar uma hipótese verossímil. Seria lógico que Mendel tivesse "ajustado" seus re-

---

7 William Broad & Nicholas Wade, *La souris truquée*, traduzido do inglês por Christian Jeanmougin, Paris: Seuil, 1987.

sultados, porque ele tinha muito poucas chances de descobrir suas leis por uma observação fortuita. Com efeito, as leis de Mendel são leis estatísticas, que se verificam numa amostra muito grande. Encontrar 450 ervilhas redondas e 102 enrugadas não implicava forçosamente um erro, isso podia depender apenas do acaso da amostragem. Para encontrar um resultado próximo de suas expectativas, Mendel deveria ter contabilizado um número bem mais elevado de ervilhas (da mesma maneira, quando se joga cara ou coroa três ou quatro vezes, pode-se encontrar muito mais "coroa" do que "cara", ao passo que depois de um grande número de jogadas, digamos um milhão, encontra-se mais ou menos a probabilidade esperada de 50/50). Na prática, era difícil com os meios da época conseguir uma boa verificação experimental das leis de Mendel, e podemos presumir que o monge já tinha sua teoria na cabeça antes de realizar suas experiências. De maneira que seu mérito terá consistido sobretudo em confiar em sua intuição que, essa sim, era justa. Mas imaginemos que Mendel fosse mais escrupuloso e não utilizasse seus resultados belos demais... Por uma vez – e com uma pequena dose de má-fé – pode-se considerar que a fraude provavelmente serviu à ciência!

O sapo parteiro de Paul Kammerer

Será que um lenhador transmite seus grandes bíceps aos filhos? A velha ideia da hereditariedade dos caracteres adquiridos possui um encanto quase irresistível. Não seria maravilhoso se os animais pudessem fazer seus filhotes desfrutarem do benefício dos esforços de adaptação que realizaram no curso da vida? Se as crianças nascessem com o saber e a experiência de seus pais, do mesmo modo como herdam seus bens?

Tradicionalmente, essa concepção é qualificada de lamarckismo, embora Lamarck não tenha nada a ver com sua paternidade. Ela não era central na sua teoria e a maioria dos sábios do século XIX era sua adepta. O próprio Darwin a considerava um mecanismo auxiliar da evolução, vindo em apoio à seleção natural. Foi o alemão August Weismann quem demonstrou, nos últimos anos do século XIX, que os caracteres adquiridos não se transmitem: nossos filhos só podem herdar caracteres ligados a genes que já possuímos no nosso nascimento (Weismann não usava os termos genes e cromossomos; ele falava de *idioplasma* portador de tendências hereditárias, mas o princípio era o mesmo). A ideia básica da seleção natural é que, em determinado meio ambiente, os organismos mais bem adaptados sobrevivem, e transmitem seus genes aos descendentes, o que não implica (ver Lição 3) que todos os caracteres tomados um a um sejam otimais. O importante, para o que nos diz respeito aqui, é que um traço que não estava presente no início não pode ser selecionado numa única geração. São necessárias numerosas gerações para que caracteres novos se integrem ao patrimônio hereditário de uma espécie. Os criadores sabem disso muito bem, porque levaram séculos para selecionar as melhores raças de vacas leiteiras, bovinos de corte ou porcos.

Embora Darwin tivesse sido grandemente inspirado pela observação da prática dos criadores, essas noções, entretanto, ainda não estavam claras no início do século XIX (supondo que elas estejam hoje). A polêmica entre os partidários do lamarckismo e os adeptos de Weismann estava sempre acesa. O sapo parteiro – *Alytes obstetricans* – do biólogo vienense Paul Kammerer molhou suas patas nessa querela, ele que, entretanto, leva uma vida essencialmente terrestre. Em particular, o *Alytes* copula de pés enxutos, contrariamente a numerosas espécies de rãs e sapos que fornicam na água. Os machos dessas variedades aquáticas possuem sobre as mãos e antebraços "escovas copulativas", espécies de protuberâncias providas de espículas. Segundo o raciocínio finalista em vigor na época, essas escovas permitiam ao macho manter seu abraço durante o ato sexual. De outro modo, o corpo úmido da fêmea lhe escorregaria entre as patas como um sabonete numa banheira. Confirmando esse esquema utilitarista, o sapo parteiro não tinha escovas. Ele não precisava delas, já que, em terreno seco, a pele da fêmea oferecia um coeficiente de aderência satisfatório.

Kammerer empreendeu uma experiência cruel: obrigou sapos parteiros a realizar o ato carnal no elemento líquido. Aparentemente, eles conseguiram apesar da ausência de escovas, mas, como diz Nietzsche, "tudo o que é decisivo só nasce *apesar de*". O ponto decisivo, segundo Kammerer, era que os machos assim maltratados adquiriam escovas copulativas! Melhor ainda, eles as transmitiam a seus descendentes, de tal maneira que na quinta geração todos tinham herdado esse caractere adquirido. Pode-se observar a incoerência do raciocínio finalista: se as escovas só estavam lá para permitir as diversões aquáticas, os sapos de Kammerer deveriam permanecer sem descendência.

Instalou-se uma controvérsia entre Paul Kammerer e William Bateson, um geneticista britânico partidário das teses de Weismann. Em 1923, Kammerer levou para a Inglaterra o último exemplar de seus sapos transformados. Foi uma tempestade num frasco de formol: "Partidários e adversários de Kammerer não conseguiram entrar em acordo sobre o que viam nesse sapo", notam Blanc, Chapouthier e Danchin.[8] Jogo empatado, portanto.

Três anos mais tarde, G. K. Noble, conservador do Museu de História Natural de Nova York, foi autorizado a examinar o famoso batráquio. Não encontrou nenhum traço de escova. Em contrapartida, quando dissecou a pata dianteira esquerda, percebeu que haviam injetado tinta nanquim nela, certamente para simular as protuberâncias copulativas. Noble publicou sua descoberta numa correspondência à revista *Nature*, em 7 de agosto de 1926. O caso virou um drama. Em 23 de setembro, Paul

---

8 Marcel Blanc et al., artigo citado.

Kammerer suicidou-se, deixando uma carta na qual jurava que não era ele o autor da fraude.

Ninguém sabe se Kammerer se matou por causa desse caso. A Viena da virada do século XX foi um laboratório da modernidade, mas também um lugar que cristalizou o desespero ou a obsessão da morte de numerosos homens notáveis, como Rainer Maria Rilke, Arthur Schnitzler ou Stefan Zweig – este último suicidou-se em 1942, após sua partida para o Brasil. Em *O abraço do sapo*, Arthur Koestler sugere que, para Kammerer, "a decisão fatal de pôr fim à vida foi talvez influenciada pelo fato de que uma artista vienense, dona de seu coração, não pôde acompanhá-lo a Moscou".[9] Com efeito, Kammerer tinha sido convidado pelo governo soviético para prosseguir na Rússia suas pesquisas sobre a hereditariedade dos caracteres adquiridos.

Alguns anos mais tarde, o regime stalinista fará de Lyssenko o promotor de uma "nova biologia", alternativa à genética reacionária e burguesa de Weismann. Em matéria de novidade, o lyssenkismo era uma simples transposição do lamarckismo para a agricultura. A ciência socialista devia transformar a União Soviética num imenso celeiro fértil. Seu resultado mais concreto foi a prisão dos melhores geneticistas do país, o mais notável dos quais, Vavilov, morreu deportado no decorrer do ano de 1942.

Quem falsificou o sapo de Kammerer? Koestler imagina que um militante nazista poderia ter cometido a fraude para desonrar um homem conhecido por suas simpatias socialistas. A menos que o biólogo tenha sido vítima do sapiente ciúme de algum colega. O pior é que esse ciúme não teria fundamento: em 1924, foi descoberto na natureza um sapo parteiro que possuía escovas copulativas. Os sapos de Kammerer poderiam então ter escovas pelo fato do reaparecimento fortuito desse caractere presente no patrimônio da espécie. Nessa hipótese,

9 Arthur Koestler, *L'étreinte du crapaud*, Paris: Calmann-Lévy, 1972.

as experiências de Kammerer não teriam trazido nada de novo, e, fato único na natureza, os sapos teriam parido um ratinho.

Stephen Jay Gould, por sua vez, afirma que Kammerer fez sem saber uma experiência de seleção darwiniana. Admitamos que as escovas constituem realmente uma vantagem para as espécies que se acasalam na água. O sapo parteiro, que descende de um ancestral aquático, perdeu-as pouco a pouco. Quer dizer que o gene ancestral das escovas se conservou, mas só se exprime raramente, como no caso do espécime descoberto em 1924. Mergulhando seus *Alytes* na água, Kammerer reforça a "pressão de seleção" em favor desse gene: os sapos que têm escovas são favorecidos, de tal modo que ao fim de várias gerações Kammerer teria assim aumentado a frequência, baixa na espécie selvagem, dos *Alytes* providos de protuberância copulativa.

Tinta nanquim, acaso ou pressão seletiva? Uma coisa é certa: quem espera demonstrar o lamarckismo com as experiências de Kammerer pode sair escovado.

Os patos do padre Leroy

A história das ciências é abundante em coincidências irônicas. Quase no mesmo momento em que Kammerer dava cabo de sua vida e Lyssenko liquidava com a biologia soviética, o americano Thomas Morgan dava o golpe de misericórdia na hereditariedade dos caracteres adquiridos. Estudando as mutações da drosófila – a mosca do vinagre –, ele descobria em seus cromossomos os genes, suporte material da hereditariedade. As leis de Mendel não eram mais uma gramática abstrata, elas descreviam o comportamento de entidades biológicas. O lenhador não podia transmitir seus grandes bíceps aos filhos, porque derrubar árvores desenvolve os músculos, mas não modifica os genes.

De que eram feitos estes últimos? Foi preciso esperar até 1953 para compreender, graças ao modelo da dupla hélice de Francis Crick e Jim Watson, que os genes eram constituídos de DNA – ou ácido desoxirribonucleico. Crick e Watson receberam o Prêmio Nobel em 1962. Nascia a biologia molecular. Na década que se seguiu, ela revolucionou as ciências da vida, notadamente graças aos trabalhos de Jacques Monod, François Jacob e André Lwoff, que contribuíram para elucidar os mecanismos pelos quais os genes transmitem sua mensagem, o que lhes valeu o Nobel de 1965.

Foi no meio desse período crucial – entre 1957 e 1960 – que o "caso dos patos" deu muito o que falar. O principal protagonista era um jesuíta – mais um! –, o padre Leroy, pesquisador no laboratório de histofisiologia do Collège de France (instalado em Gif-sur-Yvette). Esclareço que não estou animado por nenhuma motivação anticlerical; acontece somente que os jesuítas interessaram-se muito pela ciência contemporânea. Para voltar ao padre Leroy, depois de um longo estágio na China – outro ponto comum com Teilhard –, ele sentia dificuldade em integrar-se à equipe. O professor Jacques Benoît, diretor do laboratório, confiou-lhe uma missão um tanto marginal: testar uma "ideia de sábado à noite" – aquele tipo de ideia meio louca sobre a qual os pesquisadores discutem às vezes em seus momentos de lazer, sem levá-la muito a sério.

Nesse caso, a ideia de sábado à noite era uma nova versão, temperada com molho DNA, da hereditariedade dos caracteres adquiridos: tratava-se de injetar num animal um DNA estranho na esperança de induzir assim mutações que o animal transmitiria a seus descendentes. Era um tanto forçado, mas, afinal, o DNA não era o suporte molecular da hereditariedade? O padre Leroy apaixonou-se por essa experiência. Ele pegou alguns patinhos da raça Pequim – a história não diz se ele os escolheu por razões sinológicas – e injetou neles o DNA de palmípedes de outra raça, os patos Khaki. As injeções eram aplicadas no peritônio, desde o oitavo dia depois do nascimento até a décima nona semana. Um dia, Leroy anunciou que havia novidades: entre os descendentes dos patos tratados, uma proporção importante tinha o bico preto ou rosa, quando deveria ser amarelo. A cor dos pés também estava modificada. Nenhuma dessas anomalias aparecia no grupo testemunha não tratado.

Interessado mas prudente, o professor Benoît enviou uma nota secreta à Academia de Ciências. Ele preservava assim a anterioridade de uma eventual descoberta sensacional, prevenindo-se para o caso de ser uma patacoada. O lance era de monta: se Leroy estivesse certo, podia-se modificar uma espécie sem passar por um mecanismo de seleção. Hoje, essa possibilidade não nos espanta mais: as manipulações genéticas produzem todo tipo de camundongos "artificiais" e animais transgênicos, como ovelhas ou cabras cujo leite contém uma proteína de interesse farmacêutico. Mas, quarenta anos atrás, os resultados de Leroy remetiam à ficção científica. Primeiro, porque ele não tinha, em caso nenhum, realizado uma manipulação genética: injetar DNA depois do nascimento não é absolutamente a mesma coisa que modificar o núcleo celular de um embrião introduzindo nele um gene estranho. Depois, porque muitos biólogos simplesmente não acreditavam na possibilidade de manipular o DNA. Jacques Monod, que aparecerá mais adiante nesta história, escreveu até com todas as letras, em *O acaso e a necessidade*, que tais manipulações jamais ocorreriam porque o DNA era inacessível.

Um biólogo molecular perceberia de qualquer modo que alguma coisa não batia nos resultados de Leroy. Mas a biologia molecular só foi introduzida tardiamente na França, depois da Segunda Guerra Mundial, por jovens pesquisadores que tinham cursado universidades americanas, e que muitas vezes tiveram uma formação de física e de química antes de estudar biologia. Monod, por exemplo, tinha passado o ano de 1936 no laboratório de Morgan, no California Institute of Technology. Os jovens pesquisadores de volta de seus estágios de além-mar rompiam com a tradição, daí um certo conflito de gerações no seio da biologia francesa.

O professor Benoît pertencia à antiga geração, e nenhum dos geneticistas que ele consultou o dissuadiu de prosseguir nas experiências. Depois, um belo dia, o padre Leroy surgiu no escritório de Benoît, todo excitado, brandindo um artigo do *Figaro* onde se falava de geneticistas americanos que tinham mudado a cor de um pássaro injetando-lhe DNA! O Collège de France ia se deixar queimar pelos ianques? Benoît telefonou para o *Figaro*. Estávamos em julho, o cronista científico tinha tirado férias...

Pressionado por Leroy – e pelo tempo –, Jacques Benoît decidiu apresentar o conteúdo da nota secreta que tinha enviado à Academia de Ciências. Toda a imprensa assistia à comunicação, inclusive os representantes de jornais que, em geral, não são muito apreciadores das sessões da Academia. Quem os tinha avisado? E de onde provinha a informação inicial do *Figaro*? Quando Benoît conseguiu finalmente localizar o autor do artigo, este deu a entender que se tinha produzido uma lamentável confusão entre os geneticistas americanos e os geneticistas de Gif-sur-Yvette. Estranho. A hipótese mais verossímil apontava o padre Leroy como a fonte do falso boato da mídia. Mas o professor Benoît, homem de grande integridade, e também vítima de seus preconceitos, jamais admitiu que um jesuíta pudesse mentir. Numa atitude cavalheiresca, ele teimou em encobrir seu subordinado, a despeito dos ataques da comunidade científica.

Estes não se fizeram esperar, estimulados pelo clamor da mídia. E, ainda mais, a direção do Conselho Nacional da Pesquisa Científica (CNRS) atribuiu ao professor Benoît uma verba importante para montar uma criação de patos em Gif. Alguns dentes rangeram. Registraram-se até, aqui e ali, algumas crises de hemorroidas.[10] O boato de que as experiências eram falsifi-

10 Que fique claro de uma vez por todas: tenho minhas razões, que revelarei no momento oportuno.

cadas começou a espalhar-se. Jacques Monod reclamou uma comissão de inquérito que conclui pelo erro. Por uma maioria esmagadora, a comissão decidiu parar tudo.

As coisas poderiam ficar nisso. Mas Jacques Monod, que acertava algumas contas, quis obter uma espécie de condenação moral do professor Benoît, culpado a seu ver de "leviandade". Monod era capaz de mostrar-se duro, se não rígido, em particular quando pensava que a ciência – ou a ideia que ele fazia dela – estava envolvida. Sua severidade em relação à "ideia de sábado à noite" era certamente acentuada por sua convicção de que os genes de um animal só podiam ser modificados artificialmente. Seja como for, a comissão recusou-se a estabelecer um julgamento moral sobre o professor Benoît, para a grande cólera de Monod. O caso dos patos teve de todo modo um efeito negativo sobre a carreira de Jacques Benoît. Ele lhe valeu ser "barrado" várias vezes na Academia de Ciências, para a qual foi eleito só tardiamente.

Quanto ao padre Leroy, ele se manifestou na grande imprensa com efabulações sobre o sectarismo dos biólogos. Até que o provincial dos jesuítas, pressionado pelo presidente da comissão de inquérito, o fizesse compreender que era preciso saber parar. Em duas horas, o problema foi resolvido: Leroy não escreveu mais uma linha em nenhum jornal.

Mas o mais bonito de toda a história é que as experiências de Leroy não eram falsificadas! Seus patos tratados eram realmente diferentes das testemunhas. Como é possível? A explicação mais plausível está ligada à origem dos patos de Leroy. Eles tinham saído de uma criação de Touraine. Ora, os criadores selecionavam seus animais em razão de uma norma. Em estado selvagem, os patos-de-pequim às vezes têm espontaneamente o bico preto ou rosa. Mas os criadores só mantinham os bicos amarelos e descartavam os outros.

No curso da experiência, os caracteres escondidos pelos criadores se destacaram nos patos tratados por Leroy. O efeito então não tinha nada a ver com as injeções de DNA. Por que o mesmo não aconteceu com as testemunhas? Certamente porque Leroy os importava diretamente do criatório de origem, ao passo que seus patos tratados se encontravam no laboratório desde o início da experiência. O padre Leroy cometia um erro metodológico: ele comparava um grupo selecionado – os patos vindos diretamente do criatório – com um grupo não selecionado – os animais que recebiam as injeções.

Os fatos científicos não falam por si mesmos. Não haveria nenhum caso dos patos se o professor Benoît tivesse utilizado a chave certa de leitura. O melhor cientista pode ser enganado por um "artefato", isto é, um efeito banal que não foi levado em conta e que falseia a observação. O erro metodológico de Leroy levou seu diretor a interpretar como um fenômeno real o que era apenas um artefato. Em suma, Jacques Benoît não manipulou os fatos, foi manipulado por eles. O desejo de crer numa descoberta sensacional fez o resto.

A água anormal de Djerjaguine

O infortúnio de Leroy e Benoît tem numerosos precedentes, um dos quais provocou, em plena guerra fria, uma certa confusão entre a URSS e os Estados Unidos. Em 1954, o químico soviético Djerjaguine anunciou numa comunicação à Faraday Society que, condensando vapor de água em capilares de vidro, ele obtinha um líquido com propriedades totalmente estranhas. Essa "água anormal" era quase uma vez e meia mais densa do que a água comum. Ela gelava a -40° e fervia a cerca de 400°C. Seu índice de refração era superior ao da água, sua viscosidade era diferente etc. Essas características pareciam indicar que Djerjaguine tinha conseguido "polimerizar" a água, produzir cadeias de moléculas de água quase análogas às que constituem os polímeros orgânicos – dito de outro modo, as matérias plásticas.

O departamento da Defesa dos Estados Unidos levou o caso muito a sério. Será que a água polimerizada não apresentava o risco de fornecer novas armas ao Leste? Por uma espantosa coincidência, um romance de ficção científica publicado na época descrevia exatamente esse roteiro:[11] uma guerra na qual a arma absoluta repousava sobre um princípio análogo ao da água polimerizada! Os estrategistas americanos investiram somas consideráveis para reproduzir as experiências de Djerjaguine. Vários laboratórios confirmaram a descoberta, entre os quais o da empresa Unilever. Outros cientistas constaram a validade dos resultados. Um dos especialistas mais reputados da físico-química da água, o britânico Bernal, defendia a descoberta de Djerjaguine. Ora, Bernal jamais havia escondido suas simpatias pró-soviéticas.

A situação permaneceu bastante turva, até o momento em que se descobriu que a água polimerizada era de fato... um gel de sílica! Ao passar nos capilares de vidro, o vapor de água arrancava partículas das paredes desses tubos muito finos, cujo diâmetro não ultrapassava alguns mícrons. Foi a mistura assim criada que Djerjaguine tomou por um novo estado da água. Com arrogância, o químico soviético publicou um artigo descrevendo esse artefato que, durante longos anos, desafiou uma plêiade de cientistas de primeiro plano, e dissipou em pura perda o dinheiro dos contribuintes americanos.

Walter Stewart contra a escotofobina

Na época do caso da memória da água, Walter Stewart, com quem cruzamos na Lição 3, tinha conquistado uma reputação

11 Para uma descrição detalhada do caso da água anormal, ver Felix Franks, *Polywater*, Boston: MIT Press, 1982.

de "caçador de fraudes". Químico e físico de formação, diplomado por Harvard, encorpado como um sanduíche misto e dotado de uma fluência verbal espantosa, Stewart tinha sido designado para a "subcomissão de fiscalização e de investigação" dos NIH, em Washington (os NIH – National Institutes of Health – são um conjunto de institutos espalhados por todo o território dos Estados Unidos, agrupando a pesquisa pública americana em biologia e medicina). De fato, com seu amigo Ned Fader, ele empreendia há anos uma verdadeira cruzada pela integridade da pesquisa, denunciando sistematicamente os erros, as fraudes e as "más condutas" científicas.

Stewart fez sua iniciação nessa curiosa especialidade em 1972. Na época, um biólogo do Texas reivindicava a descoberta surpreendente de uma proteína capaz de transmitir o saber de um animal para outro! Isso era ainda mais forte do que a hereditariedade dos caracteres adquiridos: o "beneficiário" nem sequer precisava ser descendente do "benfeitor". Uma experiência que deveria provocar a ira de Brigitte Bardot amparava essa alegação. Fechava-se um rato numa caixa preta e lhe era aplicada uma descarga elétrica. O animal associava a descarga à escuridão, e ficava com medo do escuro, como uma criança pequena. Uma vez que o rato estava assim "educado", ele era morto – prova de que ele tinha razão em sentir medo – e extraía-se a famosa proteína, sutilmente chamada "escotofobina" – do grego *skotos*, "trevas", e *phobos*, "temor". Segundo um pesquisador texano, cujo nome se perdeu nas trevas, injetando a escotofobina em outro rato, este manifestava um terror imediato da escuridão, sem que fosse preciso treiná-lo. Em suma, ele havia "adquirido" a aprendizagem diretamente do seu semelhante.

A manipulação faz pensar um pouco na história do politécnico que, depois de cortar as seis patas de uma pulga, ordena-lhe que salte e, constatando a ausência de reação do inseto, anota no seu caderno: "Quando cortamos as patas de uma pulga, ela fica surda". Seja como for, analisando os dados experimentais, Stewart percebeu que os resultados eram "selecionados" para confirmar a hipótese de partida. Um pouco como Mendel, o biólogo texano só reteve os dados que lhe convinham. Stewart escolheu um produto químico sem relação com a escotofobina e, decalcando o procedimento do biólogo, demonstrou que obtinha os mesmos resultados. A experiência não provava nada. Qualquer substância serviria nesse caso. "O artigo do texano foi publicado na revista *Nature*,[12] ao mesmo tempo que a contestação de Stewart, duas vezes mais longa, e não se ouviu mais falar da escotofobina", relata John Maddox.

O "enxerto de pintura" de Summerlin

Em 1973, o imunologista americano William Summerlin publicou alguns resultados espetaculares: ele tinha conseguido fazer pegar em ratos cinzentos enxertos de pele de ratos brancos! Normalmente um enxerto desse tipo deveria provocar uma reação de rejeição que redundaria no fracasso do enxerto. Os especialistas em transplante de coração ou de rim sabem muito bem que só podem manter seu paciente vivo neutralizando suas reações de rejeição por meio de tratamentos que diminuem as defesas imunológicas, por exemplo a ciclosporina (ver Lição 4). O que acarreta as conhecidas complicações dos transplantes: o paciente se defende menos bem contra as infecções e os riscos de tumores.

Ora, Summerlin pretendia que, se se pusessem em cultura os fragmentos de pele antes de enxertá-las, eles não provocariam mais rejeição, mesmo sem tratamento imunodepressor. Com efeito, seus ratos cinzentos apresentavam ilhas de pelos brancos no local do transplante. Summerlin tentou também

---

12 *Nature*, v. 238, p.198-210, 1972.

enxertar fragmentos de pele de uma mulher branca num homem negro. Se confirmados, esses resultados revolucionariam o tratamento das queimaduras graves.

Infelizmente, Summerlin não conseguiu repetir suas primeiras façanhas. A imensa esperança que ele tinha suscitado murchou como um balão de ar, quando ele foi surpreendido em flagrante delito de fraude. Na noite de 27 de março de 1974, ele foi encontrado fazendo a maquiagem de ratos cinzentos com um corante branco. O efeito desses enxertos de pintura foi uma violenta reação de rejeição da comunidade científica. Summerlin perdeu o emprego e a reputação.

De imediato, não se soube exatamente a que eram devidos os primeiros resultados, que não pareciam ter sido fraudados. Uma interpretação – não confirmada de fato – é que as ilhas de pelos brancos nos ratos cinzentos eram devidas não aos enxertos, mas a um efeito desses enxertos sobre a pele dos ratos receptores. Verdadeiro ou falso, esse hipotético efeito em todo caso não revolucionou os enxertos de pele.

Karl Illmensee e os inícios da clonagem

O caso Illmensee, que chamou a atenção no início dos anos 1980, toca numa área ainda mais sensível que a de Summerlin: a clonagem de mamíferos. Depois do nascimento de Dolly, a ovelha do Roslin Institute, na Escócia, em 5 de julho de 1996, a ideia de que se poderia realizar por manipulação genética a cópia de um ser vivo perdeu seu caráter de ficção científica. Dolly é com efeito o duplo, geneticamente falando, de sua mãe, o que suscita problemas edipianos e abre inquietantes perspectivas, pintadas por Aldous Huxley em *Admirável mundo novo*. Duas décadas atrás, essas perspectivas parecem muito mais distantes. Se era possível fazer rãs clonadas, ninguém havia elaborado um método confiável para clonar mamíferos.

Então, quando Karl Illmensee, biólogo da Universidade de Genebra, publicou em 1981, na influente revista *Cell*, um artigo no qual pretendia ter conseguido o nascimento de três ratinhos por clonagem, ele causou sensação. Retrospectivamente, parece que era mesmo um blefe. Ninguém conseguiu refazer a clonagem de Illmensee, e ele não se vangloriou uma segunda vez. Vangloriou-se tanto menos quando três de seus colaboradores – entre os quais o biólogo Klaus Bürki – o acusaram de fraude em janeiro de 1983. "Uma fraude grave se é que ela existe, já que ele teria simplesmente mostrado resultados de experiências que jamais teria realizado",[13] escreve Martine Barrière em *La Recherche*. Com efeito, a acusação dirigia-se não à clonagem em si, mas a experiências solitárias realizadas por Illmensee em 1982. Ora, essas experiências punham em jogo o mesmo tipo de manipulação que havia dado nascimento aos ratinhos.

Algumas semanas depois de atacar seu chefe, Bürki entregou ao decano da universidade um relatório esmagador para Karl Illmensee. Paralelamente, o interessado assinou sob a pressão de seus três "amigos" uma declaração em que reconhecia ter manipulado protocolos de experiências em 1982. Em 15 de fevereiro de 1984, uma comissão de inquérito chegou ao fim com um julgamento que não era nem carne nem peixe. Nenhuma prova evidente de trapaça, mas uma acumulação de erros e de contradições, que "lança uma dúvida grave sobre a validade das conclusões, a tal ponto que a série de experiências não apresenta cientificamente nenhum valor". Se quiseram lançar um véu pudibundo sobre uma fraude, não poderiam fazer de outra maneira.

Como saber se Karl Illmensee, antes considerado um "manipulador de mãos de ouro", tinha realmente realizado uma

13 Martine Barrière, "L'affaire Illmensee: fraude ou pas fraude?", *La Recherche*, n.156, junho de 1984.

experiência pioneira tão difícil que ninguém conseguiu reproduzir? A pergunta está hoje ultrapassada, já que a equipe do Roslin Institute, dirigida por Ian Wilmut, demonstrou que era possível clonar uma ovelha a partir de uma célula proveniente das glândulas mamárias de uma ovelha adulta (notemos, todavia, que os pesquisadores escoceses não reeditaram sua façanha). Outras equipes, entre as quais a de Paul Renard, no INRA (Jouy-en-Josas), realizaram experiências de clonagem. A constatação geral a respeito é que os resultados são muito aleatórios e que a taxa de fracassos é muito elevada, o que daria *a posteriori* um argumento a favor de Karl Illmensee. Mas o comentário mais sensato que eu li sobre o problema foi formulado no diário *Evening New*, logo após o nascimento de Dolly: "Qual o interesse em clonar carneiros, já que afinal eles são todos parecidos?".

A fraude de Harvard

Se Karl Illmensee talvez não tenha forjado inteiramente seus resultados, não há nenhuma dúvida no que concerne ao caso Darsee, que foi objeto de um inquérito aberto por Walter Stewart e Ned Feder. Em 1981, John Darsee, jovem médico de 33 anos, era o brilhante pupilo de Eugene Braunwald, um grande expoente da cardiologia americana. Médico-chefe da Harvard Medical School de Boston, Braunwald dirigia dois laboratórios de pesquisa e se encontrava no comando de um orçamento de três milhões de dólares provenientes dos NIH. Seu protegido, Darsee, tinha-se destacado por uma extraordinária produtividade. Entre 1978 e 1981, ele tinha sido autor ou coautor de dezoito artigos de pesquisa publicados em revistas de primeira linha, e de uma centena de comunicações diversas em cardiologia clínica e experimental. Braunwald tinha a intenção de atribuir-lhe um laboratório independente. "Na atmosfera competitiva da pesquisa biomédica em Boston, uma promoção como essa para alguém tão jovem teria assegurado a Darsee uma carreira fulgurante", escreve William Broad e Nicholas Wade em *O camundongo falsificado*.[14]

Mas ninguém é perfeito. Numa noite de maio de 1981, os colegas de Darsee o surpreenderam em flagrante delito de trapaça (aparentemente, as fraudes científicas ocorrem mais frequentemente depois do pôr do sol): ele estava inventando peça por peça os dados de uma experiência que devia publicar proximamente. Darsee jurou por todos os santos que era a primeira vez que se dedicava a essa desonesta manobra. Mas os trabalhos de três comissões de inquérito estabeleceram em seguida que ele tinha forjado uma grande parte dos dados sobre os quais repousavam suas 109 publicações.

Na verdade, o inquérito não foi conduzido a toque de caixa. É de espantar a pouca presteza das autoridades de Harvard em denunciar essa fraude que atingia, entretanto, uma área altamente sensível: a eficácia de certos tratamentos destinados a restabelecer o estado funcional do coração após um ataque. Embora demitido de suas funções, Darsee foi autorizado a prosseguir em suas pesquisas e publicações, como se nada tivesse acontecido! "Em 1982 ... um ano depois que Darsee foi apanhado em flagrante delito de contrafação de dados, as autoridades da Harvard Medical School ainda não tinham avaliado e dado a público a extensão da fraude", escrevem Broad e Wade.

Esmiuçando o processo, Walter Stewart e Ned Feder descobriram que muitos artigos continham burlas tão grosseiras que se pergunta como elas puderam escapar à vigilância dos coautores, dos *referees*, e dos editores que publicaram os trabalhos de Darsee. Para citar apenas a mais preciosa dessas pérolas, um artigo publicado em *The New England Journal of Medicine*, revista de referência, apresenta a árvore genealógica de uma família da qual vários membros sofrem de uma doença cardíaca rara. Essa

---

14 William Broad & Nicholas Wade, *La souris truquée*, op. cit.

árvore atribui a um rapaz de dezessete anos quatro filhos, com idade respectivamente de oito, sete, cinco e quatro anos...[15] Esse pai tão jovem mereceria ser estudado não pela doença cardíaca, mas pela sua excepcional fecundidade! "Essa exorbitância, que poderia suscitar questões sobre a validade de todo o artigo, não foi salientada nem pelos coautores nem pelos *referees*", observam Stewart e Feder num longo artigo dedicado ao caso.[16]

Stewart e Feder calcularam que os dezoito artigos publicados por Darsee totalizavam 221 erros ou incoerências, ou seja, uma média de doze inexatidões por artigo! Um dos textos orgulhava-se do recorde de 39 burlas! Mais ainda, quando Stewart e Feder publicam seu artigo, seis anos depois da descoberta da fraude, certas publicações errôneas de Darsee continuam a ser citadas regularmente em referências...

O inquérito dos dois "caçadores de fraudes" é esmagador para a confiabilidade das publicações científicas, pelo menos nas áreas muito concorridas da medicina. Existem entre dez e quinze jornais de pesquisa biomédica que publicam ao todo um milhão de artigos por ano! Essa inflação, resumida na fórmula "publicar ou perecer", revela uma disfunção global. Stewart e Feder concluem com esta advertência: "Os cientistas têm um grau de confiança inabitual na regulação de suas próprias atividades. A autorregulação é um privilégio que deve ser exercido com rigor e sensatez, sem o que ele corre o risco de desaparecer".

Muito logicamente, os dois caçadores de fraudes não vivem em odor de santidade dentro da comunidade científica, o que não impede John Maddox de render-lhes uma homenagem entremeada de seriedade e humorismo:

> As atividades de Feder e Stewart suscitaram irritação por diversas razões, em parte porque eles próprios jamais realiza-

15 *The New England Journal of Medicine*, v.304, p.129-5, 1981.
16 *Nature*, v.325, p.207-14, 1987.

> ram uma obra científica substancial, em parte porque eles são os guardiões autodesignados do saber, e em parte por aquilo que às vezes se considera como uma insistência em procurar piolhos na cabeça de seus colegas. Mas, na longa história das relações de Stewart com este jornal [*Nature*], que remonta a 1970 (Feder é há muito tempo também um amigo da família), a pior censura que lhes pudemos fazer é a de escrever textos um pouco longos demais.[17]

A "má conduta" de um Prêmio Nobel

Do ponto de vista do funcionamento das instituições científicas, a polêmica mais carregada de consequências em que Walter Stewart esteve implicado foi o caso Baltimore. Ela estava no auge na primavera de 1988, quando estourou o caso da memória da água, que ia fazer a França conhecer Stewart por outras razões. David Baltimore, diretor do Whitehead Institute, que fazia parte do célebre Massachusetts Institute of Technology, era um dos personagens mais importantes da biologia americana. Em 1975, ele foi um dos mais jovens laureados pelo Prêmio Nobel, por sua contribuição para a descoberta da transcriptase inversa, a enzima que permite que os retrovírus como o da Aids se integrem no DNA das células. Ora, esse homem respeitado por todos era acusado de ter "encoberto" uma fraude.

A história, particularmente enrolada, começa em 1986 com a publicação, em *Cell*,[18] de um artigo assinado por David Baltimore como coautor. O artigo, que relata experiências com ratos manipulados, inscreve-se numa corrente de pesquisa muito

17 *Nature*, v.333, p.795, 1988.
18 *Cell*, v.45, p.247, 1986.

importante: trata-se de compreender os mecanismos profundos da imunidade entre os mamíferos. Na mesma época, uma jovem bióloga que acaba de obter seu PhD, Margot O'Toole, realiza um estágio no Whitehead Institute, no laboratório do Dr. Imanishi-Kari. Ela trabalha sobre o assunto que é objeto do artigo de *Cell*, e não tarda a perceber que existe algo de errado: a principal conclusão do artigo não está de acordo com os dados que supostamente o embasam.

Margot O'Toole aponta o problema para o seu diretor de pesquisa e para os outros cientistas envolvidos. Ela é demitida. De conversa em conversa, o caso chega até Baltimore. O grande homem trata as coisas muito de cima, e a faz compreender que seria melhor ela cuidar de sua própria vida. Em desespero de causa, Margot O'Toole entra em contato com Stewart. Ela lhe entrega as dezessete páginas de dados iniciais sobre os quais repousa o artigo em litígio. Com sua obstinação habitual, Stewart os esmiúça durante três meses. Eis aqui a versão dos fatos que ele me transmitiu por ocasião de uma conversa ocorrida em abril de 1989:

> Cheguei à convicção de que o texto era inexato nas suas conclusões principais. Baltimore não é responsável pelo erro inicial, mas ele o encobriu depois. Quando Margot O'Toole assinalou o problema, nada foi feito para retificar as coisas. Disseram-lhe que ela não tinha o direito de colocar tais questões. Tentaram intimidá-la. É uma estupidez. Ela não só tem o direito, mas a obrigação...
>
> No final de 1986, fomos ver o Dr. Baltimore e lhe pedimos explicações. Ele respondeu com desprezo – está gravado – e com ameaças. Nós lhe escrevemos uma carta para dizer que essa não era a abordagem correta. Baltimore é simplesmente um cientista muito importante, tem muito poder e desconfio que muita gente tem medo dele porque suas relações políticas podem afetar o trabalho de cada um.

Pode-se evitar uma tragédia grega?

Walter Stewart explica em seguida que tentou publicar um artigo sobre o caso, mas que esse artigo foi recusado até mesmo por John Maddox:

> Não digo que Maddox não é independente. Ele é mais independente do que qualquer outro editor. Minha posição nunca foi fácil. Mesmo que você tenha boas razões, é extremamente difícil envolver cientistas renomados. Você esbarra em forças muito importantes. Essas pressões não têm nada de agradável. Eu preferiria ocupar-me de assuntos mais positivos, mas é necessário que alguém faça esse trabalho. Para mim, é inaceitável que um cientista ameace a reputação de uma pessoa porque está numa posição de poder. E é inaceitável que isso aconteça na América.

Pois essa história, à primeira vista esotérica, tornou-se um escândalo nacional. Uma comissão presidida pelo parlamentar John Dingell, membro da Câmara dos Representantes, apossou-se do problema. O que está em jogo, em última instância, é julgar se a comunidade científica pode continuar a se "autorregular". Ou então se é necessário controlar os cientistas por um sistema externo; por exemplo, uma emanação do Congresso. Imaginem, na França, que uma comissão parlamentar seja encarregada de exercer certo controle sobre a atividade do CNRS e do Inserm.

Num editorial de título eloquente – "Pode-se evitar uma tragédia grega?" –, John Maddox afirma em substância que a autorregulação, como a democracia segundo Churchill, é o pior sistema com exceção de todos os outros. Maddox preocupa-se ao ver que, no caso Baltimore, o zelo legalista, vício americano bem conhecido, corre o risco de paralisar uma das áreas mais promissoras da biologia. "O remédio para esse caso triste e em muitos aspectos lamentável não está nem em Ned Feder, nem em Walter Stewart, nem em Margot O'Toole, David Baltimore, ou mesmo, com todo o respeito que lhe é devido, John Dingell", escreve Maddox:

> A comunidade científica deve aprender a viver com as imperfeições evidentes da literatura científica ... As pessoas tiveram vergonha de expressar sua opinião sobre o caso Baltimore (como o chamam injustamente). Não deveriam eles dizer o que acreditavam ser a verdade, sem temer perder amigos ou ser processados por difamação? ... Acaso seria viável que o Congresso aparecesse como o *referee* de último recurso?[19]

No plano do conhecimento e da busca da verdade, só se pode aprovar a posição de John Maddox. A separação entre o poder político e o poder científico parece uma condição mínima para garantir não apenas a possibilidade de uma pesquisa autêntica, mas também as bases da democracia. Assim como, já em outro plano, a liberdade de imprensa em face do poder público é indissociável de uma sociedade democrática.

Mas é necessário dizer também que John Maddox atirou uma pedra no jardim dos políticos sem sair de sua casa de vidro. A autorregulação da pesquisa supõe que os pesquisadores e aqueles que publicam seus trabalhos respeitem o mais escrupulosamente possível o espírito dos ideais que inspiram o comportamento científico. Os homens de ciência dificilmente podem pedir que os políticos e a mídia respeitem sua especificidade e sua autonomia, se ao mesmo tempo eles próprios fazem política e sensacionalismo na mídia. Ora, é isso que acontece cada vez mais. E as grandes revistas, em particular *Nature* e *Science*, não contribuíram pouco para as "evidentes imperfeições da literatura científica". O editorial de John Maddox sobre a "tragédia grega" apareceu na mesma edição da *Nature* que o artigo em que Jacques Benveniste expunha seus resultados sobre as altas diluições! Como está claro, por meio de todo o desenrolar do caso

19 *Nature*, v.333, p.797, 1988.

da memória da água, que Maddox jamais levou a sério os trabalhos de Benveniste – no que ele tem certamente razão do ponto de vista científico –, pode-se perguntar quais são suas motivações para ceder-lhe tanto espaço, quando tantos pesquisadores esperam meses ou anos para publicar na *Nature*. Com efeito, para numerosos cientistas, não havia dúvida de que Maddox tinha querido "dar um golpe", no sentido jornalístico do termo.

Mesmo que essa não fosse sua única motivação, é inegável que a evolução das grandes revistas científicas tende cada vez mais para a pesquisa de impacto imediato que permite "fisgar" facilmente um público mais amplo que apenas os especialistas. O que está envolvido aqui é a própria credibilidade do processo de divulgação das descobertas científicas. Depois de 1988, David Baltimore foi inocentado, a comissão Dingell interrompeu suas atividades, não se ouve mais falar dos caçadores de fraudes, e o honorável John Maddox conseguiu uma aposentadoria bem merecida. Mas as questões colocadas pela inevitável midiatização da pesquisa e sua implicação social são mais do que nunca atuais. Um artigo da jornalista Natalie Levisalles mostra a tendência crescente das grandes revistas para "vender a ciência":

> Peguem os números deste mês [setembro de 2000]. Na revista britânica *Nature*, encontramos um artigo sobre o tamanho dos ratinhos em razão da idade da mãe. E na sua rival americana, *Science*, um artigo sobre uma enzima que apaga uma proteína associada à cromatina. Nada realmente palpitante. Em contrapartida, se, nos comunicados de imprensa enviados por essas revistas aos jornalistas do mundo inteiro, o primeiro artigo fosse intitulado "Bebês em plena forma?", e o segundo, "Relançar o núcleo para clonar", isso mudaria tudo. Essa metamorfose de dados científicos ingratos em matéria-prima para manchetes de jornais é talvez o sinal mais claro das novas relações entre a ciência, a mídia e a sociedade.[20]

---

20 *Libération*, 3 de outubro de 2000.

Mais que qualquer outro, o caso, ou antes os casos da Aids simbolizam a confusão dos gêneros que essas novas relações podem acarretar. O aspecto mais conhecido, a disputa sobre a descoberta do vírus, é apenas o primeiro fio de um novelo complexo em que se misturam fraude, mentira, redes de influências, estratégias políticas, interesses industriais e nacionalismo, mas dificilmente se encontra o lugar da ciência. A análise desse drama – ou dessa "tragédia grega" –, que permanecerá como a impostura científica do século XX, justifica por si só uma nova lição.

Exercícios

1 Conceba, depois realize, uma experiência que permita quebrar três patas de um pato. Para ser significativa, a experiência deverá incidir sobre um número consequente de patos mancos.

2 Em que essa experiência confirma a hereditariedade dos caracteres adquiridos?

Resposta: os descendentes dos patos maltratados só têm duas patas, o que demonstra que uma intervenção externa, feita pelo complô da ciência oficial, modificou a hereditariedade dos palmípedes.

3 Realize uma série de experiências destinadas a medir a carga do elétron (o princípio consiste em introduzir gotas de óleo no interior de um campo elétrico, e em seguida determinar o valor do campo necessário para manter as gotas em suspensão). Como as medidas variam muito de uma experiência para outra, você constata que algumas estão de acordo com a teoria e outras não. Redija um artigo apresentando a totalidade das medidas acrescidas de um comentário sobre sua qualidade. Proponha o artigo à *Nature*. Será que ele é aceito?

4 Mesmo exercício mas, em vez de apresentar todos os seus dados, selecione as "medidas certas" (as que estão de acordo com a teoria) e elimine as outras como devidas a um artefato experimental. Quando você tiver acumulado um número suficiente de "medidas certas", proponha um novo artigo à *Nature*, indicando o valor preciso da carga do elétron, abstendo-se de indicar que você tinha também "medidas erradas". Ganhe a consideração de seus pares por esse resultado exemplar e obtenha o Prêmio Nobel.

Nota: esse exercício foi efetuado pela primeira vez pelo físico americano Robert Millikan, que obteve o Prêmio Nobel de Física em 1923 por ter determinado a carga do elétron. Millikan tornou-se um dos mais célebres cientistas de seu tempo, mas, depois de sua morte, o historiador das ciências Geald Holton descobriu que ele tinha selecionado seus dados. Nas suas anotações, encontram-se, em seguida aos resultados, comentários como "Beleza, publicar com certeza, lindo!" ou, ao contrário, "Muito baixo, alguma coisa não está certa".[21]

---

21 Ver William Broad & Nicholas Wade, op. cit.

Lição 6
A História, reescreverás

Num belo fim de tarde de maio de 1985, o autor destas linhas tiritava de frio à beira da piscina do Club Mediterranée de Dakar, vestido com um calção de banho úmido que o sol em declínio já não era suficiente para secar. O mais razoável seria correr para o quarto e se trocar, mas o dever o chamava: ele estava ocupado em transcrever com uma caneta frenética as palavras do professor Robert Gallo, pesquisador do National Cancer Institute de Bethesda e controvertido descobridor do vírus da Aids. A conversa foi longa e cortês, a despeito do delicado assunto: a polêmica nascente sobre a paternidade do vírus, reivindicada ao mesmo tempo por Gallo e pela equipe do professor Luc Montagnier, do Instituto Pasteur.

A oportunidade dessa conversa era fornecida por um congresso sobre os "cânceres de vírus na África" organizado pela ARC, a associação (francesa) para a pesquisa sobre o câncer presidida por Jacques Crozemarie. Este último ainda não tinha se tornado tristemente célebre pelas malversações de verbas que mais tarde lhe valeriam problemas com a justiça. Alguns jornalistas tinham levantado a lebre, mas devo confessar que não era o meu caso. Em 1985, eu ainda era muito ingênuo. A ideia de que uma organização beneficente, à qual estavam afiliados médicos e cientistas de renome, tivesse desviado dinheiro de seus doadores para fins de enriquecimento pessoal não entrava em meus esquemas de pensamento. Quando o cronista médico do *Le Monde* emitiu sutis alusões sugerindo que o colóquio de Dakar não tinha custado muito caro para a ARC e que os fundos coletados pela associação nem sempre serviam aos puros interesses da pesquisa, arregalei os olhos. Uma década mais tarde, pesquisando para o *Le Nouvel Observateur*, descobri que Crozemarie, entre outras traquinices repreensíveis, havia feito frutificar o dinheiro do câncer graças a lucrativas transações imobiliárias na Cote d'Azur. Mas essa é outra história. Todavia, veremos mais adiante que Jacques Crozemarie interveio também no caso da Aids do Instituto Pasteur, em 1986.

Minha ingenuidade de 1985 não ia até o ponto de excluir que os cientistas pudessem tomar certas liberdades com a verdade. As questões epistemológicas interpostas pela distância entre a ciência ideal e a ciência real é que me apaixonavam. A pesquisa sobre a Aids oferecia a esse respeito um terreno de investigação novo, tanto mais excitante quanto a epidemia tinha um forte impacto sobre a sociedade e fornecia um exemplo marcante de "história que está se fazendo". Em 1983, os pesquisadores do Instituto Pasteur identificaram um vírus chamado LAV, que foi considerado o agente possível da Aids. Depois, em 1984, Robert Gallo anunciou a descoberta do HTLV-III, e demonstrou de maneira decisiva que ele era a causa da doença. Mas apareceu rapidamente que os dois vírus eram um só. Desde o verão de 1984, aumentou a tensão entre o grupo de Robert Gallo e o do Instituto Pasteur. No final de janeiro de 1985, com três dias de intervalo, as sequências genéticas do LAV e do HTLV-III foram publicadas, respectivamente nas revistas *Cell* e *Nature*, e sua similaridade despertou as primeiras suspeitas dos franceses.[1] Se a fraude não foi imediatamente evocada, as reivindicações francesas se afirmaram. Estando em contato com pesquisadores do Instituto Pasteur, eu era sensível ao ponto de vista deles, mas estava também desejoso de conhecer o do campo adversário.

Aids: a guerra dos vírus

Foi com esse espírito que me dirigi ao colóquio de Dakar. Além de Robert Gallo, entre os participantes havia cientistas próximos a ele, entre os quais Max Essex, especialista na Aids do macaco, e Bill Haseltine, professor em Harvard, que mais tarde se tornou milionário criando empresas de biotecnologia (em 2000, ele preside a Human Genomic Science, uma sociedade estabelecida no subúrbio de Washington). A atmosfera descontraída do Club Mediterranée, sem a multidão da alta estação, prestava-se a contatos diretos e informais. Haseltine, coberto com um divertido chapéu de palha, acampou à beira da piscina. Em tom de confidência, ele me disse, num francês bem compreensível apesar do sotaque: "Montagnier é um mordinha". Essa declaração ilustra bem o clima das relações que então reinava entre os pesquisadores associados a Gallo e ao grupo francês.

O tom da conversa com Robert Gallo foi muito cordial. O virólogo americano causou-me uma impressão melhor do que eu esperava. Bob Gallo é muito encantador e um brilhante orador. Ele tem o dom de cativar o auditório, enriquecendo sua exposição com anedotas esclarecedoras e dando ao seu assunto uma amplitude inesperada. Ele sabe também se esquivar das perguntas embaraçosas com tal habilidade que se tem a impressão de que ele respondeu a elas quando falou de outra coisa.

---

1 *Cell*, v.40, p.9-17, janeiro de 1985; *Nature*, v.313, p.277-84, 24 de janeiro de 1985.

Gallo começou com uma virtuosa declaração: "A medicina é universal. A América não faz chauvinismo científico". Explicou-me que se considerava antes de tudo um pesquisador desejoso de fazer a ciência progredir, e não como uma vedete da mídia ou um *sex man*. A ouvir o que ele diz, o bafafá em torno da Aids não lhe era nada agradável (ele, todavia, contribuiu para orquestrá-lo). Sem negar que os franceses isolaram o vírus antes dele, insistiu no fato de que ele foi o primeiro a demonstrar que o HTLV-III era mesmo a causa da Aids. A seu ver, esse era o ponto crucial. Depois de inúmeras digressões, apelou para a conivência que atribuía a nossas raízes latinas comuns (Gallo tem ascendência italiana) para precisar sua concepção de universalidade: "Vocês, franceses, têm a história, a cultura, a gastronomia; deixem para nós a ciência!".

Ao deixar Bob Gallo, fiquei com uma impressão contrastante. Ele não era o "malvado" descrito por uma parte da mídia, mas algumas de suas palavras chocavam pela arrogância. Parecia que o chauvinismo dos americanos não ficava nada a dever ao dos franceses, e vice-versa. A sequência ia confirmar isso de maneira dramática. Com o recuo do tempo, só podemos ficar espantados ao observar até que ponto a pesquisa sobre a Aids desencadeou as paixões nacionalistas, as rivalidades e as lutas de interesses, ao oposto do ideal universalista evocado por Bob Gallo. Essas querelas tiveram pesadas consequências sobre os progressos médicos e sobre a sorte das vítimas do vírus. A polêmica Gallo-Montagnier não se limita a uma controvérsia cujos lances seriam puramente científicos; ela exprime um conflito que extravasa a ciência e que em parte está na origem do caso do sangue contaminado.

A "guerra das patentes" para os testes de diagnóstico provocou um atraso na detecção das doações de sangue na França. Pode-se avaliá-lo em no mínimo três meses, durante um período em que as transfusões provocavam uma centena de contaminações por semana. Cerca de um milhão de contaminações poderiam então ter sido evitadas e não o foram por causa de decisões que visavam preservar interesses industriais ligados ao teste francês. Esse fato objetivo, verificável a partir de documentos autênticos e de dados científicos estabelecidos, foi negado com obstinação por alguns dos atores que escreveram com conhecimento de causa essa página sombria da história da ciência e da medicina. Infelizmente, a versão edulcorada, segundo a qual o atraso seria uma pura invenção da mídia ávida por furos jornalísticos, é uma impostura.

O leitor ficará talvez espantado ao constatar que esta lição se distingue do conjunto do livro por sua extensão, pela seriedade do tom e pelo fato de incidir inteiramente apenas sobre o caso do sangue; além disso, ela se baseia mais do que as outras em minha experiência jornalística pessoal. Apesar dessas diferenças, penso que esta lição merece seu lugar aqui. O caso do sangue é um caso exemplar que ilustra o desvio de informações científicas para dar crédito a uma falsificação histórica. Trata-se aqui de um tipo de manipulação prenhe de consequências para a sociedade, e pareceu-me importante expor o problema da maneira mais detalhada e clara possível, servindo-me de grande número de documentos, uma parte dos quais é inédita ou muito pouco conhecida. Para não alongar demais a exposição, centrei meu foco sobre um aspecto preciso: a questão dos testes de detecção. Entretanto, para que essa questão pudesse ser bem compreendida pelo leitor, foi necessário descrever o contexto mais amplo no qual ela se colocou.

A "doença dos 4 H"

A Aids foi descoberta nos Estados Unidos em junho de 1981. Ela certamente existiu bem antes em lares limitados da África, antes de ser importada pela América e pela Europa. "Parece certo que, nos anos 1970, a Aids já tinha começado a se espalhar em certas regiões africanas, mas as taxas de infecção eram ainda muito baixas, escreve Mirko Grmek na sua *História da Sida*, obra de referência.[2] ... Mas até o fim do ano de 1982, não sabia praticamente nada de maneira direta sobre a situação africana". Foi somente no final de 1986 que se percebeu que a África sofria de uma "conflagração epidêmica sem precedentes". Essa explosão está ligada à rápida emergência de concentrações urbanas sobre o continente, à expansão do turismo e das viagens, e também às condições precárias da medicina africana, fatores que abriram para o vírus novas vias de circulação. Em 2000, a difusão da Aids na África é dramática, e os meios de luta contra o vírus são tragicamente insuficientes.

Os mais antigos soros africanos em que foi detectado o vírus remontam a 1959 e são provenientes do Zaire.[3] Se muito logo houve casos europeus, a epidemia propriamente dita começou nos Estados Unidos e em seguida propagou-se pelo Velho Continente. Segundo Grmek, "o mais antigo doente europeu com sintomas clínicos da Aids é um marinheiro inglês falecido em 1959 em Manchester". Esse marinheiro, até então gozando de boa saúde, apresentou em fins de 1958 uma série de distúrbios: dispneia de esforço, fadiga persistente, perda de peso, hemorroidas,[4] bem como uma fístula anal – patologia frequente nos homossexuais. O conjunto dos distúrbios evoca um diagnóstico de Aids, o qual foi confirmado com certeza pela presença do DNA do vírus nas células do marinheiro inglês.[5] Foram encontrados também anticorpos contra o vírus em outro marinheiro, norueguês este, que morreu em 1976, no mesmo ano

2 Mirko Grmek, *Histoire du Sida*, Paris: Payot, 1989 [ed. port.: *História da Sida*. Lisboa: Relógio D'Água, 1990].

3 Ver Bernard Seytre, *Sida: les secrets d'une polémique*, Paris: PUF, 1993.

4 Esclareço que esse marinheiro sofria realmente de hemorroidas; não é uma invenção de minha parte.

5 *The Lancet*, v.336, p.51, 1990.

que sua esposa e sua filha mais nova, nascida em 1967. "Antes de 1966, esse marinheiro tinha feito escala em diversos portos da Europa e da África", escreve Grmek, "Durante esse período, ele teve infecção venérea por duas vezes ... Os testes Elisa e Western Blot confirmam a presença dos anticorpos anti-HIV 1 em cada um dos três membros dessa infeliz família. O pai tinha então se infectado antes de 1966, talvez num porto africano".

Esses diagnósticos póstumos foram efetuados quase uma década após a detecção da epidemia nos Estados Unidos, ou melhor, da atual pandemia. O alerta é dado em 5 de junho de 1981 pelo Centers for Disease Control (CDC) de Atlanta. Os CDC são agências federais de vigilância das doenças espalhados por todo o território dos Estados Unidos. Em julho de 1981, o boletim dos CDC, o *Morbity and Mortality Weekly Report* (*MMWR*), publica dois artigos descrevendo uma síndrome insólita. Os pacientes são homens jovens, quase todos homossexuais, até então com boa saúde, que sofrem de uma queda imunológica.[6] Em 28 de agosto de 1981, os CDC registraram 108 casos, entre os quais cem homo ou bissexuais, e uma única mulher. "A letalidade era terrível: 40% dos doentes já tinham morrido na ocasião desse terceiro comunicado e os outros encaminhavam-se inexoravelmente para a mesma sorte", escreve Mirko Grmek.

Pouco a pouco vão se acumulando as provas de que a nova síndrome, a Aids ou Sida,[7] não atinge somente os *gays*, mas também os heterossexuais homens e mulheres, e que ela passe tanto pelo sangue como pelo sexo. Em julho de 1982, são assinalados 34 casos entre haitianos que vivem nos Estados Unidos, e três entre hemofílicos. Fala-se da "doença dos 4 H" –

6 *MMWR*, n.30, 1981, p.250-2 e p.305-8.

7 Aids: *Acquired Immuno-Deficiency Syndrom*; em francês, Sida, Síndrome Imunodeficitária Adquirida. O uso oficial da sigla começa no verão de 1982.

homossexuais, heroinômanos, haitianos e hemofílicos. Em 10 de dezembro de 1982, o *MMWR* publica um caso revelador: um bebê de vinte meses morto de Aids:[8] ele tinha recebido uma série de transfusões de sangue por causa de uma incompatibilidade com o fator Rh da mãe; o sangue da transfusão provinha de dezenove doadores; um deles, sem sintoma no momento da doação, faleceu em seguida também de Aids. Esse caso sugere pela primeira vez que o agente infeccioso pode ser transmitido pelo sangue de um doador aparentemente sadio.

Segundo Grmek, a conscientização do risco da transfusão pelo conjunto da comunidade científica data de pouco menos de um ano mais tarde, quando se soube que um homem de 53 anos, que recebeu transfusão quando de uma cirurgia do coração na célebre Clínica Mayo de Rochester (Minnesota) e que morreu de Aids, tinha contraído o vírus 29 meses após a intervenção.[9] Escreve Grmek:

> A publicação de Rochester em novembro de 1983 teve o efeito de uma bomba: um ato salvador, triunfo da medicina moderna, tornava-se uma ameaça mortal. Foram constatados casos semelhantes em Paris (transfusão feita no Haiti), em Stanford, em Tel Aviv, em Dallas. No decorrer do ano de 1983, os CDC de Atlanta registraram a declaração de 396 casos de adultos nos quais uma transfusão feita nos cinco anos anteriores era o único fator suscetível de explicar o aparecimento da Aids.

Em 1982, a causa da síndrome continua enigmática. Durante longos meses, muitos se lançaram sobre pistas falsas: as *poppers*, droga apreciada nos meios *gay*, os cremes de corticosteroides, igualmente utilizados pelos homossexuais, ou ainda a

---

8 *MMWR*, n.31, 1982, p.652-4.

9 Jett, Kuritsky e Katzmann, "Acquired immunodefiency syndrom associated with blood product transfusion", *Annals of Internal Medicine*, v.99, p.621-4, 1983.

deterioração do sistema imunológico, a "sobrecarga genética", a ação nociva do esperma... No seu livro autobiográfico, *Caçador de vírus*, Robert Gallo menciona uma série de hipóteses ainda mais fantasiosas propagadas pela imprensa, sobretudo:

> o agente laranja, a cólera de Deus e/ou a obra do diabo, um vírus da febre suína africana importado pela CIA para exterminar os porcos cubanos, deixar famintos os habitantes da ilha e fomentar uma revolução, a sífilis, a criação deliberada de um vírus num laboratório do Estado americano para a guerra biológica (uma versão que a KGB tentou fazer engolir durante certo tempo), a fabricação acidental de um vírus pelos russos (esta era talvez a resposta da CIA para a anterior), e enfim um novo germe nascido da mistura de vírus animais por cientistas incompetentes.

E Gallo prossegue:

> Passamos de uma coleção de ideias barrocas para uma espécie de estado impressionista em que praticamente todo pensamento sobre a Aids que brotava na cabeça de um proclamado especialista era digno de aparecer no noticiário. Atingimos finalmente a apoteose da abstração moderna com a concepção sugerida e promovida incessantemente por Peter Duesberg, universitário de Berkeley, segundo a qual em substância nada causa a Aids, em todo caso nada de *específico*. É apenas uma questão de modo de vida. A contrapartida, defendida pela mesma voz, parece ser que praticamente qualquer coisa pode causar a Aids. Heroína, cocaína, antibióticos, micróbios variados (deem vocês os nomes), estão todos no caso.

Assinalemos que Duesberg, contra toda a evidência, não apenas continuou a defender sua teoria estúpida e perigosa – porque ela dissuade as pessoas expostas ao vírus para que se protejam –, como também produziu êmulos. Numa notícia intitulada "A 'revisionista' da Aids", a revista *Elle* (25 de setembro de 2000) conta que uma americana de 44 anos, Christine Maggiore, soropositiva desde 1992, defende a tese maluca segundo a qual não existe vínculo entre soropositivo e Aids. Christine Maggiore argumenta que os tratamentos médicos são mais nocivos do que benéficos, que de nada serve fazer controles e usar preservativos, e recusa-se a fazer tratamento. Num clima "milenarista" em que se constata um aumento das reações anticientíficas, semelhantes inépcias encontram um público favorável.

Voltemos aos primeiros anos da epidemia. Os elementos epidemiológicos que se acumulam em 1981 e 1982 sugerem a ação de um vírus. O fato de que os hemofílicos sejam atingidos é significativo, já que os vírus são os únicos agentes infecciosos suficientemente pequenos para atravessar os filtros que servem para preparar os produtos anti-hemofílicos. O tamanho de um vírus é muito inferior ao de uma bactéria, porque não se trata de um microrganismo autônomo. Um vírus não pode reproduzir-se sozinho. É um envelope contendo um grupo de genes capazes de integrar-se no núcleo de uma célula hospedeira. Depois que o vírus "alojou" seu hóspede, ele desvia em seu benefício o funcionamento da célula, que ele obriga a garantir a sua reprodução. Em 1981, suspeitou-se do citomegalovírus ou CMV, um vírus do grupo herpes muito disseminado, geralmente anódino no adulto, e que é encontrado em muitos homossexuais americanos. Mais uma pista falsa.

No início de 1982, enquanto numerosos pesquisadores ainda patinam, Bob Gallo tem um candidato ideal: em 1978, ele isolou o HTLV-1, ou *Human T-Cell Leukemia Virus*, que provoca uma forma rara de leucemia no Japão, nas Caraíbas e na África (mais tarde, ele descobriu um HTLV-II, aparentado ao primeiro, mas muito raro). O HTLV ataca os linfócitos T4, uma categoria de glóbulos brancos que exerce um papel-chave na defesa do organismo. Segundo Robert Gallo, foi depois de uma exposição feita por James Curran, epidemiologista do CDC, que ele se interessou pela Aids. Curran tinha vindo ao NIH uma primeira vez em fins de 1981, e tinha explicado que se constatava uma forte baixa do número de linfócitos T4 nos homens jovens doentes. "Depois, no início de 1982, Curran retornou com mais dados epidemiológicos, nitidamente mais demonstrativos", relata Gallo.

> Se a memória não me falha, foi então que eu soube que havia razões para pensar que a afecção se declarava em indivíduos que tinham sofrido transfusões sanguíneas, o que implicava a existência de um agente microbiano. Doravante, dispúnhamos de provas incontestáveis de que a função das células T era atingida, o que fazia a doença cair numa área de pesquisa próxima de nosso trabalho sobre os HTLV.

Na pista dos HTLV

Com Max Essex, da Harvard School of Public Health, Gallo se lança numa pesquisa cerrada sobre o presumível culpado. O HTLV é um retrovírus, o que significa que seu material genético é feito de ARN e não de DNA, como nos vírus comuns. Os retrovírus integram-se na sua célula hospedeira graças a uma enzima específica, a transcriptase inversa, descoberta em 1970 por David Baltimore (que já encontramos na Lição 5) e Howard Temin. A transcriptase inversa traduz o ARN em DNA, mecanismo que parecia uma heresia na época em que Baltimore e Temin o colocaram em evidência, porque se pensava que a transcrição era feita sempre em sentido único, do DNA para o ARN (essa frutuosa inversão do dogma valeu a Baltimore e Temin o Prêmio Nobel de 1975). Depois, identificou-se toda uma série de retrovírus nos animais, notadamente no gato, no macaco, no cavalo, no carneiro e no boi.

O HTLV de Gallo é o primeiro retrovírus humano catalogado. Ele provoca uma doença à primeira vista muito diferente da Aids. Mas no gato, um retrovírus primo do HTLV, o FeLV, provoca às vezes uma leucemia, às vezes uma queda imunológica. Por que não aconteceria o mesmo no homem? Gallo e Essex catalogam os pontos comuns entre o agente da Aids e o HTLV. Ambos parecem originários da África, são transmitidos pelo macaco e pelas relações sexuais, atacam o mesmo alvo celular, os linfócitos T4. Gallo aplica os métodos que desenvolveu para isolar o HTLV. Ele retira amostras de doentes e cultiva as cepas de vírus nas células T estimuladas por um fator chamado interleukine 2. Depois, ele detecta a enzima dos retrovírus, a transcriptase inversa. Segundo Gallo, "entre o fim de 1982 e 1983, obtínhamos uma primeira indicação da presença de retrovírus diferentes de HTLV-I e de HTLV-II nos tecidos de pessoas atingidas pela Aids ou num estado precursor da doença".[10]

Só que o HTLV "imortaliza" os linfócitos, isto é, transforma-os em células cancerosas que se multiplicam indefinidamente, enquanto o vírus da Aids, ao contrário, as destrói. Nos pacientes, o desaparecimento dos linfócitos provoca a paralisia do sistema imunológico, de tal modo que o organismo do paciente não se defende mais das infecções normalmente anódinas. No laboratório de Gallo, as células cultivadas, por sua vez, morrem antes que se possa isolar o vírus. Em fins de 1983, o pesquisador americano julga, entretanto, ter atingido o alvo: um vírus próximo do HTLV-I, batizado IB, foi identificado num paciente aidético. Gallo envia um artigo à revista *Science* e prepara-se para fazer uma comunicação por ocasião de um simpósio que deve ocorrer em fevereiro. O jornalista científico Bernard Seytre relata o episódio num livro-inquérito, *Sida: les secrets d'une polémique* [*Aids: os segredos de uma polêmica*].[11] "Pouco antes do simpósio, descobriu-se um erro de etiquetagem: o paciente de origem 'IB' não sofria de Aids, mas de câncer", escreve Seytre. "Um anúncio embaraçoso foi evitado por pouco. O artigo enviado a *Science* foi retirado e a comunicação modificada."

---

10 Robert Gallo, "Le virus du sida", *Pour la science*, n.3, 1987, p.12-24.

11 Bernard Seytre, op. cit.

Um drama epistemológico estabeleceu-se em torno do HTLV: a comparação entre Aids e leucemia felina era fecunda, com a condição de não tomá-la ao pé da letra. Em vez de modificar sua hipótese inicial, Gallo tentou em vão modelar os fatos sobre sua falsa teoria. Durante todo o primeiro ano, nem ele nem seus colaboradores compreenderam que o vírus matava as células, ao contrário dos franceses. Em 1985, Gallo declara a *Science*:[12]

> É certamente verdadeiro que no verão ou no início do outono [1983], Chermann [membro do grupo de Montagnier] compreendeu o efeito citopático desse vírus, o que eu ainda não tinha feito. Quando penso nisso hoje, quero até bater a cabeça contra a parede por ter-me obstinado em tentar cultivar essas células a longo prazo com o interleukine 2.

Há algum retrovirólogo na sala?

Enquanto o pesquisador americano se atrapalha, os franceses vão conseguir um furo notável. E inesperado. Gallo é um cientista de reputação internacional, diretor de um dos melhores laboratórios[13] do NCI, que por sua vez é um dos mais prestigiosos institutos dos NIH. A equipe francesa, ao contrário, é formada no começo por um grupo de franco-atiradores em início de carreira, sem notoriedade nem posição social reconhecida. O "câncer *gay*", essa "doença de pederastas", não interessa nem um pouco aos mandarins. Já em julho de 1981, um médico parisiense, o Dr. Willy Rozenbaum, descreveu os primeiros casos franceses. No início de 1982, Rozenbaum funda, com o imunologista Jacques Leibowitch, um "grupo de trabalho"

12 *Science*, v.230, p.520, 1º de novembro de 1985.
13 Trata-se do Laboratory of Tumor Cell Biology, ou LTCB.

sobre a Aids.[14] Esse "pequeno núcleo de amigos", segundo a expressão de Rozenbaum, reúne uma plêiade de jovens médicos anticonformistas, que têm em comum uma cultura esquerdista e uma certa rejeição ao *establishment* médico. Entre eles, Jean-Baptiste Brunet, que se tornará o "Senhor epidemiologista da Aids"; Claude Weisselberg, futuro conselheiro do ministro Edmond Hervé; Françoise Brun-Vézinet, do Hospital Claude Bernard, que desenvolverá os primeiros testes com Christine Rouzioux, viróloga; Charles Mayaud, pneumologista; Odile Picard, dermatologista; David Klatzmann e Jean-Claude Glukmann, imunologistas (o segundo é um dos únicos professores do grupo e, aos 42 anos, seu decano).

Em agosto de 1982, Jacques Leibowitch já se interessava por retrovírus. Ele lê um artigo de Gallo em que se trata de HTLV e de transmissão por doações de sangue. No outono, convencido pela hipótese de um "estranho vírus vindo de longe", ele fala a respeito com Paul Prunet, diretor científico do Institut Pasteur Productions, ramo industrial do Pasteur. Prunet relata esse encontro num texto datado de 1994: "Com um apaixonado entusiasmo, ele me descreveu em pormenores sua convicção etiológica: para ele, a doença era provocada por um retrovírus, e esse retrovírus era provavelmente de origem africana... Jacques Leibowitch já pensava que esse suposto retrovírus podia contaminar o sangue e representar um risco nas transfusões".[15] Em 5 de outubro de 1982, Leibowitch dá um seminário no Hospital Cochin, junto com Jean-Paul Lévy, chefe de serviço de um laboratório que trabalha com retrovírus (e futuro diretor da ANRS, Agência Nacional da Pesquisa sobre a Aids). "Há

---

14 Ver Jacques Leibowitch, *Un virus étrange venu d'ailleurs*, Paris: Grasset, 1984; Willy Rozenbaum, Didier Seux & Annie Kouchner, *Sida, réalités et fantasmes*, Paris: POL, 1984

15 Paul Prunet, "À propos de l'hépatite B et du Sida, le témoignage d'un homme de l'ombre", documento de difusão limitada, 1994.

algum retrovirólogo na sala?", pergunta Leibowitch. Lévy o cutuca sobre Robert Gallo...

De seu lado, Willy Rozenbaum deixa o Hospital Claude-Bernard, onde seu interesse pela Aids não encontra nenhum apoio, e entra para o Pitié-Salpêtrière. Em dezembro, ele dá uma conferência no Instituto Pasteur, e conclui, diante dos principais chefes de laboratório do instituto, com a mesma pergunta de Leibowitch: "Há algum retrovirólogo na sala?". (Grmeck atribui a fórmula a Leibowitch, Seytre a Rozenbaum; na dúvida, eu a credito a ambos.) Tal como Leibowitch, Rozenbaum não obtém nenhuma resposta. Seja qual for a formulação precisa da pergunta, o que é certo é que nem um nem outro conseguiu, naquele momento, fazer um retrovirólogo francês interessar-se pela Aids. Finalmente, é por intermédio de Françoise Brun-Vézinet que o grupo entra em contato com Luc Montagnier. Ela tinha feito um curso de retrovirologia dado no Pasteur por Jean-Claude Chermann, cujo laboratório depende da unidade de Montagnier. Este último aceita colaborar com o grupo de trabalho, mas é claro que de imediato ele não mediu o alcance da nova epidemia. Tampouco Jean-Paul Lévy nem qualquer outro diretor de laboratório francês.

Apesar dessas resistências, o grupo de trabalho progride. Gallo deparou com o fato de que o vírus destruía suas células hospedeiras. Os franceses vão contornar o obstáculo graças a uma ideia engenhosa: procurar o vírus num paciente que estivesse no começo da doença, antes da destruição maciça dos linfócitos. Nos primeiros dias de janeiro de 1983, Françoise Barré-Sinoussi, colaboradora de Chermann, põe em cultura células extraídas dos gânglios de um paciente de Willy Rozenbaum. O paciente, cujo nome de código é "Bru", não é um doente declarado; ele sofre de linfadenopatia, isto é, de uma inchação dos gânglios, precursora da Aids. Alguns anos antes, Françoise Barré-Sinoussi estagiara no laboratório, onde aprendera as técnicas de cultura dos linfócitos com interleukina 2. Ela aplica um protocolo elaborado por Montagnier e Chermann. Em 25 de janeiro, vem o sucesso, inesperado: a transcriptase inversa é detectada! No Pasteur, Charles Dauguer realiza as primeiras fotos do mais procurado dos agentes patogênicos no microscópio eletrônico. Elas aparecem em 20 de maio de 1983, num artigo da *Science* assinado por Barré-Sinoussi, Brun-Vézinet, Chermann, Montagnier, Rozenbaum et al.[16] No mesmo número da revista, quatro artigos emanados dos grupos de Gallo e de Essex defendem a tese HTLV. O vírus parisiense é chamado LAV, para Lymphadenopathy Associated Virus. Os franceses o apresentam como "pertencentes à família" dos HTLV, mas "claramente distinto". Consideram-no como podendo estar implicado na Aids, mas não afirmam que ele seja a causa.

Gallo perdeu o segundo *round*. "Se você tiver razão, eu lhe direi", diz ele a Montagnier. Nesse estágio, o LAV é apenas um suspeito: resta estabelecer o vínculo entre sua presença e a doença. A prova pode ser feita graças a um teste que detecta os anticorpos induzidos pelo vírus – processo que, industrializado, se tornará o teste de detecção. Os primeiros testes de laboratório, elaborados por Christine Rouzioux, são pouco sensíveis. Eles detectam os anticorpos nos soros de 63% dos pacientes em "pré-Aids" e apenas em 17% dos pacientes aidéticos – menos de um entre cinco. Com esses resultados, Luc Montagnier tem dificuldade em convencer a comunidade científica de que ele detém o agente da Aids. Ele próprio não está convencido

---

16 "Isolation of a T-Lymphotropic virus from a patient at risk for acquired immune deficiency syndrome (Aids)", *Science*, v. 220, p.868-71, 20 de maio de 1983. Três dos signatários, Françoise Brun-Vézinet, Christine Rouzioux e Willy Rozenbaum, não são do Pasteur. Na verdade, a descoberta deve tanto ao grupo de trabalho inicial quanto ao Instituto Pasteur. Falar da "descoberta dos pasteurianos" ou da "equipe pasteuriana" é, portanto, uma simplificação. Recorro a ela para não tornar as formulações muito pesadas, mas é preciso ter em mente que o LAV não teria sido descoberto sem a iniciativa do grupo de trabalho, a qual nada devia ao Instituto Pasteur.

disso. Ainda por cima, ele não tem, nos meios científicos, uma reputação tão boa quanto Gallo. "Suas conferências provocavam uma hilaridade geral", resume um antigo pasteuriano.

Em setembro de 1983, Montagnier envia duas amostras do LAV a Mikulas Popovic, especialista em culturas celulares do laboratório de Gallo. Na época, as relações entre as duas equipes eram boas. Tais intercâmbios fazem parte das colaborações normais entre laboratórios que trabalham sobre um mesmo vírus. Montagnier fica sabendo no fim do ano que Popovic conseguiu cultivar o LAV. Gallo afirmará em seguida que essas culturas só cresceram de maneira "transitória", e não eram exploráveis. Durante os primeiros meses de 1984, Montagnier não recebe mais nenhuma notícia do LAV.

Até o lance teatral de segunda-feira, 23 de abril de 1984: nesse dia, na presença de Margaret Heckler, secretária de Estado americana da Saúde, Robert Gallo dá uma espetacular coletiva à imprensa em Washington. Ele anuncia que identificou a causa da Aids: trata-se de um novo retrovírus, batizado HTLV-III. A notícia não é uma surpresa para todo mundo. Desde 12 de março, James Curran, o epidemiologista dos CDC, está persuadido de que Gallo encontrou o vírus. Em 30 de março, Gallo submeteu à revista *Science* quatro artigos do seu grupo, aceitos em 19 de abril e que serão publicados em 4 de maio, um recorde de rapidez para uma publicação científica.[17] Gallo falou de seus artigos, ainda no prelo, a um jornalista independente inglês, Martin Redfearn. Em abril, o boato da descoberta começa a se espalhar fora do círculo dos iniciados. O *Washington Post* de 17 de abril fala a respeito. O Instituto Nacional do Câncer decide convocar uma coletiva à imprensa para oficializar a notícia. Margaret Heckler não quer perder a chance: Gallo trabalha para um organismo público, seu sucesso atesta que o governo Reagan utilizou bem o dinheiro do contribuinte.

17 Robert Gallo et al., *Science*, v.224, p.497-508, 4 de maio de 1984.

Como essa senhora se encontrava na costa Oeste, a conferência foi adiada alguns dias, prazo que o *New York Times* aproveita para anunciar, na primeira página de sua edição de domingo 22, que a causa da Aids tinha sido encontrada... em Paris! O diário nova-iorquino cita o doutor James Mason, diretor dos CDC: "Creio que nós possuímos a causa da Aids, e é uma descoberta excitante ... Não podemos ter certeza de que o LAV é o agente que causa a Aids, mas seu comportamento no corpo humano nos faz crer que sim". O episódio revela rivalidades entre Gallo e alguns de seus colegas americanos, sobretudo cientistas dos CDC. Em 1984, Gallo entra em conflito aberto com Don Francis, responsável pela retrovirologia dos CDC, que ele tratou com sua arrogância costumeira. "Devolvendo pública e ruidosamente aos Césares parisienses o que lhes pertencia, Mason certamente julgava fazer justiça", escreve Bernard Seytre. "Uma banana de passagem para o NCI e para Gallo, que ostensivamente os tratava de cima, certamente não desagradava aos dirigentes dos CDC."

O texto do discurso feito em 23 de abril por Margaret Heckler presta homenagem ao Instituto Pasteur:

> Como é frequentemente o caso na pesquisa científica, outras descobertas se produziram em outros laboratórios – e mesmo em diferentes lugares do mundo – que afinal contribuíram para a meta a que todos nós visamos: a vitória sobre a Aids. Quero citar particularmente os esforços do Instituto Pasteur na França, que em parte trabalhou em colaboração com o Instituto Nacional do Câncer. Eles identificaram anteriormente um vírus que associaram a doentes atingidos pela Aids e nas próximas semanas saberemos com exatidão se esse vírus é o mesmo que foi identificado graças ao trabalho do NCI. Nós pensamos que ele se revelará ser o mesmo.

Segundo Bernard Seytre, uma perda de voz impediu a secretária de Estado americana de ler essas frases... Mas elas figuram no texto distribuído à imprensa.

Quanto a Robert Gallo, ele relega o LAV ao segundo plano. Ele põe em destaque o "seu" HTLV-III, cumprimenta o laboratório do Instituto Pasteur e indica que o grupo francês e o seu são "amigos há quase quinze anos". A propósito do LAV, ele esclarece: "Se aquilo que eles identificaram em *Science* há um ano é a mesma coisa que aquilo de que temos agora cinquenta isolatos, que produzimos em massa e caracterizamos em detalhe, com certeza eu o direi, e o direi em colaboração com eles".

Essa homenagem calculada será recebida como uma bofetada pelos pesquisadores franceses: no seu espírito, Gallo atribui a si o mérito da descoberta do vírus que eles isolaram desde 1983. O americano parece aliás dar-lhes razão, insistindo sobre a semelhança dos dois vírus: "O HTLV-III é mais do que similar, para não dizer idêntico, ao que a equipe do Instituto Pasteur identificou há um ano", diz ele à rede de televisão CBS. Nas suas declarações orais e escritas, Gallo não contesta que o vírus foi isolado primeiro em Paris. Mas minimiza o papel dos franceses, não sem má-fé. Por ocasião de um simpósio em Zurique, pouco antes da famosa coletiva à imprensa de 23 de abril, ele exibe um discuso ambíguo: "Para ser honesto, esse vírus foi publicado pela primeira vez em *Science*, num artigo do qual eu fui *reviewer* e que não era nada extraordinário. Fui criticado por ter aceito sua publicação ... Francamente, eu não acreditava muito nisso, porque todos os retrovírus humanos são dessa mesma família [dos HTLV]". Depois Gallo exprime dúvidas sobre o fato de que os franceses tenham realmente isolado o vírus em 1983:

> Agora, o que eles nos enviaram antes? Era o mesmo vírus? Eu não sei. Eles não conseguiam talvez cultivá-lo? Eles dizem que jamais conseguiram cultivá-lo muito bem. Então, talvez eles não tivessem realmente nenhum vírus. Tinham uma foto, e quando foi necessário distribuir vírus, não deram grande coisa. Talvez seja esse o problema.[18]

18 Citado em Bernard Seytre, op. cit.

Isso é levar as coisas longe demais. A ambivalência de Gallo será tão mal percebida pelos franceses que, aos olhos do mundo inteiro, ele se tornou o descobridor do vírus da Aids. Essa vitória arrancada à força, todavia, se deve tanto à administração Reagan quanto ao próprio Gallo. Em plena campanha eleitoral, o Partido Republicano quer recuperar os dividendos políticos dos dólares investidos na luta contra o "inimigo público nº 1". Às favas o *fair-play*.

"HTLV-III = LAV"

Depois da coletiva de 23 de abril de 1984, as relações entre o Instituto Pasteur e o laboratório de Bethesda iriam degradar-se. Em 26 de abril, o *Le Monde* dá o pontapé inicial das hostilidades num curto artigo da Dra. Claudine Escoffier-Lambiotte intitulado "HTLV-III = LAV". O artigo indica que "o 'vírus' da Aids americano poderia ser apenas uma redescoberta, com um ano de atraso, do vírus francês 'LAV'", e revela uma "polêmica no seio da comunidade científica americana". Segundo Escoffier-Lambiotte, os dirigentes dos CDC de Atlanta "que há três anos desempenharam um papel essencial na identificação da doença nova que era a Aids, esclareceram que, para eles, o vírus responsável é mesmo o do Instituto Pasteur e se chama 'LAV'" (alusão ao artigo do *New York Times* de 22 de abril). A cronista do *Le Monde* destaca que esse debate sobre a anterioridade, aparentemente "fútil", tem importantes implicações para as patentes relativas ao teste de diagnóstico "que atingirá, apenas na França e duas vezes por ano, quatro milhões de doadores de sangue". O problema que mais tarde irá envenenar, no sentido figurado, as relações científicas franco-americanas e, no sentido próprio, o sangue dos receptores já está bem colocado...

Em janeiro de 1985, os dois campos em luta publicam as sequências genéticas de seus respectivos campeões. Oh surpresa! Os irmãos inimigos se assemelham como dois gêmeos. Uma quarta batalha se inicia, muito mais áspera que as anteriores. A partir desse momento, não há mais dúvida, para os pasteurianos, de que Gallo "roubou" deles a descoberta do vírus. Em 7 de fevereiro, um artigo da revista *New Scientist*[19] começa com este julgamento severo: "Acumulam-se as provas para demonstrar que Gallo classificou de maneira errônea (*misclassified*) o vírus que causa a Aids. O resultado dessa má classificação é que o mundo ignorou os verdadeiros descobridores, Luc Montagnier e seus colegas do Instituto Pasteur em Paris, e atribuiu a Gallo o crédito da descoberta". O artigo indica que as sequências dos dois vírus são "virtualmente impossíveis de distinguir uma da outra", e cita Simon Wain-Hobson, um pesquisador do grupo pasteuriano: "Os vírus LAV e HTLV-III são tão próximos que isso prova que Montagnier tinha razão e que ele foi o primeiro a descobri-lo [o vírus]". O autor do artigo dá ênfase às dessemelhanças entre o vírus da Aids e os HTLV, e julga que o crédito da descoberta só coube a Gallo porque isso cria uma "bela história", já que o pesquisador americano tinha afirmado desde o início que o vírus pertencia à família dos HTLV.

De fato, foi porque Gallo acreditava estar lidando com um HTLV que ele levou tanto tempo para compreender o efeito citopático do vírus. Sua tese é contestada desde 1984. Em julho, o britânico Robin Weiss e seus colegas publicam um artigo que demonstra que os HTLV-I e II raramente se encontram nos pacientes aidéticos ou em pré-Aids.[20] Sua presença ocasional "não tem papel etiológico na linfadenopatia ou Aids", e deve

19 Omar Sataur, "How Gallo got credit for Aids Discovery", *New Scientist*, 7 de fevereiro de 1985, p.3-4.

20 R. S. Tedder, R. A. Weiss et al., "Low prevalence in the Uk of HTLV-I and HTLV-II infection in subject with aids, with extended lymphadenopathy, and at risk of aids", *The Lancet*, p.125-30, 21 de julho de 1984.

ser interpretado como uma infecção oportunista. Ela é, portanto, uma consequência do déficit imunológico, não sua causa.

Em 1985, a ideia de um parentesco próximo entre o agente da Aids e os HTLV torna-se indefensável. Gallo agarra-se a ela com unhas e dentes, sem recuar diante das contradições. Sua única concessão é substituir, na nomenclatura do HTLV-III, o termo *leukemia* por *lymphotropic* – dando ênfase ao tropismo do vírus para os linfócitos. Essa astuciosa modificação – que permite conservar a sigla HTLV – aparece no título de um artigo de Gallo publicado na *Nature* de 3 de outubro de 1985, no qual o retrovirólogo enumera dezessete similaridades entre HTLV-I e HTLV-III/LAV. Entre outras: trata-se de dois retrovírus humanos, que têm por alvo os linfócitos T, que se transmitem por via sanguínea ou sexual, provavelmente originários da África, com primos entre os macacos... Mas se essas semelhanças podem implicar uma história evolutiva comum, elas não significam que o vírus da Aids funciona exatamente como um HTLV. No final de 1985, com exceção de Gallo, ninguém mais duvida de que o vírus da Aids se classifica na família dos "lentivírus", a qual pertencem também o vírus "visna" do carneiro e o vírus da anemia infecciosa equina. Gallo continuará a defender sua nomenclatura HTLV com argumentos duvidosos, principalmente porque ela permite juntar os dois únicos retrovírus humanos conhecidos.

Finalmente, em maio de 1986, uma comissão de nomenclatura virológica decidirá chamar o vírus de HIV– para *Human Immunodeficiency Virus* – que em francês se tornou VIH (Vírus da Imunodeficiência Humana). Mesmo depois dessa decisão internacional, Gallo continua a opor resistência. Pai abusivo, o americano quer absolutamente que o agente da Aids seja o filho caçula de sua família HTLV! E ele subestima a contribuição francesa, quando certamente se serviu do LAV muito mais do que quer admitir. Tudo leva a crer que, sem o trabalho dos pasteurianos, ele levaria muito mais tempo para apreender que o vírus era citopático e para isolar o famoso HTLV-III. Mas, a propósito, ele realmente o isolou?

Robert Gallo trapaceou?

Ao longo de 1985, acumulam-se elementos de prova que demonstram a anterioridade do Instituto Pasteur. Depois da publicação das sequências em janeiro, a revista *Cell*[21] publica em março um artigo de dois virólogos, Arnold Rabson e Malcolm Martin, comparando HTLV-III, LAV e um terceiro isolato do vírus, ARV (*Aids Related Vírus*, isolado por Jay Levy em São Francisco). Resultado: os dois primeiros são quase idênticos, enquanto ambos apresentam diferenças significativas com o ARV, o vírus de Jay Levy. Em novembro, um grupo de pesquisadores publica em *Science*[22] uma nova comparação, partindo dessa vez de doze vírus da Aids: LAV, HTLV-III, um vírus de um paciente californiano, um do Alabama, cinco pacientes nova-iorquinos, três do Zaire. Aqui também todos os isolatos diferem, exceto LAV e HTLV-III.

Em 12 de dezembro de 1985, o Instituto Pasteur apresenta queixa à Court of Claims dos Estados Unidos, exigindo o reconhecimento da anterioridade francesa. É o início de uma longa e custosa batalha de processos que só será ajuizada por um acordo negociado em 1987 entre Jacques Chirac e Ronald Reagan. O litígio só incide secundariamente sobre a paternidade do vírus: o lance principal é a questão das patentes para os testes de diagnóstico. O Instituto Pasteur apresentou, em 15 de setembro de 1983, um pedido de patente europeia na Grã-Bretanha (GB 83 24 800); depois, em 5 de dezembro de 1983, o

21 *Cell*, v.40, p.477.

22 Steven Benn, Rosamund Rutledge et al., *Science*, v.230, p.949-51, 22 de novembro de 1985.

Instituto apresentou um pedido de extensão de sua patente aos Estados Unidos (n.555.109, depois mudado para 4.708.818). A solicitação de Gallo junto ao US Patent and Trademark, por sua vez, data de 23 de abril de 1984. Ora, ela é aceita pelo Ofício das patentes americanas a partir de 28 de maio de 1985 (n.4.520.113). No final de 1985, os franceses ainda aguardam. Retrospectivamente, pode-se dizer que em 1985 a verdadeira batalha dizia respeito às patentes. Mas foi a polêmica científica que ocupou o centro do palco.

Numa carta endereçada à *Nature* em 21 de fevereiro, Bob Gallo propõe uma explicação da similaridade entre HTLV-III e LAV: ela seria pelo fato de que os dois pacientes dos quais provêm os vírus foram infectados no mesmo período e na mesma região. "A maioria de nossos primeiros isolatos de HTLV-III vinha de espécimes obtidos no final de 1982 ou no início de 1983 da costa Leste dos Estados Unidos, e o LAV foi isolado num francês atingido por linfadenopatia que tinha tido um contato em Nova York no mesmo período." Mas, segundo a revista *New Scientist*,[23] o paciente em questão (o paciente "Bru") esteve em Nova York pela última vez em 1979, dois ou três anos antes de Gallo coletar suas amostras.

Na verdade, a explicação de Gallo é mais do que improvável: como se descobriu em 1985, o vírus da Aids é extremamente variável, e não há nenhuma chance de que dois pacientes tenham pegado a mesma "variante" com três anos de intervalo, na medida em que se encontram diferenças entre amostras provenientes da mesma região. Depois do artigo de *Science* de novembro de 1985, dificilmente se pode crer que a semelhança entre o vírus do Pasteur e o de Bethesda se deve ao acaso.

Alguns meses mais tarde, um novo episódio vai tornar ainda mais inverossímil a montagem de Gallo. Para defender seus

23 *New Scientist*, "The virus reveals the naked truth", n.1547, p.55-8, 12 de fevereiro de 1987.

interesses nos Estados Unidos, o Instituto Pasteur recorreu a um célebre escritório de advogados nova-iorquinos, Townley & Updike. Ora, relata Bernard Seytre, "no início de 1986, um telefonema anônimo, e que prova que Galllo não tinha falta de inimigos, alertou os advogados do Pasteur de que uma foto publicada com os artigos de maio de 1984 era a de uma amostra de LAV e não de HTLV-III"![24]

Desse modo, esse LAV, supostamente cultivado em Bethesda apenas "de maneira transitória", mesmo assim cresceu bastante bem para que Matthew Gonda, um microscopista que trabalhava com Gallo, pudesse realizar um retrato tão bom do bichinho para ser confundido com o do HTLV-III. Ainda por cima, a foto litigiosa data de fins de 1983, vários meses antes do anúncio da descoberta do HTLV-III. Ele próprio confuso, Gallo publica em *Science* uma retificação na qual mantém tenazmente que "a preparação de LAV foi utilizada para infectar transitoriamente células T".[25]

Em matéria de trânsito, os pasteurianos digerem mal a retórica de seu rival. Um boato se alastra, alimentado por fontes próximas de Montagnier e de sua equipe: Gallo seria culpado de fraude! De maneira clara, Gallo ou um de seus colaboradores teria muito simplesmente utilizado a cepa LAV vinda do Pasteur rebatizando-a, o que explicaria a semelhança. Essa acusação não está baseada em nenhuma prova formal, mas num feixe de presunções, cujas grandes linhas eu exponho em *L'Événement du Jeudi* de 22 de janeiro de 1986. Esse artigo, um dos primeiros na imprensa de grande público a evocar uma possível fraude de Robert Gallo, foi-me sugerido por pesquisadores franceses. Seu tom permanece muito comedido, e os argumentos no sentido de uma eventual trapaça são apresenta-

24 Bernard Seytre, op. cit.
25 Carta à *Science*, p.307, 18 de abril de 1986.

dos como hipóteses, apontando todas as vezes os contra-argumentos que inocentam o pesquisador americano. Gallo irá responder por uma carta virulenta na qual qualifica meu artigo de *piece of one-sided slander* e de *completely silly* ("calúnia de direção única", "completamente estúpida").[26]

Alguns meses mais tarde, sob o pseudônimo de Eric Mason, um pesquisador do Instituto Pasteur redige em *Science et Vie*[27] um artigo intitulado "Aids: a fraude?", ainda mais virulento – e claramente *one-sided*: "Robert Gallo, que sabemos culpado de atribuir-se a descoberta de um vírus que lhe foi enviado e de trocar o seu nome (o que podemos desde já comparar a um roubo no sentido figurado), teria realmente roubado o vírus, dessa vez no sentido próprio?", pergunta Mason, para quem a resposta não parece apresentar dúvida.

Na realidade, as suspeitas dos pasteurianos foram alimentadas pela atitude arrogante de Gallo. No plano científico, os elementos que envolvem o americano podem ser interpretados de maneira diferente de uma fraude. Quais são eles?

1) *A obstinação de Gallo em defender a tese HTLV*. Essa teimosia exagerada incita a pensar que Gallo está disposto a todos os sofismas para sustentar que tem razão. Uma atitude pouco científica, mas que não se pode, entretanto, assimilar a uma trapaça.

2) *A inverossímil semelhança entre HTLV-III e LAV*. Atribuir essa semelhança ao acaso, como faz Gallo, é muito menos plausível do que supor que a cepa viral enviada por Montagnier a Popovic contaminou as culturas de HTLV-III. Os acidentes de contaminação são frequentes em virologia. E a cepa pasteuriana era cultiva-

26 A carta de Gallo, datada de 12 de fevereiro de 1986, em papel timbrado do National Cancer Institute, foi enviada ao endereço de *L'Événement du Jeudi*, em doze exemplares, um dos quais dirigido a mim, e os onze outros a diversos membros da redação e da secretaria de redação do jornal.

27 *Science et Vie*, n.824, maio de 1986.

da há muito mais tempo do que os isolatos de Gallo. Será que ela era mais apta à cultura? É o que sugere uma carta do microscopista de Gallo, Matthew Gonda, endereçada a Popovic em 14 de dezembro de 1983. Essa carta acompanhava as famosas fotos do LAV introduzidas por engano no artigo de *Science*. Ela contém os resultados da análise de 33 amostras, e Gonda indica que só duas amostras contendo o LAV permitiram visualizar o vírus da Aids. Segundo Mirko Grmek, uma cópia da carta foi juntada ao dossiê desde o início do inquérito instalado em vista do processo pretendido pelo Pasteur; mas faltava o trecho sobre as duas amostras, encontrado em seguida pelos advogados do Instituto Pasteur. "Sejam quais forem as partes ocultas deste imbróglio", escreve Grmeck, "pode-se considerar hoje [1989] como estabelecido que Gallo, Popovic e seus colaboradores tinham cultivado o LAV antes ou ao mesmo tempo que seus próprios isolatos e que, no momento da publicação de sua descoberta, eles sabiam que seu vírus assemelhava-se ao vírus do Pasteur, a tal ponto que alguém poderia enganar-se ao escolher as fotografias para a publicação". Mas aqui também o engano pode ser fortuito.

3) *A técnica pouco ortodoxa de Popovic.* Para cultivar um vírus e desenvolver um teste, é necessário dispor de uma linhagem celular capaz de produzir esse vírus em quantidade. Infecta-se a linhagem com o vírus e, quando tudo corre bem, a linhagem começa a produzir vírus de maneira contínua ao se atingir determinado limiar de infecção. Se não se reúnem essas condições, a produção de vírus declina e cessa. No caso da Aids, o problema é particularmente complexo, porque o vírus mata as células. Popovic acabou por encontrar uma linhagem celular que não era morta pelo vírus. Para melhorar esse resultado, ele infectou essa linhagem com um *pool* de vírus obtido pela mistura das amostras provenientes de dez pacientes. Processo inabitual: em geral, utiliza-se apenas uma amostra por vez. A partir dessa "sopa", Popovic obteve uma linhagem que produzia o vírus de maneira contínua, que ele chamou de linhagem H9. Assim é que foi pos-

sível produzir o vírus em quantidade para desenvolver o teste e verificar o vínculo entre a doença e o agente patogênico. Os pasteurianos não deixaram de notar que sua cepa poderia muito bem ter aterrissado na sopa de Popovic, acidentalmente ou não. E, de fato, é no mínimo curioso que, misturando dez vírus, o que aparece na chegada seja precisamente aquele que parece um gêmeo do LAV. Sobretudo se, como afirma Gallo, os pesquisadores americanos não se serviram do vírus francês.

Nenhum desses três pontos demonstra uma fraude, que Gallo sempre negou. Ele insistiu sobre o fato de que ele próprio possuía várias cepas de vírus e que não tinha necessidade de utilizar a do Instituto Pasteur. Mas ele não pode eliminar a possibilidade de que as culturas de Popovic tenham sido contaminadas pelo LAV: "Não se pode provar que é um acidente de contaminação e eu também não posso provar que não é", declara ele à revista *La Recherche* em 1986.[28] Resta o fato de que, pelo menos num ponto, Gallo trapaceou: ele afirmou que as culturas do LAV tinham sido transitórias, enquanto Popovic tinha feito o vírus parisiense crescer em linhagens celulares contínuas. Essa distorção da verdade será censurada a Gallo alguns anos mais tarde, em fins de 1992, após um inquérito procedido pelo Office of Research Integrity (ORI), organismo encarregado de investigar os problemas de fraude ou de "má conduta" científica. Nessa data, o mistério da semelhança entre LAV e HTLV-III será enfim elucidado. Mas não antecipemos.

A guerra das patentes

O melhor argumento em favor de Gallo é que ele demonstrou a relação causal entre o vírus e a doença, coisa que a equi-

28 Martine Barrère & Marcel Blanc, "Sida, Robert Gallo s'explique", *La Recherche*, n.180, setembro de 1986.

pe de Montagnier não tinha conseguido. Foram os resultados de Gallo que provocaram a convicção da comunidade científica. "Revelada a causa da Aids", título de *Nature* no dia seguinte à coletiva de imprensa de 23 de abril.[29] Enquanto muitos pesquisadores não acreditavam no LAV, a confirmação americana reverteu a situação, como destaca Christine Rouzioux, a viróloga que desenvolveu os primeiros testes franceses: "Eles foram convencidos a partir do momento que Gallo publicou. Estava terminado. A partir da publicação de Gallo, não tivemos mais problema para trabalhar: todo mundo queria trabalhar conosco".[30]

A vitória de Gallo então, por ricochete, deu credibilidade ao LAV e a seus descobridores. A força do americano foi de compreender que uma descoberta só existe quando se consegue comunicá-la: "Eu sabia que aquele retrovírus era a causa da Aids – como já estávamos persuadidos – e precisávamos convencer o mundo científico de uma maneira tão total, ampla e rápida quanto possível", escreve ele em *Caçador de vírus*. "Um fracasso se traduziria em muita perda de tempo, de dinheiro, de esforços e certamente de vidas humanas." Era preciso desferir um grande golpe, "de maneira a não deixar outra escolha a uma comunidade científica crítica e a certos setores de uma sociedade cada vez mais cética a não ser concluir que o novo retrovírus era a causa da Aids".

Obviamente, isso só funcionou porque Gallo, além de seu senso de comunicação, se apoiava num sólido dossiê científico. Em março, James Curran enviou a Bethesda amostras de soro retiradas de pacientes aidéticos ou atingidos pela linfadenopatia, bem como de homossexuais assintomáticos. As amostras eram codificadas e a equipe de Gallo testou-as às cegas. Resultado: 80% dos aidéticos e 90% dos indivíduos que sofriam de

---

29 *Nature*, v.308, p.769, 26 de abril de 1984.
30 Declaração citada por Bernard Seytre, op. cit.

linfadenopatia foram considerados soropositivos. Na publicação *princeps* de *Science* de 4 de maio de 1984, o próprio vírus HTLV-III foi isolado em mais de um terço dos aidéticos e em 90% dos indivíduos com sintomas precursores; e o teste detectou 90% dos aidéticos e 80% dos indivíduos atingidos por "pré-Aids".[31] Algumas semanas mais tarde, o placar é de 100% na primeira categoria e 84% na segunda.[32]

Esses sucessos não devem nada ao acaso. Mesmo que Gallo tenha se enganado com sua tese HTLV, ele permanece como o grande especialista mundial dos retrovírus e pode contar com um excepcional companheiro de equipe como Popovic. A elaboração da linhagem H9 feita por este último, na opinião do próprio Gallo, constitui o "mais importante progresso técnico" realizado por seu laboratório. É essa linhagem que vai permitir produzir o vírus em continuidade e em quantidade, condição necessária para desenvolver um teste de diagnóstico. O princípio do teste consiste, com efeito, em pôr em contato uma amostra de sangue retirado da pessoa que se quer testar com proteínas extraídas do vírus; se o indivíduo estiver infectado, seu sangue conterá anticorpos que reconhecem as proteínas do vírus e se fixam em cima, o que se põe em evidência com um reativo colorido. Para desenvolver o teste de diagnóstico, é necessário, portanto, poder cultivar e produzir o vírus em massa.

Nesse ponto, a equipe de Bethesda está mais adiantada do que a de Montagnier. Desde 2 de janeiro de 1984, a linhagem de Popovic está apta a produzir o vírus de maneira permanente, o que constitui uma primazia mundial. Em fevereiro-março, Robin Weiss, do Instituto de Pesquisa sobre o Câncer de Londres, conseguirá também fazer o LAV crescer em continuidade, numa linhagem chamada CEM. O Instituto Pasteur não desen-

---

31 *Science*, v.224, 4 de maio de 1984,

32 *The Lancet*, p.1438-40, 30 de junho de 1984.

volverá linhagem original e não produzirá o vírus em linhagem contínua antes de abril-maio de 1984 (voltaremos a esse ponto).

Outra desvantagem técnica do Pasteur: uma má escolha das proteínas virais utilizadas no teste. Os franceses não se servem do envoltório do vírus, enquanto é ele que suscita as mais fortes reações dos anticorpos. Isso explica a fraca sensibilidade dos primeiros testes e os medíocres resultados dos primeiros testes de Christine Rouzioux.

Esses pontos fracos da técnica francesa – que serão corrigidos em seguida – são uma das razões pelas quais Luc Montagnier não conseguiu demonstrar que o vírus era a causa da Aids, embora o tenha isolado um ano antes de Gallo. Eles afetam também o pedido de patente depositado pelos franceses nos Estados Unidos. Ponto crucial: nos dois casos, a patente refere-se ao teste e não à descoberta do vírus. Um vírus é um organismo natural que não é patenteável como tal. Só se pode patentear um processo, nesse caso um processo de diagnóstico (Gallo patenteará também a linhagem H9, mas essa patente não dará vez a contestação). Ora, apesar de posterior à do Pasteur, a patente de Gallo é mais sólida. Seu teste detecta 78% dos pacientes em estágio "pré-Aids", contra 78% para o teste francês, nos escores comparáveis; em contrapartida, enquanto o teste de Bethesda detecta nove pacientes em dez, seu concorrente revela menos de um em cinco. Os franceses melhoram em seguida a sensibilidade de seu teste que, em 1984, se tornará tão sensível quanto o do laboratório de Bethesda. Mas os dados que figuram na patente correspondem aos primeiros resultados. Com base nesses dados, o teste americano é claramente um instrumento de diagnóstico da Aids, ao passo que o de Montagnier só detecta eficazmente os primeiros estágios da doença.[33] Acres-

---

33 Essa é, em substância, a análise que fará em 1992 o escritório Allegretti & Witcoff, especialista em direito de patentes, consultado pelo NIH: o escritório concluirá que "a patente 113 de Gallo é válida" e que "as reivindicações

centemos que a elaboração do teste não é uma consequência evidente e imediata da descoberta do vírus. Consequência: o fato de que o Pasteur tenha identificado o vírus antes do NCI não é um argumento decisivo para justificar uma prioridade sobre a patente do teste.

Embora Gallo se encontre tecnicamente numa posição de força, ele tem um calcanhar-de-aquiles: o vírus protótipo que ele descreve na sua patente, HTLV-IIIB, assemelha-se por demais à cepa LAV enviada a Popovic. Ora, esse envio estava acompanhado de um compromisso escrito segundo o qual a equipe de Bethesda não devia utilizar o LAV para fins comerciais. Assim sendo, a estratégia dos advogados do Pasteur consistirá em tentar provar que Gallo se serviu da cepa LAV, que sua invenção teria sido impossível sem a utilização dessa cepa, e que por conseguinte o Instituto francês tem direito, ele também, a uma patente e aos *royalties* aferentes. Esse é o objeto da queixa depositada em 12 de dezembro de 1985 perante a Court of Claims.

Compreende-se melhor o alcance das acusações de fraude lançadas contra Gallo por pesquisadores do Pasteur ou próximos do Instituto. Bem entendido, não se teria chegado a esse ponto sem o protecionismo dos americanos: mesmo se a patente de Gallo fosse tecnicamente superior, isso não justificaria a atitude do Patent Office que, na data da queixa, não havia sequer começado a examinar o dossiê entregue pelo Instituto Pasteur dois anos antes! Compreende-se também a mágoa dos franceses: depois de terem deixado "roubar" deles a descoberta do vírus, eles se veem espoliados uma segunda vez pela recusa americana a deixar seu teste penetrar no mercado dos Estados Unidos.

Um curioso episódio produziu-se no início de 1986: parece que Jacques Crozemarie, presidente do ARC, tentou usar seus

---

da patente 818 de Montagnier, salvo para a reivindicação 4 [que se refere aos indivíduos em estágio de pré-Aids] são inválidas".

bons ofícios em favor do Pasteur junto ao National Cancer Institut. Numa carta datada de 20 de janeiro de 1986 ao professor Pierre Joliot, conselheiro científico junto ao primeiro-ministro, Crozemarie faz referência a entrevistas com Vincent De Vita e Peter Fischinger, duas sumidades do NCI:

> Senhor professor,
>
> Dando prosseguimento ao nosso simpático jantar em que estava presente o professor De Vita, o professor Peter Fischinger telefonou-me em 14 de janeiro e pediu-me que lhe entregasse a mensagem seguinte. Ele se propõe:
>
> – a facilitar ao máximo a aceitação rápida no mercado americano do teste Elavia do Pasteur "Genetic System" [empresa licenciada pelo Instituto nos Estados Unidos] para o diagnóstico dos indivíduos expostos ao vírus da Aids. Segundo o professor Fischinger, os bancos de sangue americanos manifestaram grande interesse por esse teste que, se fosse vendido a um preço competitivo e confirmasse sua superioridade, teria acesso ao mercado americano;
>
> – em contrapartida, o Instituto Pasteur renunciaria à pretensão de receber *royalties* sobre a totalidade dos testes de diagnóstico para a Aids, colocados no mercado pelas empresas americanas em 1986 (Dupont, Abbott etc.)...
>
> O professor Peter Fisching parecia desejoso de obter uma pronta resposta telefônica.

Finalmente, seria necessário mais do que um telefonema para pôr um fim à guerra das patentes. A lança da guerra será enterrada de maneira bem política, por um acordo entre os NIH e o Instituto Pasteur, solenemente ratificado em 31 de março de 1987 por Jacques Chirac, então primeiro-ministro, e Ronald Reagan. Ao termo desse acordo, as duas patentes são unidas, tornando Gallo um dos inventores da patente de Montagnier e vice-versa. O Pasteur e o NIH conservam cada um 20% dos *royalties* depositados pelas empresas que licenciaram, indo o resto para uma Fundação Franco-Americana para a Aids. Essa

Fundação consagrará 25% de seus fundos para apoiar a pesquisa no Terceiro Mundo; os 75% restantes serão divididos em duas partes iguais, cabendo uma ao Pasteur e outra aos NIH. *Grosso modo*, isso equivale a uma divisão 50/50, o que o Instituo francês solicitava em 1985. Foram necessários dois anos de batalhas jurídicas e polêmicas para chegar a isso. Sobretudo, essa guerra das patentes contribuiu para um desastre sanitário, aquilo que o jornal francês *Le Canard Enchaîné* chamará de "distribuição paga da Aids aos hemofílicos"[34] – à qual se acrescenta a distribuição gratuita e nitidamente mais ampla do vírus aos necessitados de transfusão. Essa "derrota da saúde pública",[35] para retomar o título de um importante ensaio de Aquino Morelle, faz hoje parecer derrisórias as querelas de prioridade sobre a descoberta do vírus e sobre as patentes.

A Aids e o sangue

Na primavera de 1991, os franceses descobrem estupefatos que em 1985 o Centro Nacional de Transfusão Sanguínea (CNTS) distribuiu conscientemente lotes de produtos anti-hemofílicos contaminados a 100% pelo vírus da Aids. O relatório confidencial de uma reunião realizada em 29 de maio de 1985 no CNTS reconhece isso explicitamente. Esse relatório, revelado em 25 de abril por Anne-Marie Casteret, jornalista do *L'Événement du Jeudi*, é acompanhado de outros esmagadores documentos para os dirigentes do CNTS. Em 1992, o "processo do sangue contaminado" termina em 23 de outubro com a condenação a quatro anos de prisão do Dr. Michel Garretta, diretor do CNTS em 1985. Seu colaborador, o Dr. Jean-Pierre Allain, é condenado a dois

34 *Le Canard Enchaîné*, 8 de maio de 1991.
35 Aquilino Morelle, *La défaite de la santé publique*, Paris: Flammarion, 1996.

anos de prisão fechada e dois anos com *sursis*; o professor Jacques Roux, diretor-geral da Saúde, a dois anos com *sursis*; o Dr. Robert Netter, diretor do Laboratório Nacional da Saúde, é absolvido. Em 13 de julho de 1993, a corte de apelação de Paris confirmará no essencial esse julgamento. Em 1999, ocorrerá o processo da Corte de Justiça da República contra os ministros Laurent Fabius, Georgina Dufoix e Edmond Hervé, que se concluirá com a absolvição dos dois primeiros e a condenação "formal" do terceiro – "isento" de penalidade embora reconhecido como culpado de negligência. Um quarto processo deveria em princípio ocorrer em 2001, a fim de julgar a questão do atraso da análise.

Essa cascata de processos parece desconcertante para o leitor não iniciado nos arcanos do caso do sangue. Ele foi descrito por alguns como característico da fúria judiciária, mas seria mais exato ver aí o resultado de uma "aglutinação" do caso: por um conjunto de razões jurídicas cuja análise sai do quadro desta lição, não foi possível tratar num só processo o conjunto das responsabilidades implicadas no drama dos hemofílicos e dos pacientes de transfusão. Cumpre sublinhar que esses dois problemas estão estreitamente ligados, embora os meandros do processo tenham levado a separá-los judicialmente: os produtos anti-hemofílicos são preparados a partir de doações de sangue, de modo que detectar as doações soropositivas permite proteger ao mesmo tempo os hemofílicos e os pacientes que recebem transfusões.

Focalizaremos aqui a questão dos testes e as razões que levaram a um atraso na implantação da análise sistemática das doações de sangue na França. Na primavera de 1985, o teste americano Abbott está pronto para ser comercializado na França, mas não o teste do Instituto Pasteur. A detecção sistemática só foi instaurada em julho-agosto. Pode-se calcular que sem esse atraso teria sido possível evitar a contaminação de um número de transfusões que iria de várias centenas a um milhar, e limitar a contaminação dos hemofílicos. É muito difícil conhecer os números exatos, por causa da não reconvocação dos pacientes e da maneira muito particular como o CNTS contabilizou os hemofílicos atingidos pelo vírus. Sobre o problema específico dos hemofílicos, remeto o leitor para a investigação de Anne-Marie Casteret, *O caso do sangue*, livro exemplar do que pode ser o jornalismo de investigação quando é praticado com coragem e perspicácia.[36]

No que se refere aos pacientes de transfusão e aos receptores de enxertos, o Centro Europeu para a Vigilância Epidemiológica da Aids indica, em 31 de março de 1992, um total acumulado de 1.115 casos de Aids na França, 167 na Alemanha Federal, 187 na Itália, 160 na Espanha e 78 no Reino Unido. De acordo com esses números, a França em 1992 conta com quase um milhar de contaminações a mais que os países comparados. Em 2000, o número total de pessoas contaminadas por transfusão é avaliado entre quatro mil e seis mil. Essa trágica exceção francesa poderia ter sido evitada ou fortemente atenuada se os testes fossem utilizados mais cedo. Ora, como vamos ver, o atraso dos testes é em grande parte uma consequência da guerra das patentes entre o NIH e o Instituto Pasteur. Existe, portanto, um vínculo direto, embora mal conhecido, entre a polêmica Gallo-Montagnier, que ocupou o centro do palco, e as batalhas de bastidores para a supremacia industrial.

É importante que eu esclareça aqui minha posição. Meu propósito não é julgar os atores do caso do sangue, muito menos refazer no papel os processos do sangue, mas informar o mais exatamente possível. Sou jornalista, não procurador de justiça. Como já sublinhei neste livro, a separação dos poderes é uma condição da democracia – em particular a distinção entre o papel da justiça e o da mídia. Como jornalista científico e como simples cidadão, fui desde o início uma testemunha atenta das

---

36 Anne-Marie Casteret, *L'affaire du sang*, Paris: La Découverte, 1992.

polêmicas ligadas à Aids e ao sangue contaminado. Encontrei seus protagonistas. Assisti aos debates dos três processos. Em quinze anos, reuni milhares de páginas de documentos públicos ou confidenciais sobre o assunto e escrevi dezenas de artigos para o *L'Événement du Jeudi*, depois para o *Le Nouvel Observateur*. Pude constatar que o HIV, além de seus efeitos patogênicos, era também um poderoso agente de desinformação e de reescritura falsificada da história, disciplina na qual Robert Gallo certamente não é, por uma vez, o campeão inconteste.

Um dos empreendimentos de desinformação mais persistentes referentes ao sangue contaminado visa propagar a ideia de que não teria havido atraso dos testes, em todo caso não um atraso provocado, e que de qualquer maneira uma detecção mais precoce não teria mudado muita coisa. O argumento central consiste em dizer que o verdadeiro problema não era a detecção, mas o fato de terem sido praticadas coletas de sangue junto a doadores de risco – notadamente nas prisões. Essa tese foi de início defendida pelos advogados de Garretta, Roux, Allain e Netter. Em seguida, ela foi amplamente divulgada fora dos tribunais. Ela é desenvolvida principalmente pelo sociólogo Michel Setbon, autor de *Poderes contra Aids*.[37] Segundo Setbon, "a seleção dos doadores não foi praticada, ou o foi de maneira totalmente insuficiente e ineficaz", enquanto essa era a "única medida técnica adaptada para reduzir o risco de contaminação dos receptores".

O mesmo tema é retomado num artigo dos sociólogos Patrick Champagne e Dominique Marchetti[38] publicado em 1994 pela revista de Pierre Bourdieu, *Actes de la Recherche en Sciences*

37 Michel Setbon, *Pouvoirs contre sida. De la transfusion sanguine au dépistage: décision et pratiques en France, Grande-Bretagne et Suède*, Paris: Seuil, 1993.

38 Patrick Champagne & Dominique Marchetti, "L'information médicale sous contrainte. À propos du 'scandale du sang contaminé'", *Actes de la Recherche en Sciences Sociales*, n.101-2, p.40-62, março de 1994.

Sociales. Esse artigo não trata somente do caso em si, mas de sua cobertura pela imprensa; ele sugere que o "escândalo do sangue" foi lançado no início de 1989 pela imprensa de extrema direita, e ampliado em seguida pela "grande imprensa", a fim de vender jornal ou por razões de concorrência. O único jornal que merece perdão aos olhos de Champagne e Marchetti é o *Le Monde*. Coincidência: os dois cronistas do jornal da tarde, Jean-Yves Nau e Frank Nouchi, insistiram fortemente sobre o problema da triagem dos doadores e das coletas nas prisões, dentro de um espírito próximo ao livro de Setbon e da defesa dos acusados. Após a publicação do artigo de Champagne e Marchetti, uma carta aberta coletiva foi endereçada a Pierre Bourdieu por treze jornalistas, entre os quais Anne-Marie Casteret e eu próprio. "Esse texto nos parece tão gravemente contrário à realidade que nós não podemos permanecer em silêncio",[39] escrevíamos nós. A carta lembrava que o primeiro artigo sobre o

---

39 Os signatários eram: Béatrice Bantman (*Libération*), Hélène Cardin (*France-Inter*), Anne-Marie Casteret (*L'Événement du Jeudi*), Corinne Denis (*L'Express*), Alain Guédé (*Le Canard Enchaîné*), Annie Kouchner (*L'Express*), Hélène Molière (*Europe I*), Jean-Luc Nothias (*Le Figaro*), Françoise Parinaud (*RTL*), Anne-Pierre Noël (*Canal Plus*), Vincent Olivier (*Le Parisien*), Michel de Pracontal (*Le Nouvel Observateur*), Jérôme Strazulla (*Le Figaro*). Único ausente de prestígio entre os jornais da imprensa escrita nacional: *Le Monde*. Não por acaso. Ao longo de todo o caso do sangue, Jean-Yves Nau e Franck Nouchi, cronistas médicos desse diário, publicaram regularmente artigos cuja orientação consistia em atenuar a responsabilidade de Garretta e consortes, ou a insistir sobre temas paralelos certamente interessantes, mas sem grande relação com o núcleo do assunto. Certamente que as escolhas sectárias de dois de seus jornalistas não comprometem a redação do *Le Monde* em seu todo, mas é claro que, nesse caso preciso, eles tiveram um peso importante: as crônicas judiciárias, redigidas por outros jornalistas, não seguiam a mesma linha, mas dificilmente podiam equilibrar uma informação médica orientada.

No estudo de Champagne e Marchetti, os dois sociólogos publicados por Bourdieu, essa orientação sectária torna-se o cânone da objetividade, enquanto os artigos do resto da imprensa são apresentados como exageros de

sangue contaminado foi publicado em dezembro de 1987 por *L'Express* e o primeiro documento inédito, em abril de 1989 por *Le Canard Enchaîné*. O caso só ganhou uma amplitude midiática importante após as revelações de *L'Événement du Jeudi* na primavera de 1991. Pierre Bourdieu não julgou necessário responder-nos.

Em 1999, às vésperas do processo do sangue, três livros pleiteando a favor dos ministros aparecem quase simultaneamente: *Le sang, la justice, la politique* [*O sangue, a justiça, a política*],[40] da filósofa Blandine Kriegel; *Le sang contaminé* [*O sangue contamina-*

---

jornalistas ávidos por publicar furos e causar embaraços ao *Le Monde*. Essa tese é errônea, e o fato de *Le Monde* ter, a justo título, uma reputação de credibilidade não significa que tudo o que ele publica deva ser considerado *a priori* como o *nec plus ultra* da informação.

Outra análise do papel da mídia no caso do sangue é proposta por Monika Steffen, pesquisadora do CNRS e do Cerat de Grenoble, num livro coletivo americano que compara os casos do sangue em diferentes países (*Blood Feuds, AIDS, Blooc, and the Politics of Medical Disaster,* New York e Oxford: Oxford University Press, 1999). Monika Steffen escreve: "O escândalo do sangue que emergiu em 1991 foi moldado [*shaped*] por uma verdadeira guerra da imprensa que forneceu as bases de uma nova espécie de jornalismo científico... O caso ofereceu a jovens jornalistas a oportunidade de afirmar-se [*to assert themselves*] numa esfera profissional altamente competitiva". É muito agradável encontrar-se de repente na pele de um jovem lobo de dentes afiados, mas francamente, aos 46 anos e após 22 anos de profissão, julgo não ser mais totalmente novato, tanto quanto Anne-Marie Casteret ou, pelo que sei, nenhum dos "jovens jornalistas" que publicaram furos ou documentos inéditos sobre o sangue contaminado. Talvez Monika Steffen queira dizer que nós permanecemos muito jovens de espírito... Ou ela pensa que a redação do *Le Monde* é formada por centenários? Certamente que a crítica sociológica das mídias na França faria progressos se nossos pesquisadores conhecessem um pouco os jornais (e aqueles que os fazem) sobre os quais eles teorizam.

40 Blandine Kriegel, *Le sang, la justice, la politique*, Paris: Plon, 1999. Numa apresentação muito tendenciosa dos fatos, esse livro retoma aquela ladainha segundo a qual o caso do sangue seria um "escândalo" criado pela imprensa de extrema direita, neste caso *Minute*, e retomado por Anne-Marie Casteret. Para a filósofa, foi "a fúria da mídia que deu origem à acusação dos responsáveis políticos" e foi "*Minute*, sim *Minute*, que deu origem a essa fúria". Além do desprezo à verdade atestado por Blandine

do],[41] do jurista Olivier Beaud; e *La vie est une maladie sexuellement transmissible et constamment mortelle* [*A vida é uma doença sexualmente transmissível e constantemente mortal*],[42] de Willy Rozenbaum. Se os dois primeiros autores até então não se distinguiram por seu conhecimento do dossiê, Rozenbaum, por sua vez, é um especialista inconteste. Os três, com algumas variantes, afirmam, como Michel Setbon, que o debate sobre a detecção é marginal. "Cerca de 90% das contaminações ocorreram antes da implantação [do teste de detecção]", explica Setbon, citado em *Le Nouvel Observateur*:[43]

> Porque os atores da transfusão médica não souberam, não puderam ou não quiseram selecionar os doadores. Como todo o conjunto da profissão médica, eles não avaliaram a extensão da epidemia, superestimaram o poder da biologia, esperando um teste que, pensavam eles, iria resolver tudo. Ao passo que o teste produz apenas uma melhoria da capacidade de redução do risco, sem suprimi-lo totalmente. Fixar-se agora num suposto atraso da detecção é como se, depois de um incêndio criminoso, alguém julgasse os bombeiros culpados por não terem agido mais rápido, em lugar de procurar os incendiários.

Essa defesa do bombeiro irresponsável, se não piromaníaco, não deixa de ter alguma graça. Certamente a má seleção dos doadores é a causa inicial da presença de doações contaminadas. Mas se o teste permitiria eliminar um grande número dessas doações, não utilizá-lo era equivalente à atitude de um

---

Kriegel, é de espantar, vindo de uma especialista em questões de Estado e de Direito, o pouco caso que ela faz de um processo decidido soberanamente pela justiça francesa, e não, ao que se saiba, pelos jornalistas, mesmo que fossem os de *Minute*...

41 Olivier Beaud, *Le sang contaminé*, Paris: PUF, 1999.

42 Willy Rozenbaum, *La vie est une maladie sexuellement transmissible et constamment mortelle*, Paris: Stock, 1999.

43 *Le Nouvel Observateur*, n.1787, 4-10 de fevereiro de 1999.

bombeiro que observasse uma casa queimando de braços cruzados, a pretexto de que não foi ele que ateou o fogo!

É bem verdade que para Setbon e para aqueles que compartilham suas ideias a detecção não teria sido de grande ajuda em 1985, porque os testes não constituiriam um filtro eficaz. Esquematicamente, podemos decompor em quatro pontos os argumentos que fundamentam a tese segundo a qual o problema dos testes é secundário no caso do sangue: 1) o risco da transfusão teria sido mal avaliado em 1985; 2) não teria havido intervenção ativa para atrasar a detecção; 3) o teste Abbott não teria sido confiável na primavera de 1985; 4) uma detecção precoce não mudaria nada. Esses quatro pontos se articulam sobre o tema constante das "incertezas científicas da época": seria preciso evitar observar os atores de 1985 com os olhos de 1990, 1995 ou 2000, já que o conhecimento sobre a Aids progrediu de tal modo que aquilo que parece evidente dez ou quinze anos mais tarde absolutamente não o era no momento dos fatos.

Só que, quando se mergulha no contexto da época, com o apoio de documentos, esses quatro pontos se revelam como contraverdades. Vejamos por quê.

1976-1983: a vacina contra a hepatite B

Para compreender bem em que circunstâncias o Instituto Pasteur enfrentou o problema dos testes, voltemos a quase uma década antes de 1985. Em maio de 1976, Jacques Monod, diretor do Instituto Pasteur, contrata Paul Prunet para a direção científica do Institut Pasteur Productions (IPP), ramo industrial do Pasteur, do qual Sanofi, filial de Elf-Aquitaine, detém 30%. Monod encarrega Prunet de supervisionar o desenvolvimento da vacina contra a hepatite B, recém-inventada por um médico de Tours, Jacques Maupas. Na época, havia, portanto, uma matriz, o Instituto Pasteur "Fundação" (IPF) e o Instituto Pasteur

"Produções" (IPP). Em 1984, a parte do diagnóstico do IPP se tornará Diagnósticos Pasteur e ficará com Sanofi, enquanto a parte da vacina ficará ligada a Mérieux.

A fim de definir os critérios de qualidade da vacina, Paul Prunet entra em contato, no Laboratório Nacional da Saúde (LNS), com o Dr. Robert Netter – o mesmo que em 1992 será um dos acusados no processo do sangue. Embora não haja problema de Aids em 1976, a noção de risco ligado a vírus contaminadores está bem presente. É com os virólogos do Pasteur, Luc Montagnier e Jean-Claude Chermann, que Netter organiza as primeiras reuniões. Ele tomará uma iniciativa "premonitória": tendo ouvido falar da descoberta do primeiro retrovírus humano, o HTLV, feita por um tal Robert Gallo, ele pede que se verifique em cada plasma a ausência de transcriptase inversa, a enzima específica dos retrovírus. Françoise Barré-Sinoussi, colaboradora de Jean-Claude Chermann, é enviada ao laboratório de Robert Gallo para aprender as técnicas adequadas. Em 1983, esse conhecimento lhe permitirá isolar o primeiro vírus da Aids, o "LAV".

"Lembro-me de que, antes de 1981, Jean-Claude Chermann tinha encontrado dois plasmas de origem francesa que tinham dado resposta positiva à transcriptase inversa", escreve Paul Prunet.[44] "Conforme as instruções do Laboratório Nacional da Saúde, essas amostras tinham sido destruídas... Tínhamos talvez aí as primeiras amostras HIV-positivas [ou seja, infectadas pelo vírus da Aids], o que não seria surpreendente, já que a investigação realizada *a posteriori* sobre soros de franceses colhidos entre 1974 e 1982 revelou seis soropositivos HIV, tendo quatro dessas pessoas viajado à África."

Paul Prunet evoca uma campanha de imprensa lançada em junho de 1983 pelos jornais *Libération* e *Le Monde* questionando

44 Paul Prunet, op. cit.

a segurança da vacina contra a hepatite B do Pasteur, preparada a partir de plasmas americanos importados. A descoberta do LAV acaba de ser anunciada, e a imprensa especula um risco de transmissão da Aids pelos plasmas estrangeiros. Segundo Prunet, essa campanha foi "teleguiada de dentro do próprio IPP" por um médico que se achava em conflito com o Instituto. Prunet insiste sobre a "forte convicção", compartilhada por ele e seus colegas, de que a vacina era segura:

> Nós sabíamos que, com exceção da hepatite B, os plasmas dos doadores franceses e estrangeiros podiam ser contaminados por outros vírus ... O aparecimento de um novo contaminador potencial não mudava nada para nós, já que tínhamos conservado a hipótese do contaminador plausível e provável.

Em outros termos, ele julgava que o possível aparecimento de um novo vírus tinha sido levado em conta.

Depois Prunet chega à Aids:

> A hepatite B nos levou indiretamente à tecnologia retroviral, e o vírus dessa doença compartilha com o vírus da Aids os pontos comuns de uma doença sexualmente transmissível, cuja extensão é assegurada e sobretudo agravada pela multiplicação de parceiros sexuais, pelo uso de drogas injetáveis e as transfusões sanguíneas de produtos derivados do sangue. Pode-se perguntar como o Laboratório Nacional da Saúde (LNS), que tinha tido iniciativas premonitórias e exigências muito fortes quanto à vacina da hepatite B, não tenha imposto as mesmas precauções para os derivados do sangue, e vejo com pesar o Dr. Netter envolvido naquilo que se convencionou chamar o escândalo do sangue.

E Prunet aperta mais o parafuso:

> Desde 1983, não pode ser invocado um desconhecimento da natureza e da gravidade do risco de contaminação, e, por sinal, a campanha de imprensa contra a vacina da hepatite B é uma

prova da ampla difusão de informação concernente a esse risco. Curiosamente, nenhum dos jornalistas que atacavam assim um produto e uma organização industrial se propôs seriamente a investigar sobre os produtos da transfusão sanguínea.

Agosto de 1983: Montagnier prega no deserto

O testemunho de Paul Prunet não é o único elemento que mostra que o risco de transfusão é percebido pelos especialistas franceses em 1983. Segundo o relatório de uma reunião do grupo de trabalho de 19 de maio de 1983, presidida por Jean-Baptiste Brunet, o epidemiologista da Aids, "a identificação ideal dos doadores de risco passaria certamente pela colocação em evidência de marcadores específicos da Aids nos produtos sanguíneos", vale dizer, um teste de detecção.

Por seu lado, o professor Montagnier, em 26 de agosto de 1983, escreve ao diretor-geral da Saúde, Jacques Roux, assim como ao primeiro-ministro Pierre Mauroy. Eis aqui uma passagem da carta a este último:

> Um novo vírus foi isolado em meu laboratório do Instituto Pasteur, a partir de vários doentes portadores de Aids, em particular uma criança hemofílica que tinha recebido unicamente preparações de fatores anti-hemofílicos efetuadas na França a partir de plasma de doadores de sangue. Isso implica que o vírus pode ser transmitido pelo sangue e seus derivados, mas outras vias de transmissão mais banais não podem ser excluídas.

Montagnier acrescenta:

> O problema do desenvolvimento de aplicações médicas desses trabalhos coloca-se desde já. Podemos produzir rapidamente vírus em quantidade suficiente para permitir a elaboração de reativos seguros de diagnóstico e de prevenção, notadamente no caso dos doadores de sangue e das populações de alto risco.

Três dias depois, Montagnier escreve no mesmo sentido a Philippe Lazar, diretor-geral do Inserm:

> Pudemos elaborar um teste Elisa de detecção dos anticorpos sorológicos contra esse vírus, e, graças a esse teste, mostramos que uma grande proporção dos doentes atacados de linfadenopatias ou de Aids está infectada por esse vírus, enquanto a população testemunha (pessoal de laboratório) está indene. Embora a prova formal de que esse vírus esteja implicado na Aids não possa ainda ser apresentada, os dados fragmentários que acabo de lhe resumir brevemente autorizam-me a considerar esse vírus como potencialmente perigoso para o homem e alertar as autoridades responsáveis sobre o interesse que haveria para a França em desenvolver rapidamente meios de diagnóstico e de prevenção contra a disseminação desse vírus.[45]

Montagnier deseja verbas, em particular para construir um laboratório de alta segurança chamado P3, a fim de desenvolver o teste. Mas o professor prega no deserto. Os meios científicos não o levam a sério. As provas do papel causal do LAV na Aids ainda são frágeis. E a direção do Pasteur, assim como sua filial industrial IPP, arrasta os pés. "Convencido da realidade da descoberta pasteuriana, defendi vigorosamente sua causa junto à direção do [Pasteur] para que lhes desse mais meios ...", escreve Paul Prunet. "Foi em vão, a hipótese retroviral para uma doença que atacava de início a comunidade homossexual não era levada a sério pelo diretor do IPF e, de fato, foi preciso esperar até fins de 1983, e sobretudo as publicações de R. Gallo em 1984 (março) para que a direção do IPF reconhecesse essa descoberta feita dentro de seus muros."

Sem comentários.

45 O texto completo dessa carta está reproduzido no livro de Michel Massenet, *La transmission administrative du sida*, Paris: Albin Michel, 1992.

Junho-outubro de 1984: quatro meses perdidos no Pasteur

Em abril de 1984, enquanto Bob Gallo diverte a plateia, tem início uma competição discreta e sem trégua entre industriais. Em jogo: o enorme mercado dos testes de detecção. No início de maio, os NIH lançam um edital de concorrência. Cinco empresas são selecionadas, entre as quais o gigante Abbott e a sociedade Organon. Do lado francês, o único concorrente é o IPP – que se torna Diagnostics Pasteur. Até então, os pasteurianos só produziram vírus com culturas de células provenientes de sangue fresco. O problema de encontrar uma linhagem contínua é posto com acuidade. Jean-François Delagneau, da direção científica do IPP, o menciona numa nota datada de 10 de abril de 1984 ao seu superior hierárquico, Christian Policard: "[É] primordial chegar à elaboração de um sistema de produção do vírus ... já que a produção com leucócitos humanos é laboriosa e dificilmente extrapolável para as necessidades da indústria... Montagnier [deveria] tentar encontrar uma linhagem contínua para a produção". Delagneau preocupa-se também com uma "eventual colaboração que L. Montagnier poderia estabelecer com R. Gallo"...

Gallo envia a Montagnier a linhagem H9 em maio. O pesquisador pasteuriano recebeu igualmente, certamente antes, a linhagem CEM de Robin Weiss. Montagnier possui uma terceira linhagem, 100% francesa, que mandou patentear (n.840.509). Esta não é constituída de células T, as hospedeiras naturais do HIV, mas de células B, adaptadas para abrigar o vírus. Ela se revelará inutilizável.

Pasteur detém, portanto, quase ao mesmo tempo que Abbott, duas linhagens celulares que podem com certeza levar ao desenvolvimento de um teste. Mas ambas colocam problemas de propriedade industrial. Para utilizar a linhagem H9, Pasteur deveria negociar com Gallo e os NIH, o que parece pouco provável depois do 23 de abril. Durante algumas semanas, Montagnier e Chermann acariciam a ideia de recorrer à linhagem CEM de Robin Weiss. Em 15 de junho, eles escrevem ao pesquisador britânico e lhe indicam que sua linhagem é agora utilizável para uma passagem para o estágio industrial (*"of potential use for medical and industrial application"*). Eles lhe propõem um acordo para uma patente comum, acordo que lhe deve ser submetido no prazo de um mês. Robin Weiss não mais ouvirá falar desse projeto durante mais de um ano.

Após reflexão, Montagnier e o IPP decidem trabalhar com a linhagem B, patenteada por Montagnier. Não será um sucesso, como demonstram os documentos internos que retraçam a atividade do "Comitê técnico Aids", de Diagnostics Pasteur-IPP. Eis aqui alguns fragmentos significativos.

Relatório da reunião do Comitê científico Aids de 4 de junho, assinado por Marc Girard (direção científica):

> A equipe Aids que trabalhará no P-3 [laboratório de alta segurança] dependerá de Mr. Girard, mas será colocada sob as ordens de Mr. Montagnier para o trabalho cotidiano ... Mr. Mongnier expõe as vantagens das diversas linhagens de culturas de células de que dispõe... As duas linhagens mais interessantes seriam uma linhagem EVB [a de Montagnier] e uma linhagem pré-T [a de Robin Weiss]. A primeira é menos boa produtora... *O problema da propriedade industrial da linhagem pré-T está por regulamentar*. [grifo meu]

Relatório da reunião do Comitê técnico da Aids de 20 de junho, sempre assinado por Marc Girard:

> Como ainda pesam algumas incertezas sobre a linhagem T, é sugerido concentrar-se sobre a linhagem BJAB-B95 (isto é, a linhagem B].

Nota (em inglês) de Jean-François Delagneau, datada de 28 de setembro:

> Até agora, só as linhagens de células B foram minuciosamente testadas para a produção (clones BJAB-B95, 35,17,5). Em suma, nenhum dos clones se revelou adequado para aumentar a produção [*none of the clones has been proved to be convenient to scale up the production*]... Estão em curso ensaios com linhagens T (CEM, de ATCC, e MOLT, de Novo, na Dinamarca).

Eis aí de novo a linhagem CEM, mas não é mais a de Robin Weiss. ATCC é um órgão americano onde são depositadas as linhagens celulares elaboradas e utilizadas pelos biólogos. De maneira clara, o IPP obteve um novo exemplar da linhagem CEM junto a ATCC para não ter que passar por Robin Weiss...

Relatório do Comitê técnico de 9 de outubro (assinado por Delagneau):

> Decisões: suspensão dos ensaios sobre BJAB B95 (em Marnes e no P3), início da produção do LAV1 com célula CEM no P3... Enfim, Mr. Montagnier tentará isolar um clone "melhor produtor" a partir da linhagem CEM de origem.

Vamos resumir: durante quatro meses, entre junho e outubro de 1984, o IPP insistiu em vão em produzir vírus com a linhagem B de Montagnier, para finalmente voltar à linhagem CEM que estava disponível desde o início... No final, Abbott, que começou quase ao mesmo tempo que o Pasteur, estará no mercado com pelo menos três meses de avanço sobre seu concorrente francês. Este ainda só pode fornecer uma quantidade limitada de testes em 21 de junho, data do registro de seu teste pelo Laboratório Nacional da Saúde.

Por que substituíram a linhagem fornecida por Robert Weiss? Segundo Montagnier, ela estava contaminada por micoplasmas. Trata-se de bactérias muito polimórficas que têm o feio costume de contaminar as culturas celulares. Por que Montagnier simplesmente não pediu a Weiss que lhe fornecesse uma nova cultura, já que os dois pesquisadores estavam em colóquio com vistas a uma patente comum? Em 29 de janeiro de 1986, um Robin Weiss bastante contrariado escreve a Montagnier, enviando-lhe uma cópia de sua carta a François Jacob, Prêmio Nobel e a mais célebre personalidade do Instituto Pasteur. Weiss se diz *"disturbed"* por ter sabido que seu parceiro decidiu unilateralmente considerar seu projeto de acordo "obsoleto". Ele censura Montagnier por ter utilizado uma "propriedade intelectual sobre a qual o Instituto de Pesquisa sobre o Câncer de Londres tinha direitos" – explicitamente por ter se servido da linhagem CEM deixando-o de lado. Robin Weiss deixa entender que, aliando-se com ele, Montagnier poderia patentear a produção de vírus com linhagens contínuas antes de Gallo e o NIH.[46] Ele usa esta frase assassina: "A Aids é uma doença apavorante demais para permitir que um chauvinismo estreito nos guie na nossa luta contra ela".

No comment.

1985, o ano mortífero

No final de 1984, a inquietação aumenta nos centros de transfusão (CTS). Nessa época, e sejam quais forem as "incertezas científicas da época", é sabido que a Aids se transmite pelo sangue, que as transfusões comportam um risco e que o teste é um instrumento privilegiado para limitar esse risco. Entre os numerosos documentos, pode-se citar um comunicado à imprensa do Instituto Pasteur, datado de 26 de novembro de 1984, que resume as conclusões de um colóquio sobre a Aids organizado nos dias anteriores pela unidade de Montagnier e Chermann, colóquio que reuniu pesquisadores de todos os países da Comunidade Europeia, assim como dos Estados Unidos (CDC, NIH):

---

46 Eis a frase exata de Robin Weiss: *"Incidentally, we provided you with this intellectual property before the NIH in USA filed a patent claiming to cover production of HTLV-III and related viruses in established lines"*.

Um consenso dos especialistas presentes manifestou-se sobre os seguintes pontos:

1) Os dados epidemiológicos indicam uma progressão constante dos casos de Aids tanto nos Estados Unidos como na França e na África equatorial.

2) Os vírus LAV e HTLV-III são idênticos e considerados como a causa primária da doença.

3) Existe um número importante de portadores saudáveis do vírus que podem difundi-lo por transfusões ou utilização de produtos derivados do sangue, como os fatores anti-hemofílicos. O número desses portadores assintomáticos pode chegar a mais de dez vezes o número de doentes. Essa situação é preocupante e exige urgentes medidas de saúde pública que permitam a detecção desses portadores saudáveis no nível dos centros de transfusão.

4) Entre essas medidas, a elaboração de um teste de detecção sensível e seguro dos anticorpos contra o vírus é uma das primeiríssimas prioridades.

Difícil ser mais claro.

No CTS do Hospital Cochin, o Dr. François Pinon intenta analisar as doações de sangue utilizando testes fabricados no laboratório de Jacques Leibowitch, em Garches. Leibowitch deixou o grupo de trabalho em maio de 1983. Ele trabalhou em ligação com Gallo e domina a técnica dos testes. Pinon e Leibowitch testam duas mil doações em outubro, novembro e dezembro de 1984. Eles assinalam dez doadores soropositivos. Pinon, que entrevistei em 1999, indicou-me que lhes tinha submetido, como aos outros, o questionário destinado a descartar os doadores de risco. Ora, segundo o médico, nenhum dos dez indivíduos considerados soropositivos tinha declarado pertencer a um grupo de risco... Isso prova a eficácia da seleção dos doadores que, segundo Setbon, era a única medida adequada para reduzir a contaminação das doações de sangue.

Dez doadores entre dois mil, isso dá uma proporção de 0,5%. O cálculo mostra então que, no final de 1984, a transfusão é responsável, na região parisiense, por umas cinquenta contaminações por semana. Estendido a toda a França, o número seria da ordem de uma centena. François Pinon alerta seus colegas do Cochin. A direção-geral da Saúde é igualmente prevenida. Em 12 de março de 1985, Jean-Baptiste Brunet, o epidemiologista da Aids, que trabalha no Ministério da Saúde, escreve ao diretor da DGS, Jacques Roux: "Se a proporção de doadores LAV + encontrados na investigação do Cochin é representativa da situação parisiense (0,6%), é provável que todos os produtos sanguíneos preparados a partir de *pools* de doadores parisienses estejam atualmente contaminados".

Segundo Olivier Beaud, "em 1985, a questão de saber se era necessário proceder a uma detecção sistemática das doações de sangue não tinha o caráter de evidência que tem para nós hoje". Vimos, porém, que Montagnier e Brunet militavam em favor do teste desde 1983. Vejamos agora o que pensavam, em 1985, os responsáveis pela transfusão diretamente envolvidos. As citações que seguem são extraídas de documentos confidenciais do CNTS. Em março, este último criou um grupo de trabalho "Aids e transfusão", que inclui especialmente o Dr. Jean-Pierre Allain e a viróloga Anne-Marie Couroucé. O grupo se divide em três subgrupos: o de Anne-Marie Couroucé, cuja missão é avaliar os três testes existentes (Abbott, Organon e Diagnostics Pasteur), é intitulado "marcadores virais".

Relatório da reunião de 1º de abril do grupo Aids e transfusão, em presença de Jean-Pierre Allain, Françoise Barre, Jean-Claude Gluckman:

> O teste Elisa deve ser realizado antes de cada doação, seu resultado permite eliminar os positivos sem esperar um teste de confirmação ... Os falsos negativos não aparecem como um problema maior; é urgente, entretanto, associar ao Elisa anti-LAV um teste de detecção do antígeno viral utilizável em rotina.

Nota sobre a reunião anterior, datada de 2 de abril de 1985, comunicada a Anne-Marie Couroucé e Jean-Pierre Allain:

> A detecção sistemática de anticorpos a cada doação de sangue sobre o território francês é recomendada. A *performance* do "filtro interrogatório" é insuficiente: os doadores podem não declarar que pertencem a um grupo de risco ... A disponibilidade atual do teste compromete evidentemente a responsabilidade dos ETS (Estabelecimentos de Transfusão Sanguínea) em caso de Aids transmitida. A dimensão epidemiológica da Aids em seu conjunto e da Aids após transfusão ainda é imprevisível e a DGS considera a situação "muito séria".

A nota indica que na França arrolam-se 320 casos de Aids, entre os quais três hemofílicos e sete de transfusão.

Relatório da reunião do subgrupo "marcadores virais", em 2 de abril de 1985, em presença de Anne-Marie Couroucé, Christine Rouzioux, Jean-Claude Chermann:

> À questão preliminar: será oportuno pesquisar os anticorpos anti-LAV/HTLV-III em todos os doadores de sangue? A resposta foi sim por unanimidade e o conjunto dos participantes desejou que isso pudesse ser realizado o mais rapidamente possível.

Relatório das reuniões do subgrupo "marcadores virais", redigido por Anne-Marie Couroucé em 25 de abril:

> A necessidade de uma detecção sistemática dos anticorpos anti-LAV nos doadores de sangue foi manifestada por cada participante ... O grupo organizou um estudo visando avaliar as *performances* dos diferentes reativos imunoenzimáticos [isto é, testes Elisa] elaborados para essa detecção. *Essa avaliação deveria estar terminada no final de maio, mas o resultado dela não é necessário ao LNS para o registro dos dossiês e, portanto, para a comercialização dos reativos. Essa liberação de estojos no mercado deveria ocorrer antes de 15 de maio. O grupo espera então que o Ministério da Saúde tome uma*

posição bem rapidamente sobre a detecção dos anticorpos anti-LAV em transfusão a fim de que esta pesquisa sistemática sobre cada doação possa ser realizada antes do mês de julho. [o grifo é meu].

Por conseguinte, desde 2 de abril de 1985, os especialistas designados pelo CNTS não têm nenhuma dúvida sobre a necessidade de realizar uma detecção o mais rapidamente possível. Se os testes não são imediatamente utilizados, não é em razão de uma "incerteza" qualquer. Mas então por quê?

Em 2 de março, o teste Abbott é aprovado pela FDA, a Food and Drug Administration, e entra no mercado americano. Em 3 de março de 1985, Jean-Baptiste Brunet redige uma nota que menciona a investigação do Cochin e esclarece que "o momento de lançar esse tipo de campanha [a detecção sistemática] ainda não chegou", que o risco da transfusão "aparece, neste momento, na França, como muito fraco", e julga "um tanto surpreendente" o anúncio da autorização do Abbott nos Estados Unidos.

A partir desse momento, e enquanto a angústia aumenta entre os pacientes de transfusão, assistimos a uma corrida de lentidão. Uma constante se destaca do matagal de documentos administrativos: depois do registro do Abbott, o Pasteur empreende um *lobby* ativo para retardar a detecção. Tecnicamente, o teste pode ser implantado, pelo menos parcialmente, desde março ou abril de 1985. Mas o IPP é incapaz de produzir um número de estojos (batizados Elavia) suficiente para ocupar uma parte apreciável do mercado francês, etapa indispensável para obter a credibilidade necessária à exportação do teste.

Em 18 de março, Jean Weber, presidente do Diagnostics Pasteur, escreve ao secretário de Estado para a Saúde Edmond Hervé dizendo que sua empresa está em condições de entregar, a partir de 15 de abril de 1985, quarenta mil testes por mês para o mercado francês, e oitenta mil a partir de 1º de novembro. Uma detecção generalizada necessitaria de setenta mil testes por semana. Diagnostics Pasteur, portanto, só está em condições de responder a 14% das necessidades francesas em meados de abril e a 28% em 1º de novembro. Difícil considerar que o fabricante nacional está pronto. Luc Montagnier reconhece isso numa entrevista ao *Paris Match* de 27 de abril de 1985: os americanos "têm um longo avanço sobre nós, mas estamos na reta de chegada. Digamos que é um mau momento a passar para os receptores". Os receptores agradecem.

Até junho de 1985, o Diagnostics Pasteur é incapaz de fabricar um produto que satisfaça aos pacientes de transfusão, como atesta uma carta inédita de Anne-Marie Couroucé a Christian Policard, um dos dirigentes da empresa francesa:

> Eu queria lhe dizer que todos os participantes que *a priori* eram favoráveis à utilização de um estojo francês mostraram-se unânimes em não adotar o estojo Elavia, tal como ele é concebido hoje, para a detecção de seus doadores. Na verdade, esse estojo necessita de uma vez e meia a duas vezes mais tempo de trabalho do que os outros, não oferecendo nenhuma vantagem de especificidade. Compartilho inteiramente da opinião de meus colegas.

Na primavera de 1985, Anne-Marie Couroucé fez a perícia dos testes comercializados por Abbott:[47] num primeiro momento, ela não encontrou nenhum falso negativo (isto é, nenhuma amostra infectada que o teste teria deixado passar); num estudo mais avançado, ela chegou à taxa de 0,8%. Dito de maneira explícita, esse teste tão desacreditado teria retido pelo menos 99 doações soropositivas em 100. É melhor do que nada. Isso para a afirmação de que o teste Abbott não era confiável!

Já em 19 de março de 1985, um documento oficial afirma, aliás, que o teste Abbott é utilizável. Emanado do Laboratório

---

47 Anne-Marie Couroucé et al., "Evaluation de trois trousses immunoenzymatiques de dépistage des anticorps anti-LAV", *Revue Française de Transfusion et d'Immuno-hématologie*, t.28, n.4, 1985. Ver também *Annales de L'Institut Pasteur*, 1987, v.138, p.61-6.

Nacional da Saúde, ele é assinado pelo Dr. Guillem e traz a menção "RAS, Atestação definitiva". Algumas manobras dilatórias se desenvolvem então no terreno administrativo para impedir que o Laboratório Nacional da Saúde registre o teste americano. Em 25 de abril, Robert Netter escreve a Claude Weissberg, conselheiro de Edmond Hervé, para propor-lhe "conceder ao Instituto Pasteur um registro imediato, e de adiamento para a empresa Abbott até 13 de maio de 1985". Proposta recusada.

Jean Weber, o chefe do Diagnostics Pasteur – que afirmará sob juramento, no processo de 1992, que sua empresa estava pronta –, esforça-se para retardar não apenas o teste Abbott, mas seu próprio produto. Fragmento de uma nota endereçada em 26 de abril a François Gros, pasteuriano muito influente, que em 1985 é conselheiro científico do primeiro-ministro: "Nessas condições, uma aprovação rápida dos dois testes Abbott e Pasteur na França seria particularmente perigosa para os interesses nacionais em seu conjunto", principalmente porque "a introdução do Abbott nos centros de transfusão lhe permitiria retirar da ordem de 80% do mercado francês, expulsando assim o produtor nacional do seu mercado doméstico e fazendo-o perder uma referência indispensável para a exportação".

Em 30 de abril, o Dr. Leblanc, do LNS, está prestes a autorizar o teste do Pasteur, o que é lógico se considerarmos que o objetivo é de comercializá-lo. Jean Weber tenta mobilizar o ministério a serviço dessa empreitada paradoxal: adiar a autorização do seu próprio teste! Ele escreve a Claude Weissberg: "Hoje de manhã, falei longamente ao telefone com o Dr. Leblanc, que estava prestes a autorizar nosso teste hoje. Pedi-lhe para adiar, mas uma tomada de posição do Ministério é indispensável. Como podemos mobilizar os esforços sobre a questão?".

Em 9 de maio de 1985, uma reunião interministerial dedicada à Aids por transfusão e à detecção realiza-se sob a presidência de François Gros. François de Beaupuis, conselheiro técnico do Ministério da Economia, Finanças e Orçamento, participa dela. Suas notas manuscritas são significativas da mensagem transmitida pelos especialistas: "Quatro casos de Aids pós-transfusão... Não se justifica do ponto de vista da saúde pública... Industrialmente nenhuma urgência... Pasteur não pode fabricar... Vários milhares de testes Abbott (11 francos) gratuitos...". O relatório da reunião de 9 de maio exprime dois pontos de vista contraditórios: por um lado, menciona o risco das transfusões já avaliadas há seis meses por Pinon e Leibowitch; por outro, o texto descreve a decisão de detectar como ligada sobretudo à oportunidade industrial e midiática:

> São razões que explicam que será talvez necessário proceder à generalização dos testes a prazo. Nesse momento, se não se tomou a precaução de reservar o mercado dos centros de transfusão sanguínea ao teste elaborado por Diagnostics Pasteur, proceder-se-á à generalização do teste americano que já está bem implantado nos centros.

Em 22 de maio deve ser realizado em Bordeaux o Congresso de Hematologia, em presença de Edmond Hervé, secretário de Estado para a Saúde. Os receptores de transfusão, como a Associação Francesa dos Hemofílicos, esperam que Hervé anuncie a implantação da detecção das doações de sangue. Hervé preparou essa comunicação. No último instante, ele recebe um telefonema de François Gros que lhe pede que não o faça. É somente em 19 de junho de 1985 que o primeiro-ministro Laurent Fabius anuncia, na Assembleia Nacional, a próxima detecção sistemática das doações de sangue. Sem compromisso de data.

Em 27 de junho de 1985, numa nota a Claude Weissberg, o Dr. Robert Netter expõe a situação do teste Pasteur nos Estados Unidos, e observa: "Segundo minhas informações, quase 100% dos laboratórios da AP [Assistência Pública] reclamam o reativo Abbott, daí o interesse em adiar a autorização até mais ou menos 4-8 de julho para permitir que o IP [Instituto Pasteur] obtenha uma parte do mercado a partir de 1º de julho".

Em 5 de julho, François Gros escreve a Louis Schweitzer, chefe de gabinete de Laurent Fabius:

> O primeiro-ministro desejou que zelássemos cuidadosamente pelos interesses da França em matéria de exploração do novo teste de detecção da Aids, tanto no plano da saúde pública, é evidente, como da comercialização no exterior pelo Instituto Pasteur e pela Sanofi. Ora, como já tive a ocasião de ressaltar, a batalha das patentes acaba de começar de maneira muito brutal...

François Gros explida que o NIH e Robert Gallo acabam de obter sua patente nos Estados Unidos, enquanto a solicitação do Pasteur ainda está em estágio de exame, e que "se essa patente NIH-Gallo não for atacada ... isso pode arruinar definitivamente ... qualquer exploração do *kit* de detecção" do Instituto Pasteur. E mais ainda, "os serviços públicos como a Assistência Pública de Paris tiveram a indelicadeza de encomendar todos os seus testes ao Abbott, gesto que pessoalmente acho muito duvidoso". Uma anotação manuscrita de Louis Schweitzer completa o discurso: "Escandaloso. Isso foi corrigido, felizmente".

Para os encarregados da decisão de 1985, o verdadeiro escândalo era a compra de testes americanos pela Assistência Pública. O que mais dizer, senão que os Estados Unidos, que não dispunham de espíritos tão brilhantes como Jean-Baptiste Brunet, François Gros, Louis Schweitzer, Jean Weber ou Claude Weisselberg, limitaram-se estupidamente a instalar o teste Abbott nos bancos de sangue a partir de 3 de março de 1985, dia seguinte à autorização do teste pela Food and Drug Administration? O resultado, demonstrado por indiscutíveis estatísticas, foi uma queda maciça das contaminações por transfusão.[48] O teste Abbott estava autorizado na Alemanha desde abril, sem

48 Ver *The New England Journal of Medicine*, 11 de fevereiro de 1999.

que ninguém considerasse uma catástrofe. Um último argumento arrasa todas as argúcias tendentes a ocultar o atraso da detecção: a curva das contaminações por transfusão, trimestre por trimestre, de 1980 a 1987, estabelecida segundo os dados do fundo de indenização dos receptores. Essa curva mostra de maneira evidente que a partir de junho-julho de 1985 as contaminações baixaram espetacularmente. A detecção, tão logo implantada, permitiu descartar a esmagadora maioria das doações contaminadas. A exceção francesa consistiu em que a França é o único a ter inventado que era melhor detectar o mais tarde possível...

Por que Edmond Hervé esperou até 22 de maio de 1985, quando Pinon e Leibowitch já faziam detecção desde o final de 1984? Por que lhe pediram que deixasse Laurent Fabius fazer o anúncio da detecção, o que acrescentou um prazo de um mês. Por que, depois da declaração do primeiro-ministro, ainda se esperou até 23 de julho para que um decreto fixasse a data oficial da detecção obrigatória em 1º de agosto? Para essas perguntas, os hemofílicos e os receptores contaminados entre março e agosto de 1985 ainda esperam a resposta. Seu número exato faz parte das "incertezas científicas da época".

A verdadeira natureza do HTLV-III

O leitor de boa-fé admitirá que a detecção foi simplesmente retardada, que esse atraso não era justificado por nenhum argumento científico e que uma detecção mais precoce teria evitado numerosas contaminações. Desde o início, a pesquisa sobre o vírus da Aids repousava sobre a noção de que era um agente transmissível pelo sangue. E a elaboração do teste era a sequência lógica da identificação do vírus. Todos os discursos sobre as "incertezas científicas da época" só servem para mascarar ou tentar mascarar o fato incontestável de que nenhum especialista sério ignorava a importância do teste depois das publicações de Robert Gallo em abril de 1984. Aliás, por que Montagnier e o Instituto Pasteur teriam solicitado uma patente desde 1983, e por que teriam eles gasto vinte milhões de francos com despesas de advogados nos Estados Unidos, se pensavam que o teste era um *gadget* sem futuro?

Para não esticar demais esta lição que já vai longa, só citei os documentos mais significativos. Existem numerosos outros. Mais uma vez, meu propósito aqui não é julgar os personagens. Mas a verdade histórica, ou pelo menos a pesquisa honesta dessa verdade, parece-me uma condição *sine qua non* da democracia. Na França, uma "verdade de grupo", criada pelo conjunto dos atores principais do drama do sangue contaminado, obscureceu durante muito tempo o que realmente estava em jogo em torno da descoberta do HIV e das patentes sobre os testes. E essa verdade foi em seguida retomada por uma parte da mídia e por alguns intelectuais. A querela sobre a paternidade do vírus vista posteriormente parece uma manobra diversionista, para evitar que grande maioria dos médicos, políticos, jornalistas ou simples cidadãos fizesse as perguntas certas. Sem a coragem dos hemofílicos e dos receptores que deram queixa, sem a curiosidade de alguns jornalistas, sem o trabalho de alguns médicos que não se conformaram com a "verdade de grupo", disporíamos apenas de uma história reescrita por aqueles que a munipularam.

Falta um último elemento para concluir a história: qual era a verdadeira explicação da semelhança entre o HTLV-IIIB de Gallo e o LAV de Montagnier? A solução só foi descoberta em 1991. Uma técnica que não existia em 1985, a OCR – *polymerase chain reaction*, inventada por Kary Mullis, Prêmio Nobel de 1993 –, permitiu analisar detalhadamente as sequências de todas as cepas de vírus conservadas no Pasteur e em Bethesda desde 1983. Os pesquisadores do Pasteur descobriram que tinha ocorrido uma contaminação no laboratório de Jean-Claude Chermann, em agosto de 1983. A cepa original "LAV-BRU" (do nome do paciente Bru, do qual vinha a amostra que permitiu isolar o vírus) tinha sido invadida por uma cepa de outro paciente, chamada "LAI". Esta última tinha pulado para as provetas de BRU e tomou o lugar delas.[49] Se BRU não crescia na linhagem contínua, LAI fazia isso bem demais. De tal sorte que, desde agosto de 1983, todas as amostras rotuladas BRU eram de fato LAI. "Em lugar de BRU, era então LAI, cuja sequência tinha sido publicada em janeiro de 1985, LAI que tinha sido utilizado para a produção do teste francês, LAI que tinha sido enviado a laboratórios do mundo inteiro", resume Bernard Seytre.

Mas por que HTLV-IIIB assemelha-se tanto a LAI? Numa carta à *Nature*, publicada em 30 de maio de 1991, Gallo decidiu enfim reconhecer que seu caro protótipo tinha sido, ele também, contaminado por LAI. Pelo menos uma das cepas pasteurianas enviadas a Gallo e Popovic em 23 de setembro de 1983 continha o prolífico LAI. O vírus americano, portanto, vinha mesmo do Instituto Pasteur, mas por um trajeto que ninguém tinha imaginado. E isso não implica nenhuma fraude. Descobriu-se muito logo que outros grupos além de Bethesda tinham conhecido a mesma desventura: ao todo, de 1988 a 1992, sete laboratórios tinham constatado contaminações por LAI, entre os quais o do britânico Robin Weiss, o homem que quase se associou a Montagnier.

Em 1992, Robert Gallo enfrentou alguns problemas. Um jornalista do *Chicago Tribune*, John Crewdson, tinha publicado em 1989 uma investigação de dezesseis páginas que era um verdadeiro requisitório contra o retrovirólogo. Desde então, ele se exasperou contra Gallo. Retomou as acusações de fraude, sem publicar nenhuma verdadeira revelação. Ele tinha chamado a atenção do honorável John Dingell, aquele parlamentar que já encontramos na Lição 5 e que tinha feito ataques a David

---

49 Simon Wain Horson et al., "LAV revisited: origin of the early HIV-I isolates from Institut Pasteur", *Science*, v.252, p.961-5, 17 de maio de 1991.

Baltimore (o qual finalmente saiu limpo). Por instigação de Dingell, uma investigação de quase dois anos foi empreendida no laboratório de Gallo pelo Office of Research Integrity (ORI), departamento americano da Secretaria de Estado para a Saúde. O relatório final do ORI foi publicado em 30 de dezembro de 1992. Ele não acusava Gallo de fraude, mas o considerava culpado de "má conduta científica", por ter negado que havia cultivado o LAV em linhagem celular contínua. Popovic também era acusado de "má conduta".

Esse relatório não teve nenhuma consequência. Gallo e Popovic interpuseram uma ação na justiça e o ORI abandonou suas acusações. Gallo e Popovic deixaram o NIH. Na data em que escrevo estas linhas, Bob Gallo dirige um instituto de virologia em Baltimore (a cidade, não David) e contratou seu velho colaborador. Depois de reativar durante algum tempo seu escritório de advogados americanos com a intenção de aumentar sua parte nos *royalties*, o Instituto Pasteur finalmente se ateve, até nova ordem, ao acordo de 1987. Salvo qualquer surpresa improvável, a página da controvérsia Gallo-Montagnier está definitivamente virada.

O que é um bom cientista?

Passado o tempo, pode-se dizer que as polêmicas ligadas à Aids transformaram, de maneira decisiva e certamente definitiva, a imagem pública da ciência. Isso é particularmente verdadeiro na França, onde se percebe mais que em qualquer outra parte a influência de uma ideologia cientista que sacraliza a verdade científica e santifica os sábios. Pasteur – o homem, não o Instituto – representou o arquétipo do "santo laico" de avental branco. Esse ícone agora está desgastado. Mesmo nos países anglo-saxões, mais familiarizados do que o nosso com as controvérsias científicas e menos inclinados a colocar os pesquisadores num pedestal, a onda de choque da Aids teve um poderoso impacto. Um sintoma dessa mudança é o crescimento de um movimento anticiência, que se manifesta de diversas maneiras, principalmente pelo sucesso de teorias pseudocientíficas como a de Duesberg, ou sua versão vulgarizada por Christine Maggiore.

Os erros e as "más condutas" dos pesquisadores, entretanto, não justificam a recusa da própria atitude científica. Não foi esta última que provocou os percursos da história da Aids, mas um conjunto de atitudes anticientíficas. E estas últimas não impediram a realização de um trabalho considerável. Jamais, na história da medicina, levou-se tão pouco tempo para detectar uma epidemia nova, identificar seu agente causal, elaborar instrumentos de diagnóstico e desenvolver tratamentos bastante eficazes para prolongar de maneira importante a expectativa de vida dos doentes O fato de que esses resultados tenham sido obtidos *apesar de* um clima de rivalidades e de paixões nacionalistas pesa, *a contrario,* em favor da ciência. Um bom cientista não é infalível, ele assume o risco do erro. Este último é inevitável, porque a ciência é feita por seres humanos. Não existe ciência pura, praticada por seres ideais num mundo sem paixões. "Todavia" – diz Stephen Gould – "não me aflijo ao ver a ordem humana colocar um véu sobre todas nossas interações com o universo, porque o véu é translúcido, por mais sólida que seja sua textura".[50]

Exercícios

1 Faça a exegese desta declaração de François Gros, por ocasião do processo dos ministros, a propósito de sua intervenção pedindo a Edmond Hervé que não anunciasse a detecção

50 Stephen Jay Gould, *Le pouce du panda,* op. cit. [cf. ed. bras. citada].

no Congresso de Bordeaux de 22 de maio de 1985: "Não fui eu que pedi a Edmond Hervé que não anunciasse a detecção sistemática por ocasião do Congresso de Hematologia de Bordeaux, em 22 de maio de 1985. Eu transmiti o fato de que o gabinete do primeiro-ministro não estava convencido de que ele [Edmond Hervé] não pudesse evitar o anúncio da detecção".

2 Se você conseguiu compreender o que François Gros queria dizer, lance sua candidatura para entrar num gabinete ministerial.

3 Se, como todo indivíduo normalmente constituído, você não entendeu nada, releia esta lição em voz alta, diante da janela, à maneira de Flaubert na sua "gritaria".

Lição 7
Deus e seus santos, honrarás

Adão tinha umbigo?

Afinal, ele não nasceu de uma mulher. Por que seu corpo traria o vestígio de um inexistente cordão umbilical? Por outro lado, será que não devemos supor que Deus, na sua infinita previdência, quis que o protótipo tivesse em todos os pontos o mesmo aspecto que seus sucessores? De modo que o nosso antepassado teria sido modelado em barro com a aparência exata de um homem que passou, como cada um de nós, por todos os estágios da vida uterina.

Muitos cristãos de boa vontade experimentaram a vertigem da ignorância diante dessa verdadeira pergunta. Ela suscitou um debate teológico cujo alcance ultrapassa de longe a fútil querela sobre o sexo dos anjos. Em muitos quadros antigos, uma grande folha de figueira cobre não somente o sexo de Adão, mas também seu umbigo. Na ausência de diretivas precisas, os pintores preferiam lançar sobre esse impenetrável arcano do plano divino um sudário de folhagem que nada devia à preocupação de decência.

Num de seus pequenos e saborosos ensaios cujo segredo ele detém, Stephen Jay Gould relata como o debate repercutiu de maneira inesperada no século XIX, quando a nascente geologia trouxe as provas da antiguidade da Terra.[1] Os fósseis e os estratos sedimentares eram todos estigmas de uma idade bem superior aos alguns milênios atribuídos pela Bíblia ao nosso planeta. Mas será que não se deveria admitir que Deus tinha depositado fósseis e sedimentos de propósito, da mesma maneira que teria provido Adão de um umbigo?

Nosso Senhor não queria que a cadeia humana fosse interrompida. Então, Ele deu ao primeiro homem a aparência da preexistência. Por que não teria Ele modelado um mundo surgido do nada, mas com todos os signos tangíveis de um passado ilusório? Assim, os sábios podiam decifrar os traços de uma harmoniosa continuidade temporal sem contradizer a letra do Gênese.

Os caninos do babirussa

Segundo Gould, o argumento foi levado ao seu mais alto grau de elaboração pelo naturalista Philip Henry Gosse, contemporâneo de Darwin. Em 1857, dois anos antes da publicação de *A origem das espécies*, Gosse publicou *Omphalos*, um tratado cujo título, que significa "umbigo" em grego, era uma explícita referência à velha discussão sobre o umbigo de Adão. O autor apresentava seu livro como uma "tentativa para desatar o nó geológico".

A tese central de *Omphalos* é que todos os processos naturais obedecem a um ciclo ininterrupto. O ovo se torna galinha e depois volta a ser ovo, a vaca segue o embrião que segue a vaca

---

1 Stephem Jay Gould, "Adam's Navel", *Granta*, n.16, New York, verão de 1985. Retomado em *The Flamingo's Smile* (tradução francesa: *Le sourire du flamant rose*, Paris: Seuil, 1988) [ed. bras.: *O sorriso do flamingo*. São Paulo: Martins Fontes, 1990].

etc. Cada forma de vida é uma ronda infinita no carrossel de um tempo circular, girando por toda a eternidade no pensamento de Deus.

Mas o que ocorre com o mundo real, perceptível pelos nossos sentidos? No tempo material, é necessário que em dado momento a vaca suba no carrossel. Gosse imagina que cada organismo conhece dois tipos de duração: o tempo procrônico, durante o qual a criatura não passa de uma cogitação divina, e o tempo diacrônico, correspondente aos acontecimentos vividos pelas criaturas. O umbigo de Adão é procrônico; os 930 anos de sua vida terrestre, diacrônicos. Cada criatura surge da Consciência suprema totalmente armada dos signos de sua existência procrônica. Naturalmente, esse esquema exclui qualquer ideia de evolução: cada espécie é criada de uma vez por todas e não se modifica mais.

Noventa por cento de *Omphalos* – mais de trezentas páginas – são consagrados a ilustrar esse argumento com exemplos precisos, tais como a dentadura do hipopótamo. Adulto, esse animal possui caninos lisos e chanfrados, consequência de seu uso prolongado. Mas um hipopótamo recém-criado não deveria ter dentes agudos e cortantes? Impossível, afirma Gosse. Com caninos totalmente novos, o hipopótamo não poderia fechar a boca. Ele deveria esperar que se desgastassem, e morreria de fome bem antes. Assim, segundo Gosse, dentes que trazem o sinal do envelhecimento não indicam forçosamente uma longa existência anterior sobre a Terra, eles podem indicar um passado procrônico (sua mãe).

Da mesma forma o babirussa, espécie de javali asiático, possui caninos recurvados, que quase lhe furam o crânio. Essa forma curvilínea resulta de um crescimento longo e continuado. De que modo o primeiro babirussa, criado num quarto de hora – talvez até mais rápido que isso –, podia já ter as defesas recurvadas? Simples: o Grande Dentista tinha tomado o cuidado de dar-lhes a aparência da antiguidade.

Se o esquema cíclico se aplica realmente à biologia e à vida orgânica, Gosse encontra mais dificuldades quando tenta estendê-lo à geologia e à paleontologia. Ele recorre a uma analogia no mínimo temerária: o fóssil seria para o organismo moderno aquilo que o embrião é para o adulto. Não há dúvida de que a galinha necessita de um ovo anterior. Mas, se recusarmos a teoria da evolução, por que diabos o dragão de Komodo deveria implicar o enterro de uma ilusão de Tricerátops nos estratos procrônicos? Que relação pode haver entre as espécies atuais e os vestígios de seus ancestrais, se recusarmos o fato de que umas descendem efetivamente das outras?

Gould ressalta um aspecto paradoxal da personalidade de Philip Henry Gosse: ele não era absolutamente um charlatão, mas, ao contrário, o "melhor naturalista descritivo de sua época". *Omphalos* é recheado de observações precisas, detalhadas. Gosse devia ter dedicado horas e horas a estudar minuciosamente sedimentos geológicos e fósseis. Como podia ele aceitar a ideia de que os objetos de sua devotada atenção fossem apenas uma manifestação do humor muito particular do Criador?

Gould responde que Gosse não via nenhuma brincadeira na "encenação" que ele atribuía a Nosso Senhor. Ele não considerava o tempo procrônico como menos verdadeiro, ou menos real, que o tempo diacrônico. As duas vertentes do plano divino mereciam o mesmo respeito. Não se podia descobrir nele a mínima contradição. Alguns espertinhos objetaram que a existência de excrementos fossilizados provava bem que animais de carne e osso tinham pastado nas planícies da pré-história. Gosse respondeu que Deus poderia muito bem ter depositado excrementos petrificados nos estratos procrônicos.

Era uma explicação um tanto forçada para aquela Inglaterra pragmática que Adam Smith definia como uma "nação de mercadores". A fraqueza de *Omphalos* reside na irrealidade de um discurso fechado sobre si mesmo. Verdadeira ou falsa, a teoria de Philip Gosse não tinha efeito prático: o mundo teria tido exatamente a mesma aparência, quer o passado fosse procrônico quer diacrônico. Era uma teoria angelical, condenada a perambular eternamente no éter metafísico. Não existia nenhum meio de submetê-la a um teste experimental. Na terminologia do filósofo das ciências Karl Popper, a teoria de Gosse era "não refutável" (ver Lição 10). Os contemporâneos de Gosse não tinham muito gosto por teorias desencarnadas. Do ponto de vista editorial, *Omphalos* foi um rotundo fracasso.

Por um curioso retorno das coisas, o livro de Gosse encontraria talvez um grande sucesso hoje. No início dos anos 1980, os "criacionistas" lançaram nos Estados Unidos uma polêmica visando fazer reconhecer a narrativa bíblica do Gênese como uma teoria científica (ou melhor, relançaram, já que se trata de um debate recorrente). Os criacionistas julgavam que o Gênese e a teoria da evolução deviam ser tratados em pé de igualdade no ensino e nos manuais. Quando de sua primeira campanha eleitoral, em 1980, Ronald Reagan declarava: "Se decidirem ensinar [a teoria da evolução] nas escolas, penso que seria preciso ensinar também a narrativa bíblica da criação".[2]

Sobre o modelo de Popper, a "ciência criacionista" pretendia "refutar" a teoria de Darwin argumentando que subsistem numerosos debates a propósito da evolução: qual é o papel exato da seleção natural e da adaptação? Tudo é determinado pelos genes? Como aparecem as novas espécies? Etc. A pretexto de que os próprios cientistas não estavam de acordo sobre tudo, os criacionistas afirmaram que a realidade da evolução não estava estabelecida, mas era ainda uma hipótese a confirmar. O argumento foi retomado por Ronald Reagan diante de grupo evangélico de Dallas: "[A evolução] é somente uma teoria científica, e ela foi contestada no curso desses últimos anos no mundo da ciência – dito de outro modo, a comunidade científica já não a julga tão infalível como outrora".

2 Citado por K. M. Pierce, *Time*, 16 de março de 1981.

Mas os cientistas jamais disseram que a teoria era infalível. Reconhecer que os mecanismos da evolução ainda não são inteiramente compreendidos não implica absolutamente comprometer a evolução. As teorias científicas avançam, não são estáticas. Encontrar uma melhor explicação para um fato não significa que o próprio fato seja rejeitado. Como resume Stephen Jay Gold: "A teoria da gravitação de Einstein substituiu a de Newton, mas as maçãs não se imobilizam bem no meio de sua queda esperando que o debate seja resolvido. E os seres humanos evoluíram a partir de ancestrais que se assemelhavam a macacos, quer o tenham feito em razão da explicação proposta por Darwin quer de outro mecanismo que resta ainda descobrir".[3]

A bem dizer, o debate do criacionismo diz respeito mais à política do que à ciência. Pode-se compará-lo ao crescimento de outras formas de fundamentalismo religioso em várias partes do mundo. Ainda no início dos anos 1980, vários Estados americanos – Louisiana, Texas, Arkansas... – votaram leis favoráveis ao ensino da "ciência criacionista". Numerosos juristas denunciaram o caráter anticonstitucional de tais leis que passam por cima da separação da religião e do Estado – em contradição com a primeira emenda da Constituição americana. Em 5 de janeiro de 1982, o juiz do distrito federal William R. Overton declarou não constitucional a lei do Arkansas, porque ela obrigava os professores de biologia a ministrar um ensino religioso durante os cursos de ciências. Finalmente, ao termo de uma batalha jurídica encarniçada na qual Stephen Jay Gould se engajou ativamente, as exigências dos fundamentalistas foram rejeitadas. Escreve Gould:

> Em junho de 1987, a Corte Suprema anulou a última lei do criacionismo por sete votos a dois, e registrou sua decisão por

3 Stephen J. Gould, *Quand les poules auront des dents*, Paris: Fayard, 1984; nova versão estabelecida por Marcel Blanc (Paris: Seuil, 1991) [cf. ed. port. citada].

escrito de maneira tão clara, tão forte e tão geral, que até mesmo os mais ardentes fundamentalistas tiveram que admitir a derrota de suas manobras legislativas contra o evolucionismo.[4]

Pode-se duvidar de que essa derrota ponha um termo definitivo às tentativas dos criacionistas para impor como uma teoria "científica" algo que na realidade diz respeito ao dogma. Além de tudo isso, a biologia não é a única ciência atingida pelo prurido religioso.

A resistível ascensão dos gurus de plantão

Todos hão de se lembrar da orgulhosa declaração de Laplace, respondendo a Napoleão que lhe perguntava qual papel representava Deus na sua teoria do determinismo universal: "Deus, majestade, é uma hipótese da qual não tive necessidade". Hoje em dia, a "hipótese Deus" parece ter reencontrado todo o seu vigor – se é que ela algum dia o perdeu – e não apenas nos Estados Unidos. Um episódio marcante foi o "Colóquio de Córdoba", organizado por France-Culture em 1989. A capa do livro contendo as atas desse colóquio, intitulado *Science et Conscience* [*Ciência e consciência*],[5] era ilustrada com uma imagem evocativa: a figura de Einstein diante de um anjo, sobre um fundo de nuvens galácticas. Na legenda, este subtítulo: "As duas leituras do universo". Todo um programa.

Tratava-se, em suma, de reatar o diálogo entre ciência e religião, entre pensamento místico e razão discursiva. Para esse fim, foram reunidos físicos, entre os quais o Prêmio Nobel Brian Josephson, neurologistas, psiquiatras, filósofos, psicanalistas, teólogos e especialistas em religiões orientais.

4 Stephen Jay Gould, *Le sourire du flamant rose*, op. cit. [cf. ed. bras. citada].
5 *Science et Conscience, les deux lectures de l'univers*, Actes du Colloque de Cordoue, France-Culture/Stock, Paris, 1980

O aspecto mais espetacular do Colóquio de Córdoba foi a revelação dos vínculos ligando a física moderna e as mesas giratórias das sessões espíritas. Segundo o físico Olivier Costa de Beauregard, discípulo de Louis de Broglie (o criador da mecânica ondulatória), a telepatia, a psicocinese e a comunicação com os espíritos seriam consequências das equações da teoria quântica. Na Lição 8 nos debruçaremos sobre esse encontro inesperado entre a partícula e o paranormal. Aqui, será sobretudo do ângulo metafísico e filosófico que examinaremos as novas sínteses entre ciência e consciência cósmica.

Em Córdoba, assistiu-se à ascensão, ou à levitação, dos "gurus de plantão" – não confundir com o Plantão da Ajuda Católica. Autores de audaciosas sínteses entre as áreas mais avançadas da ciência moderna e as tradições místicas de todos os quadrantes, esses gurus *New Age* prezam muito as religiões orientais. Brian Josephson, adepto da meditação transcendental, compara o estado de pura consciência – *samadhi* – ao "estado fundamental do hélio líquido ou de um cristal perfeito de cloreto de sódio a uma determinada temperatura". O que prova que ele não é friorento, porque a temperatura do hélio líquido aproxima-se de -269ºC. Dois outros reputados físicos, Frijtof Capra e David Bohm, participavam também do Colóquio de Córdoba. Capra, professor de Física das Partículas na Universidade de Berkeley, era o promotor do "Tao da física". Bohm, professor da Universidade de Londres e grande leitor do pensador hindu Krishnamurti, enaltecia a comparação entre consciência e cosmologia.

Se o Colóquio de Córdoba parece um pouco distante do leitor do ano 2000, é forçoso constatar que a influência dos gurus de plantão não se desmentiu depois de vinte anos. O desejo de lançar uma ponte sobre o abismo de nossa ignorância ainda é muito ardente. Para convencer-se disso, basta observar a regularidade quase periódica com que os jornais publicam dossiês sobre o tema "Deus e a ciência", e conseguem assim grandes volumes de vendas. Em outro registro, o físico de origem vietnamita Trinh Xuan Thuan conseguiu um *best-seller* com *Secret Melody* [*A melodia secreta*],[6] livro que examina com detalhes o "face a face de Deus e da cosmologia moderna". Paradoxalmente mais europeu do que os sábios de Córdoba, Trinh Xuan Thuan ressuscita a aposta de Pascal e confia na hipótese de um "Grande Arquiteto". Esclarecendo entretanto: "Deus não se demonstra cientificamente e a religião não tem nada a dizer sobre observações e experiências científicas". A separação assim colocada não é total, já que nosso autor afirma também que "as descobertas recentes da cosmologia esclareceram a mais fundamental e a mais antiga das questões com uma luz nova"; e "é importante que toda reflexão séria sobre a existência de Deus leve isso em conta".

Antes de nos interessarmos pelo procedimento cheio de nuanças de Trinh Xuan Thuan, comecemos por uma iniciação à sabedoria dos gurus de plantão. O pensamento do delicadíssimo Rupert Sheldrake fornece uma excelente entrada na matéria. Biólogo e britânico – o que não é incompatível –, Sheldrake fez seus estudos em Cambridge nos anos 1960. Julgando a ciência ortodoxa redutora e mecanicista, ele se estabeleceu em Hyderabad, na Índia, onde pôde se dedicar a uma biologia meditativa e transcendental. Embora não estivesse presente em Córdoba, Sheldrake merece incontestavelmente figurar ao lado de nossos gurus de plantão. A vitalidade de suas pesquisas é atestada pelo sucesso constante de suas obras e pelas dezenas de páginas *Web* que lhe são consagradas. Sua "hipótese da causalidade formativa" renova a discussão sobre o umbigo de Adão, *performance* que força a admiração e justifica simplesmente a abertura de uma nova seção.

---

6 Trinh Xuan Thuan, *La mélodie secrète. Et l'homme créa l'univers*, Paris: Arthème Fayard, 1988 (reedição: Paris: Gallimard, 1991).

A linha de tuas ancas é uma onda

A linha de tuas ancas é uma onda, assim se pode resumir a tese central de Rupert Sheldrake, exposta em seu livro *Uma nova ciência da vida.*[7] Essa nova ciência propõe-se a explicar o que determina as formas encontradas na natureza. Trata-se, de certo modo, de uma teoria do *design* do universo, aplicável sem restrição a todas as formas existentes. Tanto as de partículas e cristais como as de moléculas e células, tanto as de plantas e árvores como as das mesas Luís XVI ou das *top models* – e até, *last but not least*, as das hemorroidas.[8]

Segundo Rupert Sheldrake, são "campos morfogenéticos" que "esculpem" todas essas formas extremamente diversas e variadas, um pouco como o campo magnético de um ímã ordena a limalha de ferro segundo linhas particulares. Se as formas são estáveis, é porque elas "ressoam", à maneira de uma corda de violino ou o circuito receptor de um aparelho de rádio. Jean-Paul Belmondo poderia então cantar para Anna Karina, em *Pierrot le Fou* [*O demônio das onze horas*]: "A linha de tuas ancas é uma onda...".

Onda, meu rabo, diria Zazie [popular personagem de Raymond Quéneau]. Do ponto de vista da ciência oficial e até da ciência propriamente dita, é duvidoso que um mesmo tipo de causalidade explique ao mesmo tempo a estrutura de um cristal de cloreto de sódio, o aspecto de uma couve-flor ou a suave curvatura dos seios de Sophie Marceau, celebrados pelo cantor Julien Clerc. Sem falar da memória, do comportamento e dos fenômenos parapsicológicos, que entram igualmente no campo intersideral da "causalidade formativa".

---

7 Rupert Sheldrake, *Une nouvelle science de la vie*, op. cit.

8 Sobre esse último ponto, adianto-me um pouco: Sheldrake não menciona *explicitamente* as hemorroidas, mas o subentendido é transparente.

Uma verdadeira façanha. Sheldrake foi capaz de realizá-la. E consegue isso graças ao seu domínio da retórica pseudocientífica. O recurso à ressonância universal, causa única de efeitos muito numerosos, evoca irresistivelmente os contos fantásticos de Lyall Watson (ver Lição 1). Descobrimos, aliás, inúmeros parentescos entre o pensamento de Sheldrake e o do autor de *Histoire naturelle du surnaturel* [*História natural do sobrenatural*]. Sheldrake possui um senso agudo da imprecisão, que lhe permite amalgamar sem temor noções heterogêneas como as de estrutura e de forma: "A forma, no sentido em que a entendemos, inclui não somente a forma da superfície externa da unidade mórfica, mas também sua estrutura interna".

Um "conceito" tão vago insinua-se facilmente entre as pobres distinções da ciência ortodoxa. A rigor, ele poderia ser admitido quando se trata de cristais. Um sólido cristalino é constituído de uma rede de átomos dispostos segundo um motivo que se repete regularmente, um pouco como o de um papel pintado, salvo que ele é em três dimensões. O motivo depende de ligações químicas garantidas pelos elétrons. Nesse sentido, a "forma" do cristal é a expressão de sua estrutura. Esta se interpreta em termos de química eletrônica, e sua explicação se situa no nível atômico.

É completamente diferente para a morfologia de uma planta ou de um animal. Ela depende de interações muito complexas entre as células que a ou o constituem. Se as células são elas próprias feitas de átomos e de moléculas, não se pode descrever a "forma" externa de um organismo a partir de uma estrutura atômica. A "arquitetura" de um babirussa não depende dos mesmos mecanismos que a estrutura de um cristal. Ela é o resultado de um processo evolutivo que não pode reduzir-se apenas aos conceitos da física ou da química fundamentais, da mesma maneira que o estilo de uma mesa Luís XVI não pode se explicar apenas pelas propriedades dos átomos ou das moléculas que compõem a madeira. Isso não quer dizer que o babirussa e a mesa "escapam" às leis da física: isso significa que nem sempre existe tradução entre os diferentes níveis da descrição científica. O nível pertinente para explicar a forma de um organismo é o da célula, de seus genes e de suas trocas bioquímicas. Mais ainda, a forma exata de cada babirussa depende das contingências de sua história individual, da maneira como se desenvolveu seu crescimento etc.

Os cientistas tiveram que aceitar o fato de que não é possível utilizar os mesmos conceitos e as mesmas teorias para descrever com precisão todos os aspectos da realidade física. A explicação científica é sempre parcial, limitada; uma teoria se aplica a uma certa escala e a uma classe precisa de fenômenos. Nesse sentido, a ciência é forçosamente redutora: ela não pode abarcar a totalidade, mas avança "recortando o real".[9] É o preço da sua eficácia. Sublinhemos que o caráter inevitavelmente redutor das teorias científicas não deve ser confundido com a "atitude reducionista": esta consiste em estender abusivamente as conclusões de uma teoria para além do domínio no qual essa teoria se aplica. É o que fazem, por exemplo, os geneticistas que pretendem ter identificado os genes da esquizofrenia, da inteligência, da queda para a matemática, da felicidade ou até de Deus (o "gene de Deus" é com efeito o último achado de Dean Hamer, o promotor da homossexualidade inata com quem cruzamos na Lição 2, e que está prestes a publicar um livro intitulado simplesmente *The God Gene*).

Sem entrar numa longa discussão, pode-se falar aqui de reducionismo porque um gene é apenas um segmento do DNA que codifica uma proteína. O talento matemático ou a fé religiosa,

---

9 Ver a esse respeito Albert Hamon, *Les mots du Français*, Paris: Hachette, 1992. Como observa Hamon, a palavra "ciência" vem de *secare*, cortar, enquanto "sábio" se liga à raiz *sap* que deu "sápido", "insípido", "sapiência", "sapiente" e "sabor": "O sapiente é um sábio, ele tem gosto, discernimento, compreensão, saber (e sem dúvida saber viver)".

por sua vez, dizem respeito a comportamentos complexos que remetem a múltiplas aptidões (memória, concentração, imaginação...) e a vários aspectos da personalidade. Mesmo supondo que se saiba traduzir essas aptidões e traços de caráter em termos biológicos – o que está longe de ser o caso –, seria ainda muito duvidoso que eles estejam estreitamente ligados a um gene e à sua proteína. Uma doença como a diabetes já depende de toda uma bateria de genes e de interações com o meio ambiente. Será que se pode acreditar seriamente que a aptidão matemática ou a fé religiosa seriam mais simples de traduzir em termos biológicos do que a diabetes?

Para voltar ao babirussa e ao cristal, não existe continuidade entre o nível de descrição dos constituintes fundamentais da matéria – os átomos ou as partículas muito menores de que são formados – e o nível das células. Existe até um fosso gigantesco entre eles. As partículas elementares como os elétrons ou os prótons obedecem às leis da teoria quântica. Elas se comportam de maneira muito diferente dos objetos comuns. Não podemos observá-las diretamente nem isolá-las. Não se pode pegar um elétron e colocá-lo sob a lâmina de um microscópio para examiná-lo, como se faz com os glóbulos brancos e vermelhos contidos numa gota de sangue. As células não têm o comportamento estranho das partículas quânticas. Se as células fossem quânticas, seria impossível isolar um vírus, determinar uma sequência genética ou fabricar uma vacina.

Quando ele quer fechar a morfologia dos cristais e a dos organismos vivos dentro de um mesmo esquema explicativo, Sheldrake passa por cima de uma noção crucial da ciência experimental: a ordem de grandeza. Em física, uma teoria, um tipo de descrição que se aplica a uma certa escala em geral não é transferível para uma escala muito maior ou muito menor. Os efeitos que se observam na escala dos elétrons são totalmente diferentes dos que se manifestam na escala de uma bola de futebol. Para utilizar uma comparação mais familiar, uma formiga pode cair, sem nada sofrer, de uma altura cem vezes superior ao seu tamanho. Experimente então saltar do alto da Torre Eiffel!

Entre o átomo, a célula e, digamos, a modelo e atriz Laetitia Casta, há saltos de escala bem mais consideráveis do que aquele que separa a formiga de nossa Marianne nacional. Se a formiga mede meio centímetro de comprimento, a dimensão linear de Casta é cerca de 350 vezes superior. O número de nossas células, por sua vez, conta-se em centenas de bilhões. O número de átomos contidos na totalidade de nossas células é da ordem de bilhões de bilhões de bilhões. Ou seja, em média, dez milhões de bilhões de átomos por célula.

Sheldrake transpõe essas gigantescas diferenças de escala como se fossem saltos de pulga. Um animal é um conjunto de células feitas de moléculas, elas próprias feitas de átomos formados, por sua vez, de partículas quânticas. Para Sheldrake, tudo isso se encaixa como bonecas russas. Um campo morfogenético está associado a cada grau da hierarquia. Mas de que modo os efeitos de todos esses campos se harmonizam com todas as escalas em que agem? É impossível se eles obedecerem às leis conhecidas da física. Porque seria necessário, no mínimo, que os "campos M" de Sheldrake obedecessem ao mesmo tempo à física clássica e à teoria quântica, o que é contraditório. A ciência ortodoxa resolve o problema graças à noção de ordem de grandeza: abaixo de uma certa dimensão, é necessário servir-se das equações quânticas para descrever os fenômenos; acima, pode-se utilizar uma descrição clássica.

Sheldrake não leva em conta as ordens de grandeza, mas isso não o incomoda muito, porque, segundo ele, os "campos M" não correspondem a nada conhecido:

> Além dos tipos de causalidade energética conhecidos da física, e além da causalidade devida às estruturas de campos físicos conhecidos, outro tipo de causalidade é responsável por todas as unidades mórficas materiais (partículas atômicas, átomos, moléculas, cristais, agregados, órgãos e organismos).

> Essa causalidade ... não é energética em si mesma, tanto quanto não é redutível à causalidade engendrada por campos físicos conhecidos.

Se alguém for capaz de dar uma explicação clara desse imbróglio, faça a gentileza de enviá-la ao meu editor.[10] Mesmo sem compreender tudo, lembremos que a "causalidade formativa" escapa por hipótese a toda crítica científica. A "nova ciência da vida" de Sheldrake não tem mais consequências práticas do que a hipótese do "tempo procrônico" e tampouco pode ser testada experimentalmente. Esperto, Sheldrake previu a objeção e propõe experiências que, segundo ele, permitiriam pôr à prova a sua teoria (voltaremos a isso na Lição 10). Vejamos por ora como o raciocínio de Sheldrake lembra espantosamente o de Philip Gosse.

Por que temos o nariz no meio da cara?

Por que temos dois braços, duas pernas e o nariz no meio da cara – pelo menos aqueles que não abusaram do boxe? Esse lancinante enigma foi resolvido pelo preceptor Pangloss, o incorrigível otimista do *Cândido* de Voltaire:

> As coisas não podem ser de outra maneira: já que tudo foi feito para um fim, tudo é necessariamente para o melhor fim. Note bem que os narizes foram feitos para usar óculos, por isso nós temos óculos. As pernas foram visivelmente feitas para serem vestidas, e nós temos calças.

Insatisfeitos com a solução de Pangloss, os biólogos tentaram explicações mais precisas. De que modo, a partir de uma

10 La Découverte, *9 bis*, rue Abel-Hovelacque, 75013, Paris. Favor juntar um selo para a resposta.

célula indiferenciada, uma vez fecundado o óvulo, o embrião se desenvolve para dar um organismo acabado? Como ele se arranja para orquestrar os bilhões de divisões celulares necessárias para formar os ossos, os músculos, a pele, o cérebro e os outros órgãos de um pássaro, um rato ou um bebê? Por que é realmente a forma humana que surge do protoplasma de um óvulo humano e não a forma de um babirussa? A biologia do desenvolvimento está longe de ter resolvido inteiramente esse enigma, um dos mais apaixonantes que se oferece à ciência atual. Mas uma etapa decisiva foi transposta graças aos "genes homeóticos", ou "genes arquitetos", descobertos por vários pesquisadores, entre os quais o americano Edward Lewis (laureado com o Prêmio Nobel de 1995) e o suíço Walter Gehring.[11] Bem esquematicamente, a ideia desses pesquisadores é que o crescimento do embrião é orquestrado por um sistema de "genes arquitetos" que orientam cada célula numa linha precisa de desenvolvimento.

O processo pode ser ilustrado pelo modelo da drosófila, a "mosca do vinagre". O corpo desse bichinho é uma construção modular, feita de doze segmentos ligados. Os genes arquitetos orientam seu desenvolvimento por etapas: no óvulo inicialmente indiferenciado, formam-se primeiro fronteiras que separam diversas regiões; essas regiões tornam-se em seguida segmentos; no início, esses segmentos nascentes são todos semelhantes; depois, adquirem uma individualidade – alguns são equipados de antenas, outros de asas, outros de patas etc. O sistema funciona um pouco como uma bateria de comutadores em que cada um dos quais pode ser aceso ou apagado. A morfologia de um dado segmento é determinada por uma combinação particular de comutadores acesos ou apagados. Por exemplo, no

---

11 Ver o livro de Walter Gehring, *La Drosophile aux yeux rouges*, Paris: Odile Jacob, 1999.

segundo segmento torácico, que comporta um par de asas e um de patas, todos os comutadores são apagados. Se só o nº 1 estiver aceso, ele ordena a substituição das asas por pêndulos (que servem para equilibrar o voo) e obtém-se o terceiro segmento torácico. Acendendo o nº 2, nem patas nem pêndulos são construídos, o que dá o primeiro segmento abdominal. E assim por diante.

Quando os genes homeóticos funcionam mal, vê-se o aparecimento de mutações que evocam uma escultura cubista: patas crescem no lugar das antenas, ou pêndulos no lugar das asas, por exemplo. São, aliás, essas "mutações cubistas" que levaram à descoberta do sistema dos genes homeóticos. Mas esse sistema será exclusivo da mosca?

Para saber, Walter Gehring, o "Picasso da drosófila", passou a pente-fino os genes homeóticos do inseto, a fim de pesquisar se eles tinham uma parte comum. Em 1984, Gehring e sua equipe isolaram uma pequena sequência de DNA, o "homeobox" ou "homocaixa", que se revelou como a "pedra de Roseta da embriologia". Os biólogos descobriram com efeito que o homeocaixa não era exclusivo da drosófila. Ele foi encontrado em outros insetos, nas esponjas, nos vertebrados, nos cogumelos e nas plantas. Mas também na rã, no frango, no rato e no homem! Então, nós somos feitos não apenas como ratos, mas como moscas, a partir de módulos semelhantes que se diferenciam no curso do desenvolvimento.

"O homeocaixa remonta ao período pré-cambriano, no início do surto da vida sobre a terra", diz Walter Gehring. "Ele está presente em todas as ramificações atuais. Do fermento ao homem, a natureza utiliza o mesmo processo para fabricar um organismo. O conjunto do mundo vivo atual originou-se da mesma história. O primeiro gene homeótico apareceu por acaso e forneceu um processo para produzir a diferenciação celular. Em seguida, as espécies se diversificaram, mas sempre utilizando a mesma receita biológica."

Assim, graças aos genes homeóticos, começa-se a compreender o que acontece quando um óvulo fecundado se diferencia. Essa pesquisa é inútil aos olhos de Sheldrake, porque ele julga *a priori* que o procedimento da "biologia mecanicista" não pode ter sucesso. Ele recorre a uma analogia com a indústria da construção:

> É necessário dispor de tijolos e de outros materiais de construção para construir uma casa; e igualmente de operários para organizar os materiais, e de uma planta de arquiteto que determine a forma da casa. Os mesmos operários trabalhando o mesmo número de horas e dispondo da mesma quantidade de materiais de construção poderiam produzir uma casa de uma forma totalmente diferente se trabalhassem sobre uma planta diferente. Assim, a planta pode ser considerada uma *causa* da forma específica da casa, embora não seja – é evidente – a única causa: a casa jamais seria construída sem os materiais de construção e a atividade dos operários. Do mesmo modo, um campo morfogenético é uma causa da forma específica adotada por um sistema, embora ela esteja impossibilitada de agir sem os "tijolos fundamentais" adequados e sem a energia necessária para assentá-los.

Essa passagem ilustra a astuciosa retórica de Sheldrake. Sua teoria não pode entrar em conflito com os mecanismos biológicos realmente observados. Ao mesmo tempo, Sheldrake apela para o bom-senso: tijolos não podem decidir sozinhos sobre a planta de uma casa. Do mesmo modo, sugere Sheldrake, as células não podem dirigir sozinhas a planta do embrião em desenvolvimento. É necessário que exista em algum lugar um elemento organizador: é o famoso "campo M". Embora pareça convincente, o raciocínio de Sheldrake apresenta vários defeitos.

1) *A metáfora da casa é enganadora*: um organismo não é constituído de células como uma casa é feita de tijolos e um automóvel de peças mecânicas. Um animal ou um vegetal não é um conjunto de peças soltas. Cada célula, longe de ser um material passivo, é uma entidade viva que se alimenta, interage com o

meio ambiente, reproduz-se. Ainda mais, cada célula é proveniente da divisão de uma célula anterior, e, no fim das contas, todas as células de um organismo são descendentes, progressivamente diferenciadas, de uma mesma célula inicial, específica de um indivíduo preciso. Em suma, a imagem de uma espécie de "Lego celular" é falsa – mesmo que seja frequentemente empregada. Assim, Sheldrake se mostra ainda mais mecanicista que os biólogos que ele recusa. E tende a esquecer que as metáforas são feitas para sugerir, não para serem tomadas ao pé da letra (ver Lição 9).

2) *A ideia de uma planta de construção também é uma metáfora enganadora*, se for aplicada sem discernimento aos seres vivos. Certamente, uma folha de carvalho não tem a forma de uma folha de acácia e um babirussa não tem a aparência de um yorkshire. Mas o desenvolvimento de um organismo é um processo dinâmico, sem equivalente nas nossas construções artificiais. Um embrião humano de seis meses tem inteiramente "forma humana", embora seja muito menor que um homem adulto. Não se constrói uma casa fazendo crescer uma "casinha-feto" com a forma da casa terminada. Falando propriamente, não existe planta de um organismo, o que não significa evidentemente que determinado organismo se desenvolva de uma maneira qualquer. No ponto de chegada, um babirussa se assemelhará mais a um babirussa do que a outro animal. Entretanto, não se pode dizer que esse desenvolvimento se produz segundo um plano fixado de antemão; nem mesmo, para retomar uma metáfora empregada abusivamente pelos geneticistas, segundo um programa codificado nos genes. Os genes contribuem para orientar o desenvolvimento, mas não o determinam de maneira rígida. Se fosse absolutamente necessária uma imagem, os genes podem ser comparados a partituras musicais que cada célula interpreta em razão de suas características individuais e de suas interações com o meio ambiente. "O desenvolvimento é uma sinfonia", diz Walter Gehring.

O processo, portanto, é de uma extraordinária complexidade, e nem sequer é certo que a biologia do desenvolvimento possa um dia explicá-lo completamente. Mas essa não é uma razão para satisfazer-se com a teoria falsa de Sheldrake. Acrescentemos que a "planta" de que fala nosso biólogo não tem suporte físico. É sem dúvida necessário que ela esteja inscrita em algum lugar, para que os "operários" possam lê-la. Onde? No pensamento do Grande Arquiteto?

3) *O raciocínio de Sheldrake gira em círculos*: por que os descendentes do primeiro babirussa assemelham-se ao seu ancestral? Porque o campo do ancestral influencia a forma de seus sucessores. Por que esse "campo babirussa" age sobre os babirussas e não sobre os fox-terriers de pelo duro? Porque os babirussas têm uma forma de babirussa e se associam ao campo babirussiano. Em suma, os babirussas se assemelham porque são babirussas, e vice-versa.

O que é que causa o primeiro babirussa? Sheldrake postula a existência de um "Ser consciente", de uma "fonte transcendente do universo". Estamos aqui dentro de um sistema próximo daquele de Philip Gosse: a forma do primeiro babirussa existe no pensamento do Ser consciente – da mesma maneira que as criações procrônicas de Gosse existem no pensamento do Criador. Sheldrake apoia-se na hipótese Deus dando-lhe outro nome. É o único meio para o nosso guru de plantão escapar da tautologia. O vício oculto de sua lógica reside no fato de que ele confunde o objetivo e a causa. A planta do arquiteto não é uma causa, é uma descrição do objetivo que o arquiteto e os operários buscam, ou seja, construir a casa. Para Sheldrake, a casa em construção tende para a casa acabada, de certo modo de maneira deliberada, como se o sistema ainda em curso fosse animado por um projeto, por uma vontade orientada para um objetivo. Reencontramos aqui a "vontade programante" de Rémy Chauvin ou a "força organizadora" de Lamarck (ver Lição 3). Sheldrake, aliás, se refere a Lamarck e à teoria dos caracteres adquiridos.

Mas não se explica nada com raciocínios circulares. Se o tempo de Philip Gosse era um carrossel, a teoria de Sheldrake vira em volta como a história do "porquinho inglês": "o porquinho inglês é um jogo essencialmente francês que se joga a três; o primeiro pega a bola e a lança; o segundo pega a lança e a bola; o terceiro é o porquinho inglês; mas o que é o porquinho inglês? O porquinho inglês é um jogo essencialmente francês que se joga a três...".

O tao da física

Sheldrake acusa a biologia molecular – não sem caricaturá-la – de ser mecanicista. De maneira mais ampla, os gurus de plantão acusam a ciência moderna de ser redutora, de decompor o real em elementos separados – ao contrário da totalidade cósmica das visões místicas tradicionais. Seria certamente agradável dispor de um saber que permitisse ao mesmo tempo abarcar o Universo inteiro numa profunda unidade espiritual e agir sobre os objetos tão eficazmente como fazem a ciência e a tecnologia. Mas entre a fusão com o Grande Todo e a fusão a laser, é preciso escolher. Fiéis a um dos grandes princípios da impostura científica, os gurus de plantão pretendem que podemos ter o queijo e o dinheiro do queijo – para não falar do sorriso da queijeira.

Mais do que qualquer outra disciplina científica, a física clássica – aquela que Laplace garantia que não precisava de Deus – é decididamente mecanicista. Ela utiliza conceitos de tempo, de espaço, de corpo material, de causa e efeito que permitem descrever o universo como uma gigantesca máquina feita de peças distintas, um mecanismo de relojoaria em escala cósmica. Esse sistema tem seus limites, mas ele se mostrou eficaz para explicar uma grande parte de nossas experiências cotidianas ou para permitir o pouso da Apolo 11 na Lua.

Ora, no início do século XX, a teoria da relatividade e a física quântica abalaram as bases da concepção clássica, vinda de Galileu, Descartes e Newton. Para Frijtof Capra, a física contemporânea aproxima-se das tradições orientais: hinduísmo, budismo e sobretudo taoísmo. Ela compartilharia com essas tradições uma visão organicista do cosmos, percebido como uma unidade global. Eis como Capra justifica sua ideia:

> Contrastando com a concepção mecanicista, a visão do mundo dos orientais é de natureza "orgânica". Para o místico oriental, todas as coisas, todos os fenômenos percebidos por nossos sentidos são interdependentes, ligados entre si, e são apenas aspectos diferentes, ou manifestações, de uma mesma realidade última. Nossa tendência a dividir o mundo percebido em objetos individuais, separados, e a perceber nós próprios como "egos" isolados neste mundo, aos olhos orientais é uma ilusão engendrada por nossa mentalidade ligada às medidas e às categorias ... A análise judiciosa do processo de observação em física atômica mostra que as partículas atômicas não têm nenhum sentido como entidades isoladas ... Quando penetramos no seio da matéria, a natureza não nos oferece o espetáculo de tijolos elementares isolados, mas se apresenta sobretudo como as diversas partes de um todo unificado.[12]

Isso que Capra descreve pode corresponder a uma experiência espiritual, não a uma experiência de física. Nesta última, é necessário distinguir os objetos aos quais se ligam as medidas, caso contrário não se sabe mais do que se fala. Mas Capra não se detém no meio de um caminho tão bom: "Em física atômica, o nítido corte cartesiano entre o espírito e a matéria, entre o eu e o mundo, não vigora mais". O físico julga ver uma analogia entre a concepção taoísta e o modelo do *bootstrap*, introduzido nos anos 1970 para descrever as interações entre partículas elementares

---

12 Actes du Colloque de Cordue, op. cit.

(a expressão *bootstrap* foi escolhida em homenagem ao barão de Münchhausen que conseguiu elevar-se do chão puxando suas botinas). Segundo Capra,

> a filosofia do *bootstrap* renuncia não apenas à ideia de "tijolos" elementares da matéria, mas a qualquer unidade fundamental que seja: leis, equações ou princípio. Para ela, o universo é um tecido dinâmico de eventos interdependentes ... e é a coerência global ... que determina a estrutura de todo o tecido.

Capra considera que a filosofia assim descrita é extremamente próxima do Tao. Em apoio a suas palavras, ele cita os trabalhos do grande sinólogo britânico Joseph Needham. Em *A ciência chinesa e o Ocidente,*[13] Needham afirma que a China taoísta jamais compartilhou a concepção ocidental das leis da natureza. O termo chinês menos distante da expressão "leis da natureza", seria *li*, que Needham traduz por "modelo dinâmico".[14] Segundo Capra, essa noção de *li*, ou de modelo dinâmico, corresponde exatamente à ideia de *bootstrap*. Na verdade, nosso guru de plantão tira conclusões apressadas de uma analogia formal, desprovida de conteúdo real. O *bootstrap* foi inventado para explicar fenômenos físicos que obedecem a leis, constituídos de entidades distintas e separadas do observador que as descreve – mesmo que essa física não seja clássica. O modelo do *bootstrap* apresenta talvez certa analogia com o taoísmo, mas serve antes para predizer, medir e calcular, o que constitui o objetivo primeiro da

---

13 Joseph Needham, *La science chinoise et l'Occident*, Paris: Seuil, 1973.

14 Mais precisamente, Needham examina três termos chineses homófonos: o primeiro *li* designa os bons costumes, a observância dos ritos; o segundo *li*, que nos interessa aqui, designa a ordem e o modelo na natureza, presente em todos os níveis do universo; é um "*modelo dinâmico*, que se encarna no conjunto das coisas vivas, tanto nas relações sociais como nos mais altos valores humanos" e remete ao termo "organismo"; o terceiro *li*, enfim, designa a ciência do calendário, baseada na observação astronômica.

física, seja na época de Newton seja na de Einstein e de Heisenberg. Se Capra acredita fazer física sem leis, equações ou princípios, só podemos *li* aconselhar esse modelo dinâmico.

Uma frase do livro de Joseph Needham parece, entretanto, levar água para o moinho de Capra: "É extremamente interessante ver – na medida em que, desde a época de Laplace, pareceu possível e mesmo desejável descartar a hipótese de Deus como fundamento da natureza – que a ciência voltou, em certo sentido, à visão taoísta". Nem por isso essa citação dá razão a Capra, ela sobretudo demonstra que o nosso físico esqueceu os três séculos de história que separam Descartes da física quântica.

Para que serve a "hipótese Deus"?

A questão central do livro de Needham é a seguinte: por que a ciência moderna se desenvolveu na Europa e não na China? Se a pergunta se coloca é porque quase todas as grandes invenções da Renascença europeia são importações vindas da China: o papel, a imprensa, a bússola, o arreio adaptado ao cavalo, o estribo para os pés, a pólvora de canhão, o relógio mecânico, o carrinho de mão, o leme de cadaste, a metalurgia, a suspensão Cardan, as eclusas, a cartografia quantitativa etc.

As dez, vinte ou trinta invenções que mudaram o mundo são descobertas chinesas que foram transmitidas à Europa por ocasião das cruzadas, ou pelo mundo árabe, ou ainda pelos missionários, por viajantes e mercadores. Eis agora, segundo Needham, o paradoxo extraordinário: "Enquanto o número dessas descobertas, e mesmo a maioria, sacudiu a sociedade ocidental como um tremor de terra, a sociedade chinesa, por seu lado, mostrou uma estranha capacidade de assimilá-las e permanecer relativamente inabalada".

Existe uma ciência chinesa, bem anterior à ciência europeia. Entretanto, a ciência e a tecnologia modernas, que asseguraram a supremacia do Ocidente, são criações europeias. Por que a China evoluiu de maneira diferente? Isso se deve a numerosas razões históricas, sociológicas, culturais, que Needham analisa com muita sutileza. Limitar-nos-emos aqui ao aspecto filosófico, ou epistemológico, mas é claro que ele não explica tudo.

O ponto crucial, para a presente discussão, é a ideia de leis da natureza. Essa noção, que fundamenta a física moderna, de Galileu e Newton, tem uma origem religiosa. Ela deriva da concepção ocidental de um Deus legislador supremo, que Needham resume assim:

> Da mesma maneira que os legisladores dos impérios terrestres promulgaram códigos de leis positivas aos quais os humanos deviam sujeitar-se, assim também a divindade criadora, celeste e supremamente racional, colocou uma série de leis às quais obedecem os minerais, os cristais, os animais e as estrelas em seu curso.

Na Idade Média, e depois, houve inúmeros processos de animais julgados por terem transgredido as leis naturais – que eram também as leis de Deus. Em 1747, na Basileia, um galo foi condenado a ser queimado vivo pelo crime atroz e contra a natureza de ter botado um ovo. Numa etapa ulterior, a ideia de lei natural emancipou-se de sua origem teológica e religiosa. O que não ocorreu sem causar mal, como atesta o processo de Galileu. Em ciência, Deus leva a tudo, com a condição de sair dela.

Esquematicamente, o corte se opera com Galileu e Descartes. O primeiro afirma a proeminência da observação sobre o dogma, no seu *Diálogo sobre os dois máximos sistemas do mundo*,[15] um dos

---

15 Galileu Galilei, *Dialogue sur les deux grands systèmes du monde*, traduzido do italiano por René Fréreux com François de Gandt, Paris: Seuil, 1992 [ed. bras.: *Discurso sobre os dois máximos sistemas do mundo*. São Paulo: Discurso Editorial, 2001].

textos fundadores da ciência moderna, publicado em Florença em 1632. Com um admirável senso didático, Galileu apresenta os dois sistemas do mundo fingindo não tomar partido, mas a argumentação desenvolvida no diálogo faz em pedaços o sistema geocêntrico de Aristóteles, que então fazia parte integrante do ensinamento da Igreja, e privilegia o sistema de Copérnico. Não admira que Galileu tenha tido sérios problemas com os filósofos aristotélicos e a Inquisição. No seu *Discurso do método* (1637), Descartes consagra a separação dos poderes da Igreja e da Razão. Embora fale sempre das "leis que Deus colocou na natureza", o filósofo francês limita o papel do Legislador celeste ao de fiador supremo da racionalidade. Podemos compreender o mundo porque Deus o tornou inteligível. Mas é o método e não o dogma que traça o caminho do conhecimento. A dúvida e a conduta analítica substituem a adesão fideísta.

Laplace consuma definitivamente o divórcio entre Deus e a ciência. Agora, o sábio já adquiriu suficiente confiança na eficácia de sua conduta para libertar-se do Legislador celeste. É o que enuncia a frase de Joseph Needham sobre o taoísmo. Mas em que a ciência "voltou à visão taoísta"? Needham quer dizer com isso que a ciência contemporânea não tem mais necessidade do Grande Jurista – embora este último tenha sido necessário à emergência da concepção moderna das leis da natureza. Um taoísta, segundo Needham, jamais poderia aderir à ideia de um Deus supremamente racional decretando as leis do universo. Ele o julgaria ingênuo e simplista. Os taoístas desconfiam da razão e da lógica. O empreendimento de Galileu, Descartes e Newton seria estranho para eles. "Isso não significa", escreve Needham, "que o Tao, isto é, a ordem cósmica em todas as coisas, não teria agido com medida e rigor, mas sim que os taoístas tinham tendência a considerá-lo *impenetrável para a inteligência teórica* [grifado pelo autor]".

Se a ciência ocidental aproxima-se do Tao ao emancipar-se do Deus-Legislador, ela se afasta dele por seu caráter de edifício teórico, lógico e racional, o que é também o caso tanto da física newtoniana como da teoria quântica. Não apenas não teríamos chegado ao *bootstrap* sem passar pelo Grande Relojoeiro, como a física não se teria desenvolvido num quadro taoísta. Cedendo à vertigem das analogias, Capra esquece as diferenças essenciais. Os prótons e os nêutrons não são uma versão recente do Yin e Yang, assim como as experiências realizadas nos aceleradores de partículas não se assemelham a um novo culto prestado aos Imortais do Céu da Grande Pureza (ao jasmim).

O mundo como holograma

Ao emancipar-se de Deus, a ciência deixou aberto um grande problema metafísico: por que o mundo obedece a leis? Por que somos capazes de compreendê-lo e de dar um sentido ao que observamos? Einstein dizia substancialmente que o mais espantoso não era que compreendamos o mundo, mas que ele seja compreensível. Bachelard abre seu *Novo espírito científico* com esta citação de Bouty:

> A ciência é um produto do espírito humano, produto conforme às leis de nosso pensamento e adaptado ao mundo exterior. Ela oferece então dois aspectos, um subjetivo, outro objetivo, ambos igualmente necessários, porque é também impossível para nós mudar o que quer que seja tanto nas leis da natureza como nas deste mundo.

Enquanto Deus garantia a racionalidade, as coisas eram claras: na sua infinita previdência, o Criador tinha tomado cuidado para que as leis de nosso espírito concordassem com as do mundo. Tão logo a ciência começou a voar com suas próprias asas, o homem e a mulher modernos se encontram defronte desta vertiginosa interrogação: de onde a ciência tira a sua eficácia? Como as leis da natureza podem ser mais do que uma simples projeção da imaginação humana?

Essa é incontestavelmente uma Verdadeira Pergunta, e é muito natural que os gurus de plantão tentem responder a ela. Capra resolve o assunto pretendendo que não existe corte entre o espírito e a matéria, o eu e o mundo. É uma conclusão um pouco apressada, e Capra teria dificuldade em convencer alguém que acabou de receber uma batida de porta em pleno rosto. O projeto dos gurus de plantão é nada menos que reconstituir aquilo que os filósofos medievais chamavam o *Unus Mundi*, uma espécie de unidade psicofísica do universo na qual natureza e consciência formam uma totalidade indissociável.

Para chegar a isso, o físico transcendental David Bohm recorre a uma estratégia mais sofisticada que a de Frijtof Capra. Ele postula a existência de uma "ordem implicada" subjacente à realidade ordinária. A ordem implicada não pode ser observada, já que se situa aquém do quadro espaciotemporal em que vemos aparecer os fenômenos. Ele se revela indiretamente, por exemplo, através de um elétron. Este, para Bohm, não é uma entidade real que existe em si mesma, mas uma manifestação da estrutura profunda do real.

Bohm resolve facilmente o problema das leis do mundo e das leis do espírito, na medida em que a matéria e o pensamento fincam ambos suas raízes na ordem implicada. "Eles são desdobramentos distintos na ordem explicada, mas seu fundo é o mesmo e torna-se então normal que haja adequação entre a estrutura profunda da inteligência e a da matéria."[16] Para ilustrar esse discurso um tanto abstrato, Bohm recorre à metáfora do holograma. Quem já viu uma imagem holográfica, certamente ficou espantado pelo fato de que ela suscita uma ilusão muito convincente do objeto real. Tem-se realmente a impressão de que o objeto tem três dimensões. Se alguém se deixa enganar e tenta tocá-lo, fica surpreso de encontrar o vazio.

---

16 David Bohm, em *Sciences et symboles, les voies de la connaissance*, Actes du Colloque de Tsukuba, Paris: Albin Michel/France-Culture, 1986.

Os hologramas têm outra propriedade espantosa. Se alguém cortar em quatro pedaços uma foto comum, cada pedaço não mostra mais do que um quarto da imagem. Mas se alguém cortar uma placa holográfica em quatro, verá a imagem inteira iluminando qualquer um dos pedaços. Ela será apenas menos nítida. Esse fenômeno vem do fato de que o holograma é uma figura de interferência. A informação relativa ao objeto representado depende da distribuição das franjas de interferência, que é a mesma no conjunto na imagem. Em certo sentido, cada porção da placa holográfica contém a imagem inteira. Claro que isso só é verdade até certo ponto: se alguém cortar a placa em pedaços muito pequenos, não verá mais nada.

Bohm compara a ordem implicada a uma placa holográfica cuja imagem projetada não estaria estática, mas em perpétuo movimento. Essa imagem é a do mundo observável. Além disso, a placa pode ser cortada em tantos pequenos pedaços quantos se queira, ela devolverá sempre a imagem inteira. Segundo Bohm, cada região do espaço-tempo, por pequena que seja, contém potencialmente o universo inteiro. O que não passa de uma reformulação elaborada do princípio "tudo está em tudo".

Aquilo que habitualmente consideramos a realidade, para Bohm é apenas uma ilusão, segundo uma concepção que evoca os místicos orientais – parentesco espiritual reivindicado pelo nosso guru de plantão. Bohm julga também que os "campos de forma" de Sheldrake são "primos evidentes" da ordem implicada:

> De maneira geral, se tentarmos compreender como a forma se manifesta, segundo essa teoria [a de Sheldrake] considera-se que já existe um fim no organismo, e que este último tende para ele. Existe, portanto, desde o início uma espécie de intenção implícita, e quanto a mim, eu pensaria facilmente que não são apenas os organismos vivos, mas toda a matéria que é organizada dessa maneira.[17]

17 Ibidem.

Se o universo é um holograma, não há nenhuma razão para que nossa consciência não seja, ela também, holográfica. O que nos leva a outro guru de plantão, inventor do cérebro-holograma, Karl Pribam (que não se deve confundir com o economista homônimo). A teoria de Pribam remonta ao fim dos anos 1960, mas ela continua a ser muito apreciada pelos amantes de parapsicologia de toda espécie. Ela afirma que a memória não está localizada de maneira precisa no cérebro, mas que nossas lembranças estão registradas nele de maneira holográfica: cada lembrança se inscreveria na globalidade do cérebro e não estaria ligada a um grupo particular de neurônios. Juntando a sua teoria com a de Pribam, David Bohm obtém resultados espantosos: "A informação relativa à totalidade do universo material está contida pelo menos potencialmente, se não de fato, em cada um dos momentos da consciência".[18] Não há, portanto, nada de espantoso em que, segundo o relato fantástico de Patrice van Eersel (ver Lição 4), a dona de uma padaria de Praga se lembre, com uma riqueza de detalhes, dos rituais e das artes de uma tribo tibetana cuja existência ela ignora. Se não for verdade, também não é uma praga.

A impossível unicidade do saber

O holograma cósmico é um mito moderno que reatualiza o pensamento holístico, visão do universo concebido como um Todo harmonioso cujas partes são interdependentes, à imagem de um organismo. O taoísmo, tal como o descreve Joseph Needham, é um pensamento holístico. O *Unus Mundi*, ele também, procede de uma concepção holística, e mais geralmente o holismo se encontra, com algumas variantes, em

18 *Science et conscience*, op. cit.

inúmeras mitologias tradicionais, se não em todas, pois é a maneira mais "natural" de pensar o cosmos, o berço de toda cosmologia. A época moderna nos arrancou da doçura desse berço e nos jogou brutalmente num universo em pedaços, onde não existe relação harmoniosa entre o todo e suas partes. Nossa cosmologia é a do *Big-Bang*, da grande explosão, e certamente não é indiferente que o período histórico em que nos encontramos tenha começado por outra explosão, a de Hiroshima.

Essa situação tem pesadas consequências sobre a maneira como o homem contemporâneo pensa sua relação com o universo. Aumentando nosso poder sobre a natureza, a ciência e a tecnologia também tornaram mais complexas nossas relações com ela. Os mitos e as religiões não permitiam domesticar a energia do átomo, pousar na Lua ou realizar um transplante de coração, mas proporcionavam a "paz dos sentidos". Hoje, o "império dos sentidos" explodiu. Dele resulta uma perturbação da qual os gurus de plantão e os impostores de toda espécie tiram proveito. Mas observam-se também tentativas de restaurar o *Unus Mundi*, ou em todo caso uma forma de unidade do mundo, que não são puros engodos intelectuais, mesmo que continuem sendo ilusórias.

Eu classificaria nessa categoria intermediária a concepção de Teilhard de Chardin, segundo a qual a última grande etapa da evolução, a "noogênese", corresponderia a uma espiritualização progressiva da matéria da qual o homem seria a chave e que convergiria para um "ponto ômega". Ou ainda, a "hipótese Gaia" de James Lovelock, segundo a qual a Terra é um "superorganismo", um "ser vivo" macroscópico, de cuja vida participam plantas e animais[19] (Gaia ou Ge é uma divindade grega que personifica a Terra). Nos dois casos, trata-se de metáforas

---

19 James Lovelock, *La Terre est un être vivant. L'hypothèse Gaïa*, Paris: Flammarion, 1987 e 1993; *Les Âges de Gaïa*, Paris: Odile Jacob, 1990 e 1997 [ed. bras.: *As eras de Gaia*. Rio de Janeiro: Campus, s. d.].

evocativas, não de mecanismos que se podem observar e verificar experimentalmente.

A ideia de Lovelock é sedutora e fornece um poderoso suporte imaginário para representar os sistemas ecológicos e suas inter-relações. Não é de admirar que essa ideia conheça uma grande voga no momento em que todos se preocupam com o efeito estufa e a mudança global do clima. Mas tomar a hipótese Gaia ao pé da letra leva a uma representação errônea. A Terra não é um organismo no sentido biológico: ela não se reproduz e não foi "gerada" por organismos da mesma espécie que ela. Contudo, as diferentes formas de vida não são tão interdependentes como sugere a metáfora organicista de Lovelock. As extinções maciças que balizaram a história da vida sobre a Terra não impediram, a cada vez, que novas espécies se desenvolvessem em novos sistemas ecológicos. Mesmo que toda vida desaparecesse de repente da superfície do globo, este último não deixaria de existir. E poderíamos até imaginar que a vida aparecesse uma segunda vez, sem relação com a primeira.

Claro que a Terra não é um simples cenário no qual os seres vivos evoluem. O desenvolvimento da vida provocou modificações da atmosfera e do clima e mudou em parte a figura da Terra, bem antes que as atividades humanas acrescentassem seus efeitos. É bem verdade que a vida apareceu no planeta quando este já existia havia um bilhão de anos, sem o mínimo vegetal ou animal. O fato de que a vida tenha sido possível se explica pelas condições físico-químicas que então reinavam. E se ela se manteve depois é, como diria La Palice, porque não foi destruída. Não é necessário procurar outra hipótese, salvo se, por razões que dizem respeito de fato à metafísica e à crença, alguém não conseguir satisfazer-se com o caráter contingente e arriscado da existência dos seres vivos.

Detenhamo-nos sobre outro empreendimento notável, o do célebre naturalista americano Edward O. Wilson, pai da sociobiologia (ver Lição 3). No seu último livro, *A unicidade do saber*,[20] Wilson se faz o paladino de uma unificação intelectual que reuniria todos os ramos do saber. Ele a chama "consiliência", ressuscitando um velho termo inglês que significa uma "espécie de salto do saber, ligado pelos fatos e a teoria empírica, acima das diferentes disciplinas e visando criar uma base comum de explicação". Talvez escaldado pelas polêmicas sobre a sociobiologia, Wilson começa por recuar para saltar melhor: "O fato de acreditar na consiliência para além das ciências e através dos grandes ramos do saber não pertence mais à ciência". Escreve ele:

> É uma visão metafísica do mundo, e ainda por cima minoritária, partilhada apenas por um pequeno número de cientistas e filósofos. Não se pode demonstrá-la pelo prisma de princípios lógicos fundamentais ou então apoiando-se sobre um conjunto determinado de testes empíricos, pelo menos não sobre aqueles de que dispomos hoje. A extrapolação dos sucessos anteriores das ciências da natureza parece confirmar essa visão.

Tomando essas precauções retóricas, Wilson se lança alegremente na extrapolação anunciada. Convencido de que as ciências da natureza se tornaram "consilientes", ele julga poder anunciar o renascimento da velha ideia da unidade íntima do saber. Segundo o naturalista, vamos ver surgir uma nova maneira de compreender a natureza humana, baseada nas ciências do cérebro, na ecologia e na biologia em geral. Para Wilson, os comportamentos humanos se transmitem pela cultura, ela própria criada pelo espírito humano, produto de nosso cérebro geneticamente determinado. De modo que os genes e a cultura estão indissoluvelmente ligados. Wilson crê particularmente

20 Edward O. Wilson, *L'unicité du savoir. De la biologie à l'art, une même connaissance*, Paris: Robert Laffont, 2000 (título original: *Consilience*, 1998; tradução de Constant Winter) [ed. bras.: *A unidade do conhecimento* – consiliência. Rio de Janeiro: Campus, s. d.].

que será possível formular "regras epigenéticas" que explicarão um grande número de traços do comportamento e da cultura – e que então a fronteira entre ciências sociais e ciências naturais desaparecerá. Ele toma como exemplo o "efeito Westermarck", nome de um antropólogo finlandês que demonstrou que, quando duas pessoas compartilharam sua intimidade durante o início de sua vida, uma inibição sexual se instala entre elas. Wilson julga que esse efeito, que ele considera biológico, demonstra que o tabu do incesto não é uma construção cultural, mas um comportamento inato.

"A teoria social ortodoxa afirma que a moral consiste em grande parte em obrigações e deveres convencionais construídos pela moda e pelos costumes", escreve Wilson. "A concepção oposta, defendida por Westermarck nos seus escritos sobre a ética, quer que os conceitos morais derivem de emoções inatas." É claro que é essa concepção que o nosso autor compartilha.

Sem retomar o eterno debate sobre o inato e o adquirido, observemos que o discurso de Wilson é sustentado por um princípio metafísico unitário: o naturalista rejeita *a priori* a ideia de que possam existir várias ordens de realidade, várias classes de fenômenos heterogêneos. Ele não aceita que as teorias que explicam o funcionamento de nossos órgãos não tenham relação direta com as teorias da sociedade e da cultura, da mesma maneira que as teorias do átomo não nos dizem nada de interessante sobre o estilo Luís XVI ou a pintura da Renascença italiana. Para conservar a unidade, Wilson prefere explicar o incesto a partir do efeito Westermarck, o que é tão grosseiro e esquemático quanto pretender descrever um afresco de Michelângelo falando apenas dos materiais e dos colorantes utilizados. Wilson reduz a cultura ao biológico, enquanto sua demonstração, como ele próprio confessa, é frágil.

O naturalista não efetua essa redução por necessidade de método, mas por um ato de fé: Wilson crê, de maneira quase religiosa, na ideia de um saber unificado. Sugere, aliás, que "a ciência é a religião libertada". Ele impõe assim à ciência os antolhos de uma concepção globalizante que não aceita os cortes entre os ramos do saber. Evidentemente, é mais confortável evoluir num universo mental onde se está seguro de que as teorias são coerentes entre si e onde é garantido que o mundo tem um sentido. Essa, aliás, é a principal motivação que incita os homens a recorrer à "hipótese Deus", tanto em ciência como em outra área. Mas a realidade é que nossas teorias são descrições fragmentárias, que elas não se ligam todas entre si e que não temos nenhuma garantia de que o mundo tenha um sentido, já que somos nós mesmos que produzimos esse sentido.

A posição de Trinh Xuan Thuan, o físico de *A doença secreta*, oferece uma variante interessante em comparação com a de Wilson. O físico reivindica sua fé num Deus organizador: "A cosmologia moderna nos ensinou que o Universo foi regulado com uma precisão extrema para que a consciência (baseada na bioquímica do carbono) apareça", escreve ele. "Essa regulagem pode ser atribuída tanto ao acaso como a um Grande Arquiteto. Eu apostei na segunda hipótese." E mais adiante: "Se as leis físicas diferem um mínimo daquilo que são, não estaremos mais aqui para falar disso! Essa regulagem de extrema precisão será um fato do puro acaso ou resulta da vontade de um ser supremo?". Se o nosso físico crê então num plano divino, ele duvida que possamos conhecê-lo totalmente:

> Não podendo escapar à nossa finitude, só poderemos estudar uma ínfima parte desse vasto universo que é inteiramente interconectado. À custa de prodigiosos esforços de imaginação e de criatividade, homens de gênio descobrirão cada vez mais conexões e a ciência progredirá. Mas jamais serão reveladas *todas* as conexões ... A melodia permanecerá para sempre secreta.

Assim, ao contrário de Wilson que crê na possibilidade de um saber total, Trinh Xuan Thuan crê num Criador, mas duvida que possamos aceder ao saber total. Seu ceticismo se opõe ao grande sonho de uma teoria unitária, procurado por Einstein e seus sucessores. Os físicos chamaram "teoria de tudo" esse grandioso edifício que invocam com fervor. A teoria das supercordas (ver Lição 1) que se desenvolveu a partir dos anos 1970 parece ser um bom candidato para realizar essa unificação. Pelo menos no papel, já que nenhuma demonstração experimental validou a teoria das supercordas. Além disso, é preciso um entendimento sobre o sentido da palavra "tudo": o objetivo dos físicos é reunir as duas teorias mestras da física, a relatividade e a teoria quântica, a fim de descrever o conjunto dos fenômenos elementares. Mas as limitações expostas se aplicam também às supercordas tanto quanto as teorias anteriores, elas não podem explicar precisamente por que o babirussa tem a forma de um babirussa ou quais são as razões exatas das estruturas de parentesco entre os índios nhambiquaras.

Os físicos não pedem tanto. Eles procuram apenas tornar a física mais coerente, mais sintética. Alguns, como Trinh Xuan Thuan, creem que essa busca é sem fim. Outros se inclinam mais pela ideia de um resultado, de um ponto culminante da pesquisa teórica. Não parece que possa haver hoje um desempate. Pode-se, entretanto, afirmar que até mesmo uma "teoria de tudo" não constituiria o saber total com que sonha Wilson, e ainda menos uma forma de *Unus Mundus*. O pensamento científico, baseado no raciocínio lógico e no confronto com a experiência objetiva, só pode operar recortando o real. Ele nos permite apreender melhor certos aspectos, com a condição de renunciar à percepção intuitiva e global que o mito nos oferece. E o que é ainda mais, nem sequer sabemos por que a ciência avança.

O homem é a finalidade do Universo?

Essa situação angustiante é difícil de aceitar, mesmo para os cientistas. "O homem está perdido na imensidão indiferente do

Universo de onde emergiu por acaso", escreve Jacques Monod. Para o físico americano Steven Weinverg, "quanto mais compreendemos o Universo, mais ele nos parece vazio de sentido". Trinh Xuan Thuan compara essas duas citações que exprimem a desilusão de um mundo sem piedade, no qual devemos contar com nossas próprias forças sem recorrer à providência divina para dar um sentido à nossa vida e à nossa história.

Nessa situação só há aspectos negativos. Ela oferece ao espírito uma liberdade sem precedentes, mas parece que os humanos não detestam tanto algo quanto detestam a liberdade. Assim que a ciência se emancipou da hipótese Deus e do plano do Grande Arquiteto, certos pesquisadores esforçaram-se para restaurar uma visão finalista. Não recorrendo, dessa vez, ao Criador, mas fazendo do próprio Homem a finalidade do Universo, a razão de ser da Ordem cósmica. Essa já é a perspectiva de Teilhard de Chardin. Ela foi reformulada em termos mais generosos no "princípio antropológico" do astrônomo britânico Brandon Carter. Esse princípio parte da constatação de que "o Universo tem, exatamente, as propriedades requeridas para engendrar um ser capaz de consciência e de inteligência". Para Brandon Carter e os defensores do princípio antrópico, isso não pode ser fruto do acaso.

Copérnico deve estar se revirando no túmulo. De que serviu ter mostrado que a Terra não é o centro do mundo, se foi para concluir que o Universo só existe para permitir esse evento microscópico na escala cósmica: o aparecimento de uma espécie consciente e capaz de conceber teorias forçadas como a de Sheldrake! De que serviu renunciar ao geocentrismo, se foi para substituí-lo pelo antropocentrismo? Em *A doença secreta,* Trinh Xuan Thuan expõe com finura o "ataque concertado contra o fantasma de Copérnico". Demonstra com brio que, por chocante que isso seja aos olhos de alguns, o Universo poderia ser acidental: "O fato de que as constantes físicas e as condições iniciais tenham sido capazes de engendrar a vida seria apenas uma coincidência feliz, sem grande interesse". Um sábio poderia muito bem contentar-se em constatar que é assim: "A ciência moderna nasceu da recusa sistemática e categórica da explicação dos fenômenos naturais em termos de 'causas finais' ou de 'projeto', atitude própria das doutrinas religiosas". Tal atitude, logicamente correta, evita os procedimentos finalistas de Pangloss ou de Bernardin de Saint-Pierre, para quem "as abóboras são grandes porque são feitas para serem comidas em família".

Mas, acrescenta Trinh Xuan Thuan, "essa atitude, que encontra a aprovação do fantasma de Copérnico, suscita o desespero". Para escapar dele, nosso físico inverte o problema com uma agilidade digna do mais casuísta dos jesuítas: "E se houvesse, assim mesmo, apesar de tudo, um projeto? Afirmar, sem nenhuma prova, que ele não existe é uma atitude tão pouco científica e dogmática quanto proclamar que ele existe".[21] Certamente que é impossível provar, de maneira absoluta, que o projeto em questão não existe, tanto quanto não se pode provar que Deus não existe. É aquilo que se chama, em lógica, um problema indecidível (ver Lição 10). Mas existe uma certa má-fé na fé inabalável de Trinh Xuan Thuan: o fato é que, e ele próprio o demonstra, nenhuma hipótese finalista é necessária para construir as teorias científicas modernas; essas hipóteses são até mesmo um obstáculo, pois elas restringem o número de possibilidades.

Pode-se acrescentar que a questão de saber por que o Universo foi regulado com uma precisão extrema para que a consciência aparecesse é uma questão muito artificial. Ela vem da maneira como são elaboradas as teorias científicas. Procurou-se de que maneira se tinham formado o Universo, as estrelas, o sistema solar, os planetas e a Terra; a cosmologia permitiu explicar isso; percebeu-se então que pequenas variações de alguns

---

21 Trinh Xuan Thuan, op. cit.

parâmetros poderiam resultar num mundo sem planetas. Perguntou-se o que era necessário para que a vida fosse possível, e revelou-se que a presença de água líquida era um fator determinante; ora, bastaria que a Terra estivesse um pouco mais perto do Sol, como Vênus, para que só houvesse vapor; ou um pouco mais longe, como Marte, para que só houvesse gelo. Assim apresentado, o quadro dá a impressão de uma conjunção de coincidências extraordinárias. Entretanto, essa impressão vem sobretudo de que nós reconstruímos a história depois que aconteceu: é absolutamente necessário que os parâmetros sejam compatíveis com nossa existência, senão, não estaríamos aqui para teorizar. Isso não prova nada quanto à existência de um plano qualquer.

Se, ao voltar do meu trabalho, cruzo com um amigo e ando um pedaço do caminho com ele, e esse desvio imprevisto me leva diante de uma casa lotérica, e decido comprar um bilhete de loteria, e ganho o grande prêmio, será que devo considerar que um misterioso plano divino guiou meu amigo até mim para me fazer comprar o bilhete certo? Ou devo admitir, como sugere o simples bom-senso, que comprei o bilhete por acaso e que eu poderia muito bem ter comprado outro e não ganhar nada?

O paradigma do umbigo

Você conhece o paradoxo do mentiroso? Trata-se de saber se o mentiroso mente quando afirma que tudo o que ele diz é falso. Se ele mente o tempo todo, como pode dizer a verdade afirmando que mente?

Esse paradoxo reside num enunciado que se autodestrói. Existe uma analogia entre o problema do mentiroso e o problema das leis do mundo e das leis do espírito. Não podemos encontrar nenhuma solução prática, porque não se trata de um problema prático. Ele vem da maneira como formulamos as coisas.

Resulta, de certo modo, do fato de que somos capazes de produzir um discurso lógico e pertinente a propósito de um mundo que, em si mesmo, não é lógico nem ilógico. Trata-se de um efeito de sentido que vem de que um discurso não pode englobar totalmente o real. O paradoxo do mentiroso exprime o corte entre o discurso e o real, a autonomia das palavras em relação às coisas.

Os sistemas míticos ou religiosos que repousam sobre uma visão holística negam esse corte. Não admitem que uma distância intransponível separe uma representação daquilo que é representado. Em termos imagéticos, o que diferencia um pensamento mítico de um pensamento racional é o corte do cordão umbilical que liga a fala ao real. Na matriz do mito, a fala e o real mantêm uma relação tão amalgamada quanto a do feto com a mãe. A mensagem dos gurus de plantão convida a reconstituir um mundo sem corte entre o discurso e o real, no qual consciência e matéria formam uma mesma totalidade. Ele não pode chegar a um resultado, tanto quanto não se pode religar o cordão umbilical, uma vez cortado. Os humanos aprenderam a pensar por si próprios, e conheceram o poder do pensamento racional – mesmo ao preço da angústia e da incerteza. Não é possível retornar ao antigo mundo, à tranquilizadora matriz mítica.

A tentativa sempre recomeçada de reconciliar o mito e o discurso científico esbarra nesta impossibilidade: "Acontece que não existe correspondência entre a narrativa do Gênese e os dados da geologia", escreve Gould. "Mas, se houvesse, isso não significaria muita coisa – porque apenas nos faria saber que são impostos limites aos tipos de história que podemos contar, e não nos ensinaria nada, nem sequer o murmúrio de uma lição, a respeito da natureza e do sentido da vida, ou de Deus."[22]

---

22 Stephen Jay Gould, *Quand les poules auront des dents*, op. cit [cf. ed. port. citada].

A impostura dos gurus de plantão reside em que eles se situam ao mesmo tempo nos dois lados da matriz mítica: criticam os limites do pensamento analítico e lógico por meio de um discurso que, ele próprio, é analítico e lógico. Com muita frequência, só resulta uma verborreia fútil. Para fugir disso, David Bohm teve a ideia de inventar uma linguagem que refletiria sua visão da "ordem implicada", de uma realidade fluida que não se divide em partes separadas. Bohm chamou essa linguagem "rheomodo", do grego *rheo*, que significa "escorrer". Em *O universo espelho*, John Briggs e David Peat descrevem assim o *rheomodo*:

> Bohm tenta superar a fragmentação sujeito-verbo-objeto da maioria das línguas. Tomemos um exemplo simples dessa fragmentação: um gato e um rato passam por você, numa corrida desenfreada. Nós diríamos: "O gato persegue o rato". Toda uma visão do mundo se acha envolvida nessa simples frase. Ela começa pelos substantivos "gato" e "rato" – objetos separados do universo ... O verbo "persegue" é uma ação separada desses objetos, implicando, entre outras coisas, que a ação se realiza pelo gato sobre o rato. Todavia, a ação inteira é mais complexa. É uma dança de vida e de morte à qual o gato e o rato são inelutavelmente devotados. Bohm tenta vencer essas separações artificiais fazendo de todas as palavras de sua linguagem variações do verbo.[23]

Não tenho certeza se o rato está de acordo. Estou pronto a apostar que ele preferiria permanecer como um objeto separado do gato em vez de se juntar a ele numa dança cósmica que terminará no estômago do felino. E como se traduziria em *rheomodo*: "O oficial da junta militar tortura o resistente"? Trata-se, aqui também, de uma fluida coreografia na qual o oficial,

23 John Briggs & David Peat, *L'Univers miroir*, traduzido em francês por Jacques Polanis, Paris: Robert Laffont, 1986.

o resistente e o instrumento de tortura não passam de manifestações ilusórias de uma ordem implicada que nos ultrapassa?

Se forço assim o traço é para ressaltar o perigo desses discursos sobre consciência cósmica desligados da realidade, e em particular pelo fato de que vivemos dentro de uma história real, que são sujeitos reais que falam, agem e assumem responsabilidades. Dizer que o mundo é uma totalidade da qual não podemos dissociar os objetos ou que cada um pode compartilhar as lembranças de todos significa dizer que tudo é possível, que tudo é verdadeiro e que tudo se equivale. Quer queiram quer não, os gurus de plantão têm uma ação autônoma e distinta da totalidade cósmica, mesmo que seja porque há pessoas que os ouvem e aderem às besteiras que eles contam.

Confrontados com a realidade concreta, os gurus de plantão escondem a cara. Ou será que eu deveria escrever que eles escondem o umbigo? Numa época em que Adão e Eva há muito abandonaram suas folhas de parreira, esse tipo de falso pudor parece bem fora de moda.

Exercícios

1 Estudar uma variante da teoria de Sheldrake, comportando uma simetria passado-futuro: nessa variante, não apenas a "ressonância mórfica" das formas passadas determina as formas futuras, mas simetricamente as formas futuras podem também influenciar as formas passadas.

a) Mostrar que, nessa teoria, o problema do aparecimento do primeiro babirussa encontra uma elegante solução.

b) Demonstrar o teorema seguinte, chamado teorema da tautologia babirussiana: "O babirussa causa o babirussa".

Solução: a) O problema é saber de onde vem a forma do primeiro babirussa; ora, graças à ressonância mórfica do futuro sobre o passado, pode-se imaginar que o primeiro babirussa resulta da influência retroativa de um babirussa que ainda não existia. b) O que é que causa o primeiro babirussa? Um futuro babirussa. Mas o que é que causa os futuros babirussas? Babirussas anteriores, entre os quais o primeiro. Portanto, o babirussa causa o babirussa, CQD.

2 Traduzir em *rheomodo* as proposições seguintes:

a) "Os hipopótamos gorjeiam nas folhagens."

b) "Pedra que junta não rola junto."

c) "A morfologia das unidades mórficas informadas forma um campo morfogenético de formas formidáveis."

d) "Melhor calar do que nada dizer."

Lição 8
Espíritos e demônios, invocarás

Ninguém ilustrou melhor o poder do espírito sobre a matéria do que Eusapia Palladino, a médium mais famosa do fim do século XIX. Ela suscitou mais investigações, realizadas pelos melhores investigadores, do que qualquer outro indivíduo incluído nos anais da pesquisa metafísica. Ela fascinou Henri Bergson, Pierre e Marie Curie ou Camille Flammarion. Sua glória transpôs o tempo e os oceanos; Umberto Eco descreve, em *A guerra do falso*, um museu de cera americano, o Museum of Magic and Witchcraft, onde "a informação histórica cai no sensacional, o verdadeiro se mescla ao legendário, Eusapia Palladino aparece (em cera) depois de Roger Bacon e o Doutor Fausto: o resultado final é absolutamente onírico".[1]

A verdadeira Eusapia Palladino certamente não leu *Fausto*. Nascida em Bari em 1854, em uma família de camponeses, mal sabia escrever o nome. Iniciou-se nos círculos mediúnicos de Nápoles, onde seu dom lhe valeu uma grande notoriedade. Em 1891, o criminologista Cesare Lombroso a estudou, com um

1 Umberto Eco, op. cit.

grupo de cientistas, e convenceu-se de que seus poderes eram autênticos. Ele apresentou Eusapia ao fisiologista francês Charles Richet, o descobridor da anafilaxia (fenômeno ligado à alergia), Prêmio Nobel de Medicina em 1913. Embora tivesse a reputação de ser crédulo, Richet pensava que Lombroso e seus colegas poderiam ter sido enganados. Ele teve que se render à evidência de seus sentidos: nada acontecia normalmente em torno de Eusapia. Os objetos, identificados ou não, voavam desafiando a gravidade, as mesas levitavam, correntes de ar frio brotavam de sua cabeça ou de seu braço e ela fazia aparecer mãos ambulantes, prefigurando "a Coisa" da família Addams. Ela conseguiu até mesmo reduzir seu peso instantaneamente, sem o mínimo regime, só subindo na balança!

Richet quis tirar isso a limpo. Em julho de 1894, ele decidiu refazer as experiências de Lombroso em sua casa na Ilha Roubaud, perto de Hyères, em condições de severo controle. Reuniu três especialistas, *Sir* Oliver Lodge, Frederic Myers e Julijan Ochorowicz. Os três tinham um bom conhecimento dos médiuns e de seus truques. Lodge era um físico renomado. Myers era membro da Sociedade Britânica de Pesquisas Metafísicas (Society for Physical Research ou SPR). Ochorowicz era um psicólogo polonês dedicado a pesquisas metapsíquicas. Os quatro homens organizaram uma vigilância cerrada. Durante as sessões, Ochorowicz montava guarda fora, enquanto Lodge, Myers e Richet seguravam vigorosamente Eusapia pelas mãos e pelos pés. A despeito dessas precauções, efeitos dignos do melhor cinema fantástico não tardaram a se manifestar.

Num livro recente, o filósofo Bertrand Méheust dá uma descrição impressionante do acontecido:

> Um acordeão colocado sobre uma mesa vizinha escorrega para o chão e dedilha umas vinte notas; a mesa em questão se põe a deslocar-se sozinha; um cinzeiro do outro lado da sala voa pelos ares e cai nas mãos de Myers; ouve-se ruído na fechadura, e a chave que serve para fechar a porta aparece sobre a mesa,

> volta a fazer ruído na fechadura – que será encontrada fechada – depois volta pelo ar para alojar-se nas mãos de Richet; um fio elétrico de uma bateria vem enrolar-se em torno das cabeças de Eusapia e de Richet, depois se retira a pedido da médium; uma poltrona se desloca sozinha.[2]

Durante uma das sessões, produz-se uma proeza ainda mais extraordinária: uma mesa de 24 quilos decola do chão e vira completamente, enquanto Myers se acha entre Eusapia e o móvel!

Os quatro observadores, eles próprios espantados, julgam que os fenômenos produzidos por Eusapia são de ordem sobrenatural. "É absolutamente absurdo mas é verdade", resume Richet. Para nossos especialistas, a levitação da mesa é inexplicável sem a invocação de forças desconhecidas. Richard Hodgson, da SPR, contesta a natureza dos efeitos. Dez anos antes, Hodgson, "cético incorrigível" segundo Méheust, acusou de fraude outra médium, Madame Blavatsky, fundadora da teosofia. Mais ainda, Eusapia já foi surpreendida em flagrante delito de trapaça. Hodgson esforça-se para demonstrar que as façanhas da Palladino não necessitam de outra força a não ser a do pulso.

No fim do verão de 1895, outra série de experiências é realizada em Cambridge, dessa vez sob o controle de Hodgson. Decepção: os poderes de Eusapia se mostram caprichosos. Várias vezes ela é surpreendida trapaceando. Sua astúcia consiste, segundo o parapsicólogo John Beloff,[3] em aproximar suas duas

---

2 Bertrand Méheust, *Somnambulisme et médiumnité*, t.1: *Le défi du magnétisme*, t.2: *Le choc des sciences psychiques*, Institut Synthélabo pour le Progrès de la Connaissance, col. "Les empêcheurs de penser en rond", Le Plessis-Robinson, 1999.

3 Ver John Beloff, "What is your counter-explanation?", in Paul Kurtz (Org.) *A Skeptic's Handbook of Parapsychology*, infelizmente não traduzido, é uma referência indispensável para o leitor curioso da história da parapsicologia e dos fenômenos paranormais. Escrito em grande parte pelos membros do CSICOP, grupo de "céticos" americanos (ver nota seguinte), ele apresenta também, com um grande *fair-play*, o ponto de vista dos parapsicólogos.

mãos agitando-as, fazendo que os dois controladores que se encontram ao seu lado imaginem segurar cada um uma mão, enquanto eles seguram a mesma mão em dois pontos diferentes; ela pode assim livrar uma mão e servir-se dela para produzir diversos fenômenos "sobrenaturais". Chocado com a revelação dessa manobra indelicada, Myers começa a duvidar das observações da Ilha Roubaud. E a SPR, convencida da desonestidade de Eusapia, não quer mais ouvir falar dela.

Eusapia, no entanto, continua a suscitar o interesse dos mais eminentes universitários e sábios. Sessões são organizadas com Bergson e os Curie, entre outras celebridades. Impostura ou autênticos efeitos mediúnicos? O mundo científico está dividido. Em 1908, a SPR acaba recuando de sua posição e decide realizar uma nova investigação. Três investigadores são designados: Everard Feilding, Hereward Carrington e W. W. Baggally. Os três são apaixonados pelo espiritismo e são ilusionistas amadores, um trunfo considerado capaz de evitar que fossem enganados pelos truques de Eusapia. Uma série de onze sessões acontece no Hotel Victoria de Nápoles. Além das habituais batidas na mesa dos espíritos violentos, Eusapia materializa mãos, faz seu vestido inflar como um balão e emite corrente de ar frio por uma cicatriz que tem na testa. Embora algumas trapaças sejam repetidas de tempos em tempos, Feilding julga que uma parte dos fenômenos a que assiste é autêntica. O relatório publicado em 1909 conclui que uma "força" está em jogo, e que esta "ultrapassa as capacidades dos controles comuns e as aptidões do prestidigitador mais talentoso".

Reencontramos Eusapia nos Estados Unidos, onde Carrington, o investigador da SPR, lhe serve agora de empresário. Ele organiza uma campanha que vai redundar em desastre. A italiana vai cair na armadilha graças a um meio até então não utilizado: observadores se escondem na sala sem o conhecimento da médium. Por ocasião de uma série de sessões realizadas em 1910 na Univesidade de Columbia, duas testemunhas clandestinas podem admirar a excepcional habilidade com a qual Eusapia realiza prodígios servindo-se de uma mão ou de um pé. Por exemplo, produzir uma saliência numa cortina para simular o efeito do "sopro" de um espírito, mover uma mesa com uma mão libertada sub-repticiamente e tocar um instrumento musical com os dedos do pé, depois de libertar seu pé esquerdo que os controladores julgam imobilizado... Uma carta publicada em *Science* conclui pela ausência de provas demonstrando a realidade de fenômenos espíritas (*spiritualistic*). Carrington continua a acreditar nela, mas sua carreira chega ao fim. Entretanto, mesmo refutada, a Palladino pode orgulhar-se de, durante vinte anos, ter fascinado os mais belos espíritos de seu tempo. Pierre Curie tentou até mesmo construir um anemômetro para detectar as correntes de ar frio emitidas por Eusapia...

O sábio crédulo, o cético e o ilusionista

A saga de Eusapia Palladino põe em cena um trio que se encontra constantemente na história da parapsicologia: o sábio mais ou menos crédulo, o cético e o médium ilusionista. Essa configuração se diferencia da opinião dual entre a ciência e as forças obscuras, característica do Século das Luzes. O surto do espiritismo no século XX não se limita a um movimento popular denegrido pelos sábios. Como vimos, os melhores cérebros da época se apaixonam pelas mesas giratórias e pelos espíritos que batem. Se alguns, como Faraday, concluem que esses fenômenos remetem à autoilusão, outros, como Alfred Wallace – cofundador, com Darwin, da teoria da evolução – ou o grande físico William Crookes, inventor do tubo de catodo frio, permanecerão a vida inteira adeptos convictos das forças misteriosas. E isso a despeito das provas materiais que demonstram que os médiuns recorrem a truques ao apresentá-los como fenômenos sobrenaturais.

Um século mais tarde, Bertrand Méheust pleiteia ainda em favor dos poderes sobrenaturais de Eusapia Palladino. Sua obra monumental, tanto pela extensão como pela documentação, é uma tentativa de reabilitar o magnetismo e a mediunidade, que Méheust considera não terem sido refutados pela ciência moderna. Nosso autor se apoia em apaixonantes referências históricas, mas sua demonstração erudita peca pela parcialidade. A propósito de Eusapia, Méheust insiste pesadamente sobre o caráter extraordinário dos fenômenos produzidos e despreza o ponto crucial: todas as suas proezas poderiam ser reproduzidas por um bom ilusionista. Méheust cita Frank Podmore, um dos analistas mais perspicazes do espiritismo. Deixa de assinalar que, em 1910, Podmore analisou minuciosamente as proezas de Eusapia e concluiu que quase todos os seus efeitos explicam-se naturalmente se ela conseguir livrar uma mão ou um pé durante a sessão. Méheust tampouco destaca que Eusapia, na juventude, foi casada com um mágico itinerante, que lhe ensinou seus truques. Claro, não é porque um efeito X pode ser obtido por um passe de mágica que ele não pode ser produzido de maneira paranormal. Mas, segundo o princípio da navalha de Occam, é de bom método científico, para explicar o que se observa, não invocar mais hipóteses ou entidades do que o necessário.

Por que os poderes espíritas só se manifestam nas condições estranhas exigidas pelo médium: escuridão ou penumbra, dispositivo da mesa e do "gabinete" isolado por cortinas, imobilização muito relativa do indivíduo etc.? A essa pergunta dos céticos, os "crentes" respondem que a luz e o controle minucioso inibem os frágeis efeitos paranormais. Por que o médium trapaceia, se ele tem realmente poderes especiais? Para os "crentes", a fraude resultaria do fato de que o médium não pode estar sempre em boa forma para obter seus efeitos: ele trapaceia para não se confessar vencido. Mas, afirmam os adeptos do espiritismo, mesmo na lama da impostura confirmada brilham diamantes de fenômenos reais. John Beloff observa a propósito de Eusapia Palladino que "a fraude pode ir de mãos dadas com uma autêntica capacidade metapsíquica, de maneira que é sempre arriscado generalizar a partir do fato de que uma trapaça foi produzida". Comentário típico do raciocínio dos defensores do paranormal. Não é nada espantoso que nenhuma demonstração experimental até agora tenha conseguido dividir os dois campos, e que a interminável controvérsia sobre as forças misteriosas se prolongue até nossos dias.

Essa situação coloca o problema da crença. As sociedades tradicionais reconhecem a existência de um universo sobrenatural, de um mundo dos espíritos. Certos personagens são dotados de poderes especiais e têm por missão interceder junto dos espíritos: feiticeiros, xamãs, curandeiros, encantadores, mágicos, profetas, exorcistas etc. Eles não são indivíduos separados do resto da comunidade, mas seus mediadores, seus representantes no além. Desde então, nas sociedades tradicionais, o sobrenatural não pertence à crença; ele se integra totalmente no saber e na cultura. Quando de uma viagem à África Central, meu motorista, um banto educado, segundo suas palavras, na religião protestante, afirmava da maneira mais séria que se um pigmeu penetrasse na floresta equatorial, ele poderia "correr muito rápido" porque se transformava em pantera. A ideia não parecia irracional a esse homem, aliás um excelente mecânico que não tentava fazer o motor funcionar por processos mágicos.

A cultura ocidental estabeleceu uma barreira entre um universo racional, objetivável, descritível em termos científicos e um mundo sobrenatural relegado ao campo da crença individual, privada. Essa "laicização" do mundo sensível não se fez sem dor, supondo que ela realmente foi feita. Magia e ciência se separam tardiamente. Paracelso, que, na primeira metade do século XVI, critica a medicina oficial e abre o caminho para a terapêutica química, é mágico e alquimista. Tycho Brahe (1546-1601) e Kepler (1570-1630) atribuem grande importância à astrologia.

Mais tarde, Isaac Newton se apaixona pela alquimia, entre suas primeiras experiências sobre a dispersão da luz branca por um prisma e a publicação de seus *Princípios matemáticos de filosofia natural*, em 1687. Foi preciso esperar a aurora da Revolução Francesa para que Lavoisier enunciasse as leis de conservação da massa e dos elementos, torcendo o pescoço do vitalismo e das ilusões alquímicas, antes de deixar cortar o seu pela Convenção. Acrescentemos que as razões pelas quais os alquimistas não tinham nenhuma chance de conseguir transformar o chumbo em ouro só se tornam claras com a classificação periódica dos elementos estabelecida por Mendeleiev, em 1869.

A ideia materialista, segundo a qual os fenômenos observáveis podem ser explicados sem apelar para princípios de essência sobrenatural ou para um *Deus ex-machina*, avança com dificuldade. Em 1784, Lavoisier dirige uma comissão de inquérito sobre o magnetismo animal, promovido por Mesmer à categoria de panaceia. A comissão declara o mesmerismo desprovido de base científica. Mais de dois séculos depois, o magnetismo permanece como um tema maior e atual das paraciências e da magia *New Age*.

Na segunda metade do século XIX, a oposição maniqueísta entre ciência objetiva e forças irracionais é eliminada pela voga do espiritismo que apaixona sábios e filósofos. "Uma parte desse interesse científico era motivada por um autêntico desejo de provar a existência de fenômenos paranormais", escreve Paul Kurtz, professor de Filosofia e presidente do CSICOP,[4] o célebre grupo de "céticos" americanos.

---

4 O CSICOP, ou Commitee for the Scientific Investigation of Claims of Paranormal, foi fundado em 1976 em Buffalo, no Estado de Nova York, por um grupo de escritores, filósofos, cientistas e ilusionistas incluindo Isaac Asimov, Martin Gardner, Paul Kurtz, Carl Sagan e James Randi. Seu objetivo é estudar, da maneira mais objetiva e mais científica possível, as afirmações referentes aos fenômenos paranormais. O grupo possui

> *A origem das espécies* de Darwin, publicado em 1859, desalojou a espécie humana do centro do universo e isso era considerado com inquietação como um golpe desferido contra a espiritualidade. Se pudesse ser demonstrado que a natureza humana tinha outras dimensões psíquicas e espirituais e que estas transcendiam os limites impostos pela ciência materialista, que boa notícia para a crença religiosa. Seria possível ter de novo o "direito de crer", e com fundamentos provados, científicos.[5]

É, portanto, em parte por reação contra o materialismo e na perspectiva de recriar uma unidade entre o saber e a religião que vai emergir aquilo que se chamará em seguida a "parapsicologia científica". Em Londres, a Society for Psychical Research (SPR) foi fundada em 1882 pelo filósofo Henry Sidgwick. Sua irmã americana, a ASPR, aparece três anos mais tarde e o Instituto Metafísico Francês por volta de 1900. A despeito de suas boas intenções, esses organismos realmente não contribuíram para elucidar os mistérios ocultos. Contrariamente à ideia dos filósofos das Luzes, o saber puro não basta para combater as crenças irracionais. E como veremos ao longo desta lição, o cientista geralmente não é o melhor *debunker* de fenômenos paranormais (para retomar o termo inglês consagrado, que podemos traduzir por "desmistificador"). De fato, o cientista frequentemente é mais fácil de ser ludibriado do que o homem comum. Habituado às regras estritas e rigorosas do laboratório, ele superestima a honestidade de seus contemporâneos e não imagina que seus sentidos possam ser iludidos pelas manobras pouco escrupulosas de um charlatão. Ele tende a subestimar as possibilidades de um ilusionista treinado, as quais são comparáveis às melhores

---

representantes em numerosos países do mundo (na França, o físico Henri Broch). Ele edita um jornal, *The Skeptical Inquirer* e possui um *site* na internet: www.csicop.org/.

5 Paul Kurtz, "Spiritualists, mediums and Psychics: some evidence of fraud", in *A Skeptic's Handbook of Parapsychology*, op. cit.

trucagens do cinema. Quando não compreende de que maneira este ou aquele efeito pode ser realizado, ele é tentado a invocar uma causa desconhecida para um efeito que não tem nada de sobrenatural, apesar das aparências.

Os crentes apresentam frequentemente o argumento segundo o qual a boa atitude científica deve ser aberta e não excluir a existência de aspectos ainda inexplorados da realidade. Julgam que se deve conceder ao médium o benefício da dúvida enquanto não se esclarecem os processos que ele utiliza. *A fortiori*, creem eles, não se pode aceitar os argumentos de um cético que reconstitui *a posteriori* um fenômeno ao qual não assistiu. Paul Kurtz contesta esse ponto de vista:

> Será que o ônus da prova deve recair sobre o cético, presente ou ausente da sessão? O cético por acaso deve dar conta de maneira detalhada e exaustiva do modo como um médium trapaceou? Será exato que, a menos que o cético possa reconstruir a situação histórica posteriormente e indicar como a trapaça foi feita, o crente é levado a crer que um autêntico efeito se manifestou? Não penso assim.[6]

A posição dos crentes pode parecer lógica, mas é uma lógica contrária ao senso comum. Mesmo se este último tem seus limites, ele não seria "comum" se é posto em xeque a cada cinco minutos. Quem acreditaria num indivíduo que afirmasse que unicórnios de biquíni vermelho jogam pôquer sobre os *icebergs* da costa antártica e que, quando você lhe pedisse provas, lhe respondesse que você não pode provar que ele está errado? Não existe nenhum meio de provar que os milagres não existem, mas será que isso justifica que se anuncie um milagre cada vez que não se compreende um fenômeno? Antes de procurar a reposta a essa Verdadeira Pergunta, vejamos quais avatares ela conheceu desde as proezas de Eusapia Palladino.

---

6 Ibidem.

Joseph Rhine e a parapsicologia científica

A história das ciências ocultas se divide em duas eras incomensuráveis: antes de Joseph Banks Rhine e depois. Antes, os espíritos só juram pelos fantasmas, os ectoplasmas, os médiuns, as mesas giratórias e as xícaras em movimento. Nos anos 1920-1930, Rhine substitui esse folclore arcaico por um corpo de disciplinas mais dignas de crédito: faculdades "psi", percepção extrassensorial ou PES, psicocinese ou PK (deslocamento de objetos "pelo pensamento"), parapsicologia. Cientista rigoroso, ele impõe regras de laboratório a essa área antes refratária à verificação. "As atividades dos espíritos que batem na mesa frequentemente cessam assim que um investigador chega para observá-las", reconhece ele com franqueza.

Tarefa penosa, portanto. Mas Joseph Banks Rhine não é daqueles que recuam diante da dificuldade. Homem de grande fé, ele queria ser pastor, antes de obter seu doutorado em Fisiologia Vegetal na Universidade de Chicago, em 1925. Ele ensinará essa disciplina por somente dois anos. Em dificuldades tanto com as crenças religiosas quanto com o materialismo científico, ele descobre sua verdadeira vocação por ocasião de uma conferência sobre o espiritismo, pronunciada por *Sir* Arthur Conan Doyle, ele próprio. Desde então, com uma convicção inabalável, ele intenta demonstrar cientificamente o ocultismo. "A personalidade de Rhine combina estes dois fatores: de um lado, a meticulosidade do homem de laboratório, tarimbado nas contraprovas e nas verificações experimentais; de outro, uma certeza absoluta, fora do racional, sobre a realidade do psi",[7] escreve o jornalista Michel Rouzé.

De uma ingenuidade a toda prova, e até a toda contraprova, Rhine se deixa enganar por colaboradores sem escrúpulos.

---

7 Michel Rouzé, "La véridique histoire du 'père' de la parapsicologie", *Science et Vie*, n.755, agosto de 1980.

Margery, um de seus primeiros objetos de estudo, vomita ectoplasmas comprados no açougue da esquina. O episódio de Lady Wonder, a "potranca telepata", é ainda mais revelador daquilo que Rouzé chama de "estranha inibição do espírito crítico que a atitude do querer crer acarreta". Lady Wonder "adivinha" um número que Rhine anotou num bloco. Ela bate com seu casco um número de golpes igual ao valor do número escrito por Rhine. Impressionado, este publica uma "Investigação sobre um cavalo leitor de pensamento".

Rhine constatou que Lady Wonder erra quando Mrs. Fonda, a dona da potranca, se mantém longe dele ou quando ele próprio se coloca atrás dela. Ele não encontra nenhuma explicação para esse mistério. Um ilusionista profissional, Melbourne Christopher, resolveu isso em poucos instantes. Christopher comparece a uma demonstração de Lady Wonder, sem revelar seu ofício. Ele compreende rapidamente que não está diante de um número de telepatia, mas de um clássico truque de circo. O dom de Lady Wonder deve tudo ao seu adestramento. A potranca reage a um sinal discreto de Mrs. Fonda, que lê o número seguindo os movimentos do lápis. Não é de admirar que a potranca perca seus poderes quando Mrs. Fonda não pode ver os gestos de Rhine.

Durante quase quarenta anos, de 1927 a 1965, Rhine realizará experiências de adivinhação de cartas no seu laboratório da Universidade Duke, na Carolina do Norte. Seus resultados são ainda considerados a pedra de toque da "parapsicologia científica". Rhine não utiliza um maço de baralho clássico, mas o de Zener, composto de cinco vezes cinco cartas idênticas. Em cada carta está desenhada uma figura geométrica simples: um círculo, uma cruz, um triângulo etc. O indivíduo testado deve adivinhar qual figura está numa carta. Sem olhar, claro! Confiando no acaso, tem-se uma chance em cinco de acertar – dez vezes mais do que com um maço comum de 54 cartas, mas claramente menos do que jogando cara ou coroa. Em média, pode-se esperar cinco respostas certas por maço. Num determinado sorteio, o indivíduo pode adivinhar sete cartas, ou três, mas para uma longa série de sorteios a probabilidade de que a média se afaste de cinco é fraca. O melhor indivíduo de Rhine, Hubert Pearce, obteve em 1930 a marca prodigiosa de oito respostas certas em média por maço, em 69 sorteios. A probabilidade de que essa façanha fosse resultado do acaso era ínfima. Melhor ainda, um belo dia, Pearce teria conseguido, segundo Rhine, adivinhar 25 cartas seguidas! Uma *performance* propriamente milagrosa.

Rhine mantinha a prova do seu "efeito psi". Ele publicou seu primeiro relatório sobre a PES em 1934. Vários pesquisadores americanos se interessaram por suas experiências e tentaram reproduzir seus resultados. Ao todo, 298.814 sorteios de cartas de Zener foram efetuados em cinco universidades americanas, entre as quais a prestigiada Universidade de Princeton. Nenhum dos indivíduos testados fez melhor do que o acaso. Algumas más línguas cochicharam que Pearce tinha trapaceado. Não se pôde provar. Mas a experiência de Rhine comportava um viés. Pearce adivinhava as cartas cinco por cinco, olhava-as com o experimentador, depois as devolvia ao maço. O experimentador embaralhava as cartas e recomeçavam. Qualquer um que conheça os truques de cartas dirá que Pearce aumentava assim suas chances de sucesso: as cartas recolocadas no baralho se encontram mais frequentemente na parte de cima ou na parte de baixo do maço. Ora, essas cartas Pearce já tinha visto. Cumpre acrescentar que foi ele próprio quem sugeriu essa maneira de proceder...

Em outra experiência, Pearce se encontrava a noventa metros do experimentador. Os escores também foram notáveis. Desta vez, não havia fraude possível. É o que se pensava, até que um investigador teimoso, Mark Hansel, percebeu que Pearce podia observar o experimentador sem que este soubesse, através de portas envidraçadas.

Rhine aposentou-se em 1965. Seu sucessor, Walter Levy, especializou-se em parapsicologia animal. Ele obteve resultados fantásticos que não deixavam nenhuma dúvida sobre o poder psi dos ratos. Infelizmente, os assistentes de Levy o surpreenderam falsificando um dispositivo gravador. Rhine o despediu imediatamente, sem, contudo, comprometer os resultados anteriores de Levy. Credulidade de Rhine, trapaça dos indivíduos de sua experiência, perspicácia dos ilusionistas: reencontramos aqui os ingredientes da história Palladino. Nada mudou? Sim, uma coisa: apesar dos esforços de seus adeptos, as faculdades metapsíquicas não cessaram de diminuir desde o século XIX, sem falar dos tempos recuados quando a fé movia montanhas. O que fizemos nós de nossas aptidões sobrenaturais?

O desmoronamento dos poderes psi

O físico Henri Broch, especialista em estudos críticos sobre a paranormalidade, é formal: a intensidade dos efeitos psi diminui no curso das épocas. Isso é particularmente claro para a psicocinese, capacidade de mover os objetos só pela força do espírito: "O 'mana' supostamente deslocou, há vários séculos, objetos de várias toneladas, como as estátuas da Ilha de Páscoa com cerca de dez toneladas", escreve Broch em *O paranormal*, manual de referência na matéria:[8]

> Por volta dos anos 1850, o *mesmo* fenômeno intervinha no deslocamento de pesadas mesas de madeira maciça (ou seja, uma massa cem vezes menor); algumas décadas mais tarde, o *mesmo* poder deslocava caçarolas de 1 kg; e nos anos 1970, o *mesmo* dom reivindicava apenas o deslocamento de minúsculos objetos como um pequeno dado ou um pedaço de papel, ou seja, massas da

---

8 Henri Broch, op. cit. Assinale-se que Henri Broch dirige um laboratório dedicado ao estudo – cético – da paranormalidade, o "Laboratório de Zetética da Universidade de Nice", que dispõe de um *site* na internet: www.unice.fr./zetetique/.

ordem de uma dezena de gramas. O *mesmo fenômeno*, portanto, diminuiu num fator de um milhão ao longo dos anos!

A análise de Broch é confirmada pelas melhores fontes psi. Eusapia Palladino tinha virado uma mesa de 24 kg. Nina Koulaguina, célebre médium soviético em ação nos anos 1940-1950, teve apenas a força psíquica necessária para separar, em meia hora, a clara da gema de um ovo cru quebrado dentro de um aquário, depois de ter sido amarrada numa poltrona.[9] Esse esforço exaustivo fez subir seu pulso a 240 batimentos por minuto e diminuir seu peso em um quilo! Em psicocinese, Rhine nunca obteve melhores resultados. Uma de suas experiências fazia uso de um copo lançando dados de maneira aleatória. O sujeito devia se concentrar para fazer sair o duplo seis. Rhine obtinha, no melhor dos casos, uma flutuação estatística que certamente não seria suficiente para mover uma estátua da Ilha de Páscoa.

Na França, o antigo presidente da Companhia Geral de Eletricidade (CGE), Ambroise Roux, destacou-se nos anos 1980 por sua competência a propósito de fenômenos psi. Publicou *A ciência e os poderes psíquicos do homem*,[10] uma obra reveladora da qual ele próprio escreveu nove páginas das 280 que o livro comporta (as outras são obra de dois parapsicólogos americanos, Stanley Krippner e Gerard Solvfin, cujos nomes figuram em letras miúdas na capa). Substituindo a quantidade pela qualidade, o presidente Roux exprime o essencial em poucas palavras:

> Indiscutivelmente, as forças psi são fracas. Se não fossem, há muito tempo que se observariam deslocamentos espetaculares de objetos ... Só experiências soviéticas é que mostraram

9 Cf. Lyall Watson, op.cit.

10 Ambroise Roux, Stanley Keipner e Gerald Solvfin, *La science et les pouvoirs psichiques de l'homme*, Paris: Sand, 1986.

sujeitos que seriam capazes de movimentar a pedido os objetos mais diversos. Mas as informações correspondentes não parecem repousar sobre bases sérias.

Seja qual for o antissovietismo primário de Ambroise Roux, podemos confiar no seu julgamento de especialista. O presidente descreve experiências realizadas no laboratório de eletrônica especializada que ele criou na CGE. "Julguei que a telepatia estava amplamente demonstrada e que a psicocinese merecia, ao contrário, uma atenção mais demorada", escreve ele. "Ora, novos trabalhos nessa área foram possíveis pelo aparecimento de um aparelho totalmente revolucionário que é o ticoscópio, cuja concepção básica se deve a um brilhante engenheiro francês, Pierre Janin."

Essa concepção é muito engenhosa. Como as forças psi são fracas, "elas são difíceis de pôr em evidência sobre um móvel em repouso (*sic*), já que é preciso primeiro vencer as forças de atrito; daí a ideia de um móvel em movimento constante e aleatório cuja trajetória é modificada pelas forças psi que atuam sobre ele, uma vez que as forças de atrito foram previamente vencidas". Em termos claros, em vez de procurar fazer uma mesa girar pelas forças metapsíquicas, procura-se introduzir o ticoscópio, que passeia sobre a mesa traçando uma curva "totalmente aleatória". Pede-se ao sujeito "que olhe para o ticoscópio e que tente imprimir-lhe um movimento, por exemplo atraí-lo".

Etimologicamente, "ticoscópio" significa mais ou menos "aparelho para ler o destino". Esse treco maravilhoso está manifestamente relacionado mais com a metafísica do que com a física, e não é de espantar que o espírito aja sobre um objeto que de todo modo desliza sozinho. Entretanto, segundo Ambroise Roux, só os sujeitos de elite conseguem efeitos significativos. O presidente dita o caso de uma jovem senhora superdotada, cuja presença apenas bastou para que o ticoscópio atravessasse uma mesa de três metros e meio e aterrissasse sobre seus joelhos (da mulher, não de Ambroise Roux). "Quando se assiste a uma experiência dessa ordem, é difícil não ficar convencido da existência da parapsicologia", julga nosso autor. Palavras fortes não compensam a fraqueza das faculdades psicocinéticas. Como explicar a regressão dos poderes psíquicos?

O papel do observador

Broch observa que essa regressão se produz "paralelamente à sofisticação elevada dos meios de controle". O que confirma a reflexão de Rhine segundo a qual os espíritos que batem na mesa cessam suas atividades assim que se procura observá-los. Tudo se passa como se uma misteriosa interação entre o observador e o fenômeno observado provocasse um desmoronamento do psi. Como confiar em fenômenos tão suscetíveis e caprichosos?

Os observadores mais nocivos aos efeitos paranormais são os prestidigitadores. Mas para mágico, mágico e meio. Eusapia Palladino conseguiu realmente enganar os membros da comissão Fielding, que, entretanto, eram bons ilusionistas amadores. Nessa área como em outras, os grandes profissionais estão acima do grupo. Em certo sentido, os especialistas da SPR foram tanto mais iludidos quanto se julgavam ao abrigo do logro. Isso deveria incitar os observadores de fenômenos psi a ter confiança na engenhosidade dos indivíduos dotados de poderes especiais, mais que nos próprios fenômenos.

Nos anos 1970 e 1980, o ilusionista James Randi, vulgo o "Estupefaciente", tornou-se o "flagelo do mundo psi". No seu quadro de troféus de caça, figura Uri Geller, grande entortador de colheres diante do Eterno, com quem já cruzamos na introdução. Nascido em 1946 em Tel Avive, Uri Geller tomou consciência de seus poderes muito cedo: na sua autobiografia,[11] ele

11 Uri Geller, *My Story*, New York: Praeger, 1975.

conta que recebeu, por volta dos quatro anos de idade, a visita de um disco voador quando se encontrava sozinho num jardim vizinho à sua casa; depois, por volta dos sete anos, percebeu que podia fazer mexer os ponteiros de seu relógio de pulso só com a força do pensamento. É certamente um efeito diminuto, mas até mesmo os anões começaram pequenos. Com vinte anos de idade, Uri preparou um número de *music-hall* que obteve rapidamente um grande sucesso nos teatros e boates noturnas de Israel. Seu espetáculo se desenvolvia segundo um ritual invariável. Apresentando-se como uma pessoa dotada de poderes paranormais, ele explicava ao público que a energia mental dos espectadores era essencial para seu sucesso e que as "vibrações negativas" o impediam de ter sucesso. Estando assim coberto em caso de fracasso, ele começava com alguns truques de adivinhação, como adivinhar o nome de uma capital estrangeira escolhida por um espectador. Depois, efetuava experiências de psicocinese que consistiam em torcer objetos metálicos – lâminas de barbear, chaves, colheres – ou fazer funcionar relógios parados.

Todas essas proezas podem ser realizadas por um ilusionista sem invocar nenhum fenômeno paranormal. Os prestidigitadores realizam correntemente números bem mais espetaculares que os de Uri Geller, os quais não teriam grande interesse se não fossem produzidos – segundo seu autor – por uma misteriosa capacidade psi. Notemos que esta última, de acordo com a análise de Henri Broch, não é muito poderosa. Se Uri Geller chegou até a entortar um taco de golfe – provido, é bem verdade, de uma dobradiça oportunamente colocada –, ele não atacou as vigas do Golden Gate Bridge ou as longarinas da Torre Eiffel. Mas, enfim, um efeito psi, mesmo fraco, merece atenção se for autêntico. Não admira então que cientistas se tenham interessado pelo "efeito Geller". Em 1972-1973, o médium israelense realizou uma série de experiências no laboratório de Russel Targ e Harold Puthoff, dois físicos apaixonados por parapsicologia, no Stanford Research Institute de Menlo Park, na Califórnia. Seu dom de psicocinese revelou-se frágil, e as experiências de torção de colheres, pouco probatórias.

Em compensação, sua aptidão telepática convenceu Targ e Puthoff de que estavam tratando com um indivíduo de exceção. Eles publicaram um relatório na *Nature* considerado depois pelos adeptos da parapsicologia uma validação científica de sua disciplina, a despeito do fato de que esse relatório era acompanhado de um editorial muito cético.[12] Eis aqui um fragmento significativo:

> Uma experiência duplamente aleatória foi realizada, na qual um dado de 3/4 de polegada é colocado numa caixa de aço de 3 x 4 x 5 polegadas. A caixa é sacudida vigorosamente por um dos experimentadores e colocada sobre a mesa, uma técnica cujos testes mostraram que produz uma distribuição das faces do dado que não difere significativamente do acaso. A posição do dado na caixa era desconhecida pelos experimentadores nesse momento. Geller anotava então o número da face que se encontrava para cima ... A experiência foi realizada dez vezes. Geller absteve-se de responder duas vezes e deu uma resposta nas oito outras vezes. Para cada uma dessas oito vezes, sua resposta era exata. A distribuição das respostas consistia em três 2, um 4 e dois 6. A probabilidade de conseguir esse resultado por simples acaso é de 1 para 1 milhão.

Essa experiência merece certamente figurar em lugar de destaque nos anais da parapsicologia científica, ao lado da extraordinária série de adivinhações de cartas de Zener conseguida por Pearce no laboratório de Joseph Rhine. Entretanto, apesar de seu aparente rigor, a exposição de Targ e Puthoff sofre de lamentáveis lacunas. Martin Gardner, célebre criador de jogos matemáticos e membro fundador do CSICOP, observa:

12 *Nature*, v.251, 18 de outubro de 1974.

> Não nos indicam quem sacudiu a caixa, onde e quando o teste foi executado, quem observou as tentativas, quanto tempo Geller levou para fazer cada conjetura, se ele tinha ou não permissão para tocar na caixa, se, antes ou depois, outros testes com uma caixa de dados foram efetuados com Uri, ou se a experiência foi gravada visualmente.[13]

Ora, uma investigação realizada por Randi revelou que Geller não apenas tinha tocado na caixa, mas que era ele quem a sacudia para "randomizar" o dado, que ele a segurava enquanto se concentrava e que, pelo menos uma vez, foi ele quem abriu para verificar qual face estava aparente! Por outro lado, Targ e Puthoff puseram em circulação um filme mostrando seus trabalhos com Uri, mas Randi descobriu depois que esse filme não mostrava as tentativas precisas descritas na *Nature*, mas uma reconstituição da experiência feita posteriormente. Afinal, calcula Randi, "jamais poderemos saber o que realmente aconteceu naquela confusão geral imposta por Geller a esses dois cientistas sobretudo ingênuos".[14]

Por ocasião de um célebre programa da televisão americana no qual aparecia Uri Geller, o "Johny Carson Show", Randi foi consultado antes da difusão. Ele deu conselhos aos responsáveis pelo programa, a fim de que os truques de Geller não pudessem funcionar, salvo se ele possuísse *realmente* um poder paranormal. Resultado: Uri Geller não conseguiu nenhuma de suas habituais façanhas e se multiplicou em desculpas, invocando não estar em boa forma. Como vimos na introdução, Geller também foi desmascarado na França, por Gérard Majax, no programa de Michel Polac. A única conclusão sensata que

---

13 Martin Gardner, *The New Age. Notes of a Fringe Watcher*, Buffalo, New York: Prometheus Books, 1988.

14 James Randi, "The role of conjures in psi research", in *A Skeptic's Handbook of Parapsychology*, op. cit.

ressalta das intervenções de Randi e de Majax é que mesmo para um indivíduo da classe de Geller, a melhor maneira de dobrar ao meio uma colher consiste em conjugar força psíquica e força muscular. O dom paranormal reside no talento do médium ilusionista para desviar a atenção dos espectadores do empurrãozinho que ele dá no destino – e no metal. Para recompensar a cada ano os mais hábeis nesse joguinho, Randi criou o "Prêmio Uri", cujo troféu é uma colherzinha torta colocada num pedestal de plástico.

O projeto Alfa

O golpe mais rude desferido pelo "Estupefaciente" contra os poderes psi foi o "projeto Alfa", sobre o qual Henri Broch fornece detalhes palpitantes. Em 1979, James MacDonnell, presidente da Sociedade de Aeronáutica McDonnell-Douglas, fez uma doação de meio milhão de dólares à Universidade Washington de Saint-Louis, Missouri, a fim de financiar a criação de um laboratório de estudos paranormais. Peter Phillips, um professor de física que se interessava havia muitos anos pelo assunto, assumiu a direção das operações. Randi lhe propôs seus serviços para ajudá-lo a desmascarar eventuais impostores. Phillips não quis saber de nada. Ele era bastante crescido para se virar sozinho. Recrutou por meio de anúncios dois jovens sujeitos psi, Steven Shaw e Michael Edwards, e começou a testá-los.

Shaw e Edwards se revelaram extremamente brilhantes. Eles liam por telepatia o conteúdo de um envelope lacrado, torciam hastes de metal sem tocá-las, faziam explodir balas de chumbo só pela força do pensamento. Um dia, Steven mudou a imagem de uma câmera de vídeo com uma simples imposição das mãos. Numa outra vez, os experimentadores colocaram diversos objetos num aquário emborcado, fechado a cadeado e parafusado a uma mesa, tudo colocado numa sala fechada a chave (os aquários parecem desempenhar um grande papel nas pesquisas paranormais). Phillips pegou as chaves do cadeado e da sala e amarrou-as em torno de seu pescoço. No dia seguinte, o pessoal do laboratório descobriu os objetos contidos no aquário torcidos, quebrados, deslocados pelas forças metapsíquicas. Signos cabalísticos tinham até sido traçados sobre uma camada de café em pó sobre a qual repousavam alguns objetos!

O que Phillips ignorava é que Shaw e Edwards eram dois prestidigitadores cúmplices do pérfido Randi. A operação, batizada "projeto Alfa", tinha sido montada pelo "Estupefaciente" para demonstrar que profissionais da mágica podiam enganar cientistas. Phillips e seus colegas tinham tão pouca desconfiança que até facilitaram muito a tarefa dos agentes de Randi. Convencidos da autenticidade dos fenômenos, não se preocuparam com precauções elementares. Os envelopes do teste de telepatia estavam "lacrados" apenas com grampos (vimos na Lição 3 como Randi tinha protegido o envelope contendo os resultados codificados das experiências realizadas no laboratório de Benveniste). Shaw e Edwards tinham apenas que retirar delicadamente os grampos para dar uma espiada no desenho contido no envelope. Repondo os grampos nos furos originais, a manobra não deixava nenhum traço.

O lance do aquário era ainda mais grosseiro. Os dois companheiros deram um jeito para que uma janela ficasse aberta. Penetraram de noite na sala considerada inexpugnável, abriram o aquário fechado com cadeado e se entregaram às suas gracinhas habituais.

Durante quatro anos, Shaw e Edwards não cessaram de trapacear debaixo do nariz e nas barbas de Phillips, que nunca percebeu nada. Randi tentou alertá-lo deixando escapar boatos sobre o projeto Alfa. Chegou até a enviar a Phillips uma fita de vídeo em que explicava como conseguir falsos efeitos PK. Em outra fita, tirada do laboratório McDonnell, Randi mostrou a Phillips os momentos em que os sujeitos cometiam as fraudes.

Abalado, nem por isso Phillips deixou de continuar as experiências. O pior surdo é o que não quer ver!

Randi revelou o grande segredo no início de 1983. Mesmo assim, alguns parapsicólogos se resignaram com um argumento paradoxal: Shaw e Edwards mentiam quando pretendiam trapacear! Phillips, por sua vez, declarou numa carta a Randi que ele tinha "um grande respeito pela maneira como o projeto Alfa tinha sido realizado". Mais tarde, porém, recriminou o "Estupefaciente" por ter deixado entrar ovelhas negras em seu laboratório. Pelas últimas notícias, as pesquisas continuam...

Os psíritas estão de volta

A história da paranormalidade é um eterno recomeço. Desde Eusapia Palladino, foi confirmado de maneira constante que os efeitos psi não resistem ao exame de um observador qualificado. E, correlativamente, sua intensidade não deixou de diminuir. Mesmo um parapsicólogo como John Beloff, que não pode ser suspeito de ceticismo bitolado, admite que o sobrenatural não é mais o que era: "A dura realidade é que não há mais nenhuma Palladino", escreve ele. "Pelo que sei, ao contrário, o fenômeno de materialização pode ser extinto e jamais reaparecer. Exceto nos casos de *poltergeist*, não podemos sequer ter certeza de que ainda existam fenômenos fortes."[15] Essa triste constatação não desencorajou os defensores das paraciências, que continuam seus trabalhos com uma determinação inversamente proporcional aos seus resultados.

Nesses últimos anos, programas de pesquisa em parapsicologia foram desenvolvidos em diversos países, sobretudo nas universidades de Edimburgo na Escócia, de Friburgo na Alemanha,

15 John Beloff, op. cit.

de Cambridge na Inglaterra, de Amsterdã nos Países Baixos, de Andhra na Índia, assim como em várias grandes universidades dos Estados Unidos. Em Edimburgo, existe até uma cátedra de Parapsicologia ocupada atualmente pelo professor Robert Morris, cujo Departamento foi denominado Koestler Parapsychology Unit (KPU), em homenagem ao célebre escritor, que foi também um eminente parapsicólogo. Assinalemos que quem consulta o *site* da internet da KPU é convidado a participar de uma experiência de psicocinese "a distância", batizado "WebREG", que consiste em tentar agir sobre um "gerador de acontecimentos aleatórios" eletrônico.[16] Clica-se no botão "Go" e a tela mostra uma foto do gerador, com um comando no alto da tela pedindo para aumentar ou, ao contrário, diminuir a atividade do aparelho. Basta então se concentrar procurando influenciar o gerador durante trinta segundos. Os resultados obtidos pelo poder psi aparecem em seguida na tela. Não se pode deter o progresso, mas a Palladino não precisava de internet para comunicar-se com os espíritos!

Uma importante inovação, contudo, fez renascer a discussão sobre a parapsicologia científica: a introdução na área da psi da mecânica quântica, a mais desconcertante das teorias da física moderna, aquela mesma que, segundo Patrice van Eersel, o contista fantástico de *Actuel*, abriu uma "brecha escancarada na antiga visão do mundo". O Colóquio de Córdoba de 1979 (ver Lição 7) selou a aliança inesperada entre as mesas giratórias e a teoria que descreve o comportamento das partículas elementares como o elétron ou o fóton. A história é na realidade mais antiga. Ela remonta pelo menos à 23ª Conferência Internacional sobre os Fundamentos da Parapsicologia, organizada em Genebra em 1974. Por ocasião dessa Conferência, por iniciativa de Arthur Koestler – sempre ele –, realizou-se uma

16 O endereço do *site* é http://moebius.psy.ed.ac.uk/js_index.html.

mesa-redonda, se não giratória, sobre as ligações entre a mecânica quântica e o psi. Por uma espantosa coincidência – mas será realmente coincidência? –, a letra grega psi, cara aos entortadores de colherzinhas, é utilizada em mecânica quântica, onde designa a função de onda de uma partícula. Essa função de onda descreve o comportamento da partícula em termos de probabilidade. Evan Harris Walker, um "parafísico" da Universidade Johns Hopkins, imaginou que os médiuns e os indivíduos dotados de poderes especiais podiam, pela força de seu dom, influenciar a função psi da física quântica, de maneira a agir sobre as partículas e conseguir os efeitos psi dos fenômenos paranormais!

Em Genebra, Charles Panati, um escritor fã de Uri Geller, relatou que ficou muito impressionado por uma experiência de Targ e Puthoff, os dois físicos que tinham testado o médium israelense. Nessa experiência, outro sujeito, Ingo Swann, tinha conseguido "influenciar" um magnetômetro. Diante de uma assistência entusiasta, Evan Walker explicou como sua teoria podia explicar a proeza de Ingo Swann. Foi até planejado organizar uma conferência internacional em que Ingo Swann repetiria sua façanha e provaria assim a realidade do "efeito psi quântico". Depois, Walker observou que a demonstração corria o risco de ser comprometida pela presença de céticos que influiriam assim sobre as funções de onda, mas de maneira a impedir que a experiência funcionasse. Russel Targ concluiu com uma fórmula memorável: "Mesmo que Geller caminhasse sobre as águas de Berkeley até São Francisco, os céticos diriam: 'Oh, é o velho truque de andar sobre a água'".[17]

Os céticos, entretanto, não impediram que a teoria de Walker continuasse seu caminho e encontrasse o apoio de outros físi-

17 Citado por Martin Gardner, "Parapsychology and quantum mechanics", in *A Skeptic's Handbook of Parapsychology*, op. cit.

cos, convencidos de que a telepatia e a psicocinese se deduzem das equações da mecânica quântica. Seguindo Jean-Marc Lévy-Leblond, físico também mas contrário a tais extrapolações, nós chamaremos "psíritas" esses novos êmulos de William Crookes e de Joseph Rhine. Primos dos gurus de plantão da Lição 7, os psíritas contam em suas fileiras com físicos renomados, até prêmios Nobel como o americano Brian Josephson, professor da Universidade de Cambridge, laureado em 1973 pelo júri de Estocolmo por seus trabalhos sobre a supracondutividade. Em Córdoba, Josephson expôs sua concepção do "corpo astral" que se estende através do tempo e do espaço, o que é muito prático para fazer telepatia. Depois, ele desenvolveu em diversas publicações a ideia de que a consciência pode agir sobre um sistema quântico de maneira a permitir interações a distância. Formuladas por um Prêmio Nobel, tais especulações adquirem uma credibilidade que forçosamente não merecem.

Os psíritas se baseiam na noção de interdependência entre o observador e aquilo que ele observa, como explica Frijtof Capra, o físico taoísta:

> Minha decisão consciente quanto à maneira de observar ... um elétron, empregando meus instrumentos desta ou daquela maneira, determinará até certo ponto as propriedades do elétron. Dito de outro modo, o elétron não possui propriedades independentes do meu espírito. Em física quântica, o nítido corte cartesiano entre o espírito e a matéria, entre a palavra e o mundo, não tem mais validade.[18]

Já que o observador modifica a realidade observada, os fenômenos paranormais existem. Por mais surpreendente que pareça essa conclusão, os psíritas julgam, a exemplo de Walker,

---

18 Frijtof Capra, *Science et conscience*, op. cit. Ver também, do mesmo autor, *Le tao de la physique*, Paris: Sand, 1975 [ed. bras.: *O tao da física*. São Paulo: Cultrix, 2000].

que o espírito pode agir diretamente sobre uma partícula como o elétron. À primeira vista, isso não constitui um enorme progresso do ponto de vista da psicocinese. A massa de um elétron é inferior a um grama dividido por um bilhão de bilhões de bilhões. Eis aí algo que pulveriza o fator de um milhão posto em evidência por Henri Broch! Com uma potência psicocinética tão derrisória, as estátuas da Ilha de Páscoa podem dormir sossegadas.

Sim, mas... O efeito psi quântico, por mais fraco que seja, abre o caminho para uma "teoria científica" da paranormalidade. Não nos esqueçamos de que as colherzinhas, as estátuas da Ilha de Páscoa e nosso próprio corpo são constituídos de partículas. Se a força espiritual pode mover uma só, nada exclui que ela possa deslocar várias, até o maior número que quisermos. Afinal de contas, o difícil é só o primeiro passo.

O dinamarquês Richard Mattuck – professor de física da Universidade de Copenhague – elaborou uma "teoria quântica da interação entre a consciência e a matéria". Mattuck considera os efeitos paranormais como firmemente estabelecidos. Aliás, ele empreendeu sua própria investigação na área da psicocinese:

> Encontrei na Dinamarca uma jovem que era capaz de produzir um efeito de aparente PK sobre um termômetro clínico em condições razoavelmente bem controladas. Ela segurou entre a ponta dos dedos a extremidade do termômetro do lado oposto à bolha de mercúrio, sem sacudi-lo e, depois de vinte minutos, a coluna de mercúrio elevou-se de 36ºC para 40ºC. Eu a observei o tempo todo, de uma distância de um metro. O mercúrio subiu de 1/20 de grau suplementar quando ela me devolveu o termômetro, em contraste com a ligeira queda que sempre se produz após a subida do mercúrio devida ao calor, a uma sacudidela ou a outro tratamento físico.[19]

19 Richard Mattuk, *Science et conscience*, op. cit.

Não ousamos imaginar o que teria acontecido se a ardente jovem tivesse utilizado o termômetro segundo o processo habitual de aferir a temperatura retal... Resta o fato de que essa tórrida experiência parece um tanto insuficiente para concluir pela ação do espírito sobre a matéria. Outros pesquisadores, como David Bohm (ver Lição 7), contribuíram igualmente para a física psírita. Para Bohm, existe um nível "subquântico" no qual todas as partículas estão interconectadas, o que explica que nosso espírito possa agir sobre elas – é a ideia do "universo-holograma". A teoria de Bohm é tão hermética quanto a dos outros psíritas, e igualmente desprovida de bases experimentais.

Por sua vez, o físico francês Olivier Costa de Beauregard, que se converteu ao psiritismo depois de ter sido discípulo de Louis de Broglie, inventou a "telegrafia espaciotemporal": a ideia é utilizar o psi quântico para enviar sinais para o passado e até para o futuro! Essa perspectiva vertiginosa suscita o ceticismo de Jean-Marc Lévy-Leblond, que compara as elucubrações de Costa de Beauregard a um número de *music-hall*: "Esse deslocamento de um discurso científico para fora de seu contexto me lembra ... um número de imitação de um tipo particular: o artista que imitava línguas estrangeiras", relata Lévy-Leblond:[20]

> Ele era capaz de falar várias línguas sem utilizar nenhuma palavra de verdade; ele emitia unicamente ruídos, melodias, entonações ... O ponto em que isso se tornava realmente impressionante era quando ele falava francês, porque, então, eu reconhecia perfeitamente a língua, mas me dava conta também de que ele não dizia nada. Pois bem, pessoas como Mr. Costa de Beauregard, nas suas discussões públicas sobre a parapsicologia, utilizam esse tipo de processo: fazem o mesmo ruído como se "falassem física", e, para um não físico, isso é indiscernível de um verdadeiro discurso científico.

---

20 Citado num dossiê de Michel Eberhardt, "Les franc-tireurs de la physique moderne", *Science et Vie*, n.750, março de 1980.

Os psíritas seriam como outros Uri Geller do conceito? Eis aí um truque no qual o próprio Randi não tinha pensado! Para tirar isso a limpo, examinemos mais de perto essa famosa mecânica quântica, evitando, porém, cair na "brecha escancarada que a física abriu na antiga visão do mundo"!

Um grão de loucura na física

A mecânica quântica, ao lado da teoria da relatividade, é um dos dois pilares da física contemporânea. A relatividade, a obra-prima de Albert Einstein, descreve o universo em grande escala, a das estrelas e das galáxias. A teoria quântica aplica-se à escala das partículas elementares. Ela descreve a matéria e a luz na sua intimidade. Explica a condução da corrente elétrica por um fio de cobre, as propriedades isolantes do vidro, os fenômenos de supercondução ou o curioso comportamento do hélio superfluido que, a uma temperatura muito baixa, é capaz de subir pelas paredes de um recipiente e escorrer para fora. As aplicações quânticas povoam nosso entorno cotidiano: o transistor, o laser, a televisão, o telefone, o microcomputador, o holograma ou uma simples lâmpada elétrica são, em certo sentido, "máquinas quânticas".

Apesar dessa onipresença, a física quântica conserva um caráter desconcertante, difícil de compreender. Enquanto a mecânica clássica e até mesmo a relatividade podem ser ilustradas por imagens familiares,[21] os objetos quânticos não se parecem com nada do que se vê no mundo comum. Um elétron ou qualquer outra partícula subatômica pode ir de um ponto a outro passando por dois caminhos ao mesmo tempo! Ele pode

---

21 Para convencer-se disso, basta ler o notável livrinho de Albert Einstein, *La relativité*, op. cit.

transpor uma "barreira de átomos" sem esforço, como se uma pedra lançada contra uma vidraça se encontrasse do outro lado deixando intacta a vidraça! Sobretudo, seu comportamento é imprevisível. Quando você joga bilhar, todo o interesse do jogo reside no fato de que você pode prever com bastante precisão a trajetória da bola que você impulsiona com uma tacada, assim como a da bola com a qual a sua entra em colisão (pelo menos, se você é um bom jogador). Imagine agora que você está jogando bilhar com elétrons: a previsão das trajetórias seria impossível e o jogo se tornaria uma loteria. Após uma colisão, um elétron tornaria a partir em qualquer direção.[22] Tudo o que você poderia saber é a probabilidade de tal ou tal trajetória. Ao contrário da física clássica à qual Laplace deu sua forma mais completa, a mecânica quântica é não determinista. No mundo determinista de Laplace, basta conhecer o estado de um sistema num instante T para predizer o que ele será num instante T posterior.[23] No mundo quântico, essa bela ordenação causal desaparece, e

---

22 Tomo essa comparação do livro de Trinh Xuan Thuan, *Le chaos et l'harmonie*, Paris: Artème Fayard, 1988 (reeditado em "Folio essais", Gallimard).

23 Salientemos aqui que a obra de Laplace foi mal compreendida. Quando Laplace fala de "determinismo universal", trata-se para ele de um conceito puramente teórico. Na prática, julga Laplace, só podemos ter da natureza um conhecimento parcial, que impõe substituir as predições por probabilidades. É, aliás, no seu *Essai sur les probabilités* [*Ensaio sobre as probabilidades*], que Laplace introduz o determinismo universal: "Uma inteligência que, num dado momento, conhecesse todas as forças que animam a natureza e a situação respectiva dos seres que a compõem, se ela fosse bastante ampla para submeter esses dados à análise, englobaria na mesma fórmula os movimentos dos maiores corpos do universo e os do mais leve átomo: nada seria incerto para ela, e o futuro, bem como o passado, estaria presente aos seus olhos" (Paris: Christian Bourgeois, 1986). Laplace fala aqui de uma inteligência ideal, imaginária, que teria um conhecimento ilimitado dos "seres que compõem a natureza". Como observam Alan Sokal e Jacques Bricmont: "É inverter totalmente o sentido do seu texto imaginar que ele esperava, por sua vez, chegar a um conhecimento perfeito, a uma previsibilidade universal, já que o objetivo de seu

só se pode indicar as probabilidades, quer o estado do sistema seja X ou Y.

Não foi de bom coração que os físicos abandonaram as robustas certezas deterministas do século XIX. Nem foi por pura malícia que eles criaram aquele universo de partículas fantasmagóricas e dotadas de ubiquidade que faz pensar em *Alice no país das maravilhas*. Foi simplesmente porque não tiveram outra escolha: viram-se diante de uma realidade que não se deixava encerrar numa descrição determinista. Os aborrecimentos começaram com o aparecimento da descontinuidade na área da luz e das ondas eletromagnéticas. No século XIX, um maniqueísmo rígido opunha a matéria à irradiação. A matéria era feita de átomos indivisíveis e tinha uma estrutura descontínua. A luz e a irradiação em geral eram contínuas.

No início do século XX, o físico alemão Max Planck e sobretudo Albert Einstein tornaram a envolver essa dualidade. Em 1900, Planck mostrou que, em escala microscópica, a energia se trocava por "pacotes", ou *quanta*, múltiplos de uma minúscula quantidade elementar notada h e chamada constante de Planck – daí o termo física *quântica*. Em 1905, Einstein foi um pouco mais longe: a própria irradiação era descontínua. A luz não era apenas uma onda, mas também constituída de "grãos" de energia, mais tarde chamados fótons. Einstein pôde assim explicar o efeito fotoelétrico, compreensível na concepção clássica (esse efeito age nas células fotossensíveis utilizadas, por exemplo, para acionar portas automáticas). Lembremos que Einstein recebeu o Prêmio Nobel em 1921 por sua contribuição para o estudo do efeito fotoelétrico e não pela relatividade, que era ainda controvertida. Mas as implicações do trabalho de

ensaio era justamente explicar como proceder na ausência de semelhante conhecimento, como se faz em física estatística, entre outras" (A. Sokal & J. Bricmont, *Impostures intellectuelles*, Paris: Odile Jacob, 1997) [ed. bras.: *Imposturas intelectuais*. Rio de Janeiro: Record, 1999].

Einstein ultrapassam de longe o efeito fotoelétrico e, sob certos aspectos, pode-se considerar que o pai da relatividade é também o criador da mecânica quântica.[24]

A terceira etapa foi a obra do dinamarquês Niels Bohr. Em 1913, Bohr modificou o modelo do átomo planetário de Rutherford, no qual os elétrons orbitavam em torno do núcleo atômico como num microscópico sistema solar. No átomo de Bohr, os elétrons não podem girar em qualquer órbita; eles são obrigados a se encontrar numa ou noutra de uma série de órbitas bem determinadas que se encontram a distâncias precisas do núcleo. Um elétron pode saltar de uma órbita para outra, mas permanecendo sempre na gama das órbitas associadas ao átomo a que pertencem. Essas órbitas correspondem a níveis de energia: quando um elétron salta de uma órbita mais afastada para outra mais próxima, ele passa para um nível mais baixo e emite um grão de luz, um fóton; inversamente, quando o átomo absorve um fóton, este dá a um elétron a energia suficiente para subir de uma órbita baixa para outra mais elevada. O espectro luminoso de um átomo é assim determinado pela divisão de suas órbitas, vale dizer, dos níveis de energia dos elétrons. O átomo de Bohr permite então compreender por que o espectro do hidrogênio, por exemplo, possui três traços luminosos, um vermelho, um azul-verde e um azul. Cada elemento possui um arranjo desse tipo, formado por um conjunto de traços espectrais que lhe são próprios.

O átomo de Bohr introduziu a descontinuidade quântica na irradiação do átomo. Em 1924, Louis de Broglie lançou a ideia, de certo modo simétrica à dos quanta de luz, de que as partículas materiais podiam também se comportar como ondas. Nem totalmente onda nem totalmente corpúsculo, o elétron aparecia

---

24 Ver Stéphane Deligeorges (Org.) *Le monde quantique*, Paris: Seuil/Sciences et Avenir, 1984.

como um "objeto do terceiro tipo". Depois, em 1926, o austríaco Erwin Schrödinger forneceu uma base matemática rigorosa à intuição de Louis de Broglie. Ele formulou uma equação fundamental, que leva hoje seu nome, e que rege o comportamento de todo sistema quântico. É na equação de Schrödinger que intervém a função de onda associada ao elétron ou a qualquer outra partícula, ou seja, a famosa função psi. Em termos não matemáticos, a equação de Schrödinger descreve a maneira como a onda de uma partícula varia em função do tempo.

Mas em que consiste precisamente essa onda? As "ondas de matéria" de Louis de Broglie não se assemelham em nada às ondas clássicas, como as ondas sonoras ou as ondas na superfície da água. Se projetarmos em grande velocidade um feixe de elétrons contra um átomo, o feixe pode ser descrito como um pacote de ondas. Segundo a equação de Schrödinger, no momento da colisão, o pacote se quebra em pequenas ondas que partem em todas as direções. Ora, os elétrons, ao contrário, não se quebram em mil pedaços. As "ondas de matéria" não são, portanto, realmente materiais. Mas, então, o que são elas? O físico alemão Max Born resolveu o problema propondo uma interpretação matemática da função de onda: segundo Born, a onda de uma partícula não é uma onda concreta; é uma quantidade abstrata que representa a probabilidade de que a partícula se encontre em tal ou tal ponto (essa probabilidade é proporcional ao quadrado do valor da função de onda no ponto considerado).

A equação de Schrödinger e sua interpretação probabilista feita por Born revelaram-se de uma terrível eficácia operatória. Graças a esse poderoso instrumento mecânico, os físicos puderam calcular os níveis de energia dos átomos e analisar a estrutura das moléculas, em perfeito acordo com as observações. Foi, segundo Trinh Xuan Thuan, a "época de ouro da mecânica quântica". Mas, se a teoria se revelava de grande valor previsivo, ela apresentava também uma série de dificuldades conceituais, ligados à utilização dos conceitos clássicos de onda e de corpúsculo nesse contexto novo. Mais ainda, essa teoria escapava ao determinismo clássico, o que era desconcertante para muitos cientistas. Em 1927, um jovem físico alemão, Werner Heisenberg, demonstrou que era impossível conhecer simultaneamente a posição e a velocidade de uma partícula quântica. Quando você está guiando um carro, você pode saber facilmente onde está e isso não o impede de saber ao mesmo tempo sua velocidade, lançando um rápido olhar ao velocímetro. Mas se você observa um elétron, não pode determinar sua posição com precisão sem perturbar seu movimento, de tal modo que não pode mais saber sua velocidade; quase como se, de carro, você não pudesse ler as placas indicadoras sem dar uma freada, o que evidentemente reduz sua velocidade. Da mesma maneira, para medir a velocidade do elétron, você deve fazer uma experiência que o impedirá de ter uma noção precisa de sua posição. Essa impossibilidade de conhecer o estado exato de uma partícula quântica constitui o "princípio de indeterminação de Heisenberg", igualmente chamado "princípio de incerteza". Segundo esse princípio, a precisão com que se pode medir os parâmetros de uma partícula quântica é limitada por uma quantidade fixa igual à constante de Plank dividida por 2π. A constante de Planck marca, portanto, um limite absoluto para o conhecimento que se pode ter do mundo quântico.

Além do mais, a indeterminação quântica pode levar a paradoxos. Assim, consideremos um elétron que evolui numa região do espaço. Sua função de onda indica, para cada ponto, a probabilidade de que o elétron se encontra nesse ponto. Ela está "estendida" no espaço. Mas, se pararmos o elétron num detector, ele será detectado num lugar preciso. No instante anterior à observação, o elétron ocupava virtualmente o espaço inteiro. Bruscamente, ele se reduziu a um ponto. A função de onda "desmoronou": é aquilo que os físicos chamam de "redução do pacote de ondas", enquanto os psíritas falam de "colapso do psi".

O que é que provoca esse “colapso”? Para os psíritas, só o fato de observar o elétron modifica seu comportamento: o espírito do observador agiria sobre as propriedades das partículas quânticas, e esse efeito, dirigido por um indivíduo dotado, poderia dobrar à vontade os bilhões de pacotes de ondas das partículas que constituem uma colherzinha...

Então, não há outra escolha a não ser admitir essa interpretação um tanto forçada? Até mesmo em física clássica, a observação de um fenômeno pode influir sobre sua evolução: se eu colocar um termômetro muito frio num copo de água, a troca térmica entre o aparelho e a água pega um pouco de calor do líquido, de modo que a temperatura indicada será um pouco mais baixa do que eu deveria encontrar. Isso não significa que meu espírito aja diretamente sobre a temperatura da água! Além disso, eu posso conceber um termômetro que provoque uma perturbação desprezível. Em física quântica, o caso se complica, já que até mesmo o melhor aparelho de medida introduz uma perturbação não desprezível, por causa do princípio de Heisenberg. Será que por isso devemos aceitar a interpretação psírita? A mecânica quântica seria mesmo a senda dourada da parapsicologia científica?

Réquiem para um bichano

Para a imensa maioria dos físicos, as especulações dos psíritas são desprovidas do mínimo fundamento científico. A ideia de uma influência direta exercida pelo pensamento do experimentador sobre os mostradores dos instrumentos de medida parece nada mais do que uma versão modernizada da mesa giratória do século XIX. Do ponto de vista do homem de laboratório, o que conta é que as predições da teoria estejam de acordo com a observação. O resto pertence ao imaginário.

Esse pragmatismo estreito contraria o senso comum, e contrariava mais ainda na época dos pioneiros da mecânica quântica.

A física clássica dava da realidade uma descrição abstrata, mas traduzível em termos intuitivos e transferível para o universo da experiência cotidiana. A teoria da relatividade, mesmo que mal compreendida no início, era um prolongamento da física de Newton. Com a mecânica quântica, os cientistas foram dotados de um instrumento capaz de descrever objetos inacessíveis aos sentidos e à intuição. É um pouco como se o cálculo tivesse prolongado o pensamento, do mesmo modo que a luneta de Galileu tinha prolongado o olhar. Se uma parte dos físicos se entusiasmava com os sucessos da nova teoria, outros, como Einstein, julgavam que a física tinha por primeiro objetivo tornar o mundo compreensível. Ela não podia limitar-se a cálculos, por mais eficazes que fossem.

Em 1927, realizou-se em Bruxelas o 5º "Congresso Solvay", que reuniu todos os físicos importantes do momento.[25] Niels Bohr apresentou uma concepção chamada depois a "interpretação de Copenhague da mecânica quântica", a qual foi adotada pela maioria da comunidade científica. Segundo a interpretação de Copenhague, é inútil interrogar-se sobre o que é a realidade em si mesma, independentemente da observação: "Não existe mundo quântico, só existe uma descrição quântica abstrata", diz Bohr. "É errôneo pensar que o objeto da física é mostrar como a natureza *é*. A física se refere ao que nós podemos *dizer* a respeito da natureza."[26]

Albert Einstein e Erwin Schrödinger não se satisfaziam com semelhante visão. Para eles, a interpretação de Copenhague reduzia a física a um conjunto de receitas matemáticas que permitiam calcular as chances de que um sistema quântico se encontre num determinado estado. Essa descrição probabilista parecia-lhes insuficiente. E ela acarretava situações estranhas,

25 Ibidem.
26 Citado por Max Jammer, "Le paradoxe d'Einstein-Podolsky-Rosen", *La Recherche*, n.111, maio de 1980.

como Schrödinger ilustrou com seu célebre paradoxo do gato. Schrödinger imaginou uma "experiência de pensamento" bastante cruel. Suponha que se feche um gato numa caixa estanque onde se encontra um frasco cheio de um veneno volátil e mortal. Um martelo pode quebrar o frasco. O martelo é comandado por um "interruptor quântico" que consiste num sistema de alavancas que pode ser acionado por um átomo radioativo. Quando o átomo emite um elétron, o interruptor é ligado e aciona o martelo que quebra o frasco, e o gato morre envenenado.

O gato conserva apreciáveis chances de sobrevivência: a emissão pode produzir-se em um segundo ou em 107 anos. Não há nenhum meio de prever o momento exato em que ela ocorrerá. Sabe-se apenas que cada valor possível do prazo de emissão possui uma probabilidade dada pela função de onda do sistema.

Você acaricia o gato, instala-o na caixa, fecha-a e vai dar uma volta, esperando que Brigitte Bardot não saiba de nada. Quando você volta uma hora depois, o que aconteceu com o animal? A física clássica, assim como o bom senso, sugerem que ele esteja ou morto ou vivo, conforme o elétron tenha ou não sido emitido durante a sua ausência. De um ponto de vista quântico, as coisas são muito menos simples. Enquanto você não abre a caixa, você só conhece a função de onda, que descreve um leque de probabilidades segundo as quais a emissão ocorreu ou não. Nada lhe permite resolver. Você só pode dizer que a caixa contém uma superposição de estados: gato vivo-gato morto. Estranho, estranho...

Mas, se você abrir a caixa, encontrará um gato comum, morto ou vivo. Como é que passamos da mistura fantasmagórica descrita pela função de onda para um bichano mais conforme à realidade cotidiana? Segundo a interpretação de Copenhague, o fato de abrir a caixa reduz o pacote de ondas; quanto ao gato na caixa antes da abertura, não há com que se preocupar. É um pouco forçado, mas "fisicamente correto". Cumpre ressaltar também que a interpretação de Copenhague não pretende que o observador aja à vontade sobre a realidade observada, mas apenas que não se pode falar de realidade fora da situação experimental. Na versão psírita, o observador decide sobre a sorte do gato. E o que é mais, sua consciência age diretamente sobre os parâmetros quânticos. Richard Mattuck afirma que "é a interação do sistema material e da consciência que provoca o desmoronamento da função de onda".[27] Por "sistema material", Mattuck entende o conjunto formado pelo gato, pela caixa, pelo frasco de veneno, pelo martelo e pelo dispositivo acionador.

Problema: imagine que se instalem câmeras e um relógio na caixa. O gato é filmado o tempo todo e se conhece a hora exata de cada plano. Dessa vez, você deixa ao gato uma boa ração de água e de comida e parte em férias por uma semana. Quando volta, você encontra o gato morto. O filme indica que o falecimento do animal se produziu 48 horas e 22 minutos antes da abertura da caixa. Então, se a sua consciência interveio, ela só pode fazê-lo *após* o colapso do psi. Como você pode agir sobre o passado? Mattuck e Costa de Beauregard respondem que a interação entre a sua consciência e a função de onda remonta no tempo: uma observação feita hoje às 10 horas provoca o colapso do psi dois dias antes! Cada vez mais forçado...

Einstein critica a teoria quântica

Como inúmeros outros paradoxos, esse do gato de Schrödinger reside essencialmente na sua formulação. O problema vem do fato de que se procura estabelecer um vínculo entre a descrição quântica e uma representação provinda do senso comum. Um objeto quântico não pode simplesmente ser apreendido

27 Richard Mattuck, *Science et conscience*, op. cit.

como um objeto comum. Se nos ativermos à interpretação de Copenhague, mesmo na versão filmada, não há que invocar nenhum efeito do espírito sobre a função de onda. Podemos resumir a história dizendo que o gato é vítima de uma espécie de roleta-russa. Exceto que o jogador de roleta-russa pode saber antes de atirar qual compartimento do tambor se acha diante do percussor. O gato, ao contrário, não pode ver o tambor quântico, e o comportamento deste último é por essência aleatório (na roleta-russa comum, é a mão do jogador que determina sua sorte ao colocar compartimentos do tambor diante do percussor).

Para Einstein, o fato de que a descrição quântica do universo seja probabilista não refletia uma propriedade intrínseca da natureza, mas um estágio provisório da teoria. Ele julgava que, se não podíamos definir exatamente o estado de um elétron, era porque a teoria estava incompleta. Em 1931, ele escreveu a Niels Bohr: "Continuo a crer que chegaremos um dia a uma descrição causal dos fenômenos físicos – e isso apesar de toda a admiração que tenho pelas *performances* da teoria estatística".[28] Em 1935, Einstein resumiu suas críticas num artigo que prolongava a história do gato de Schrödinger, e que ele redigiu com seus amigos Boris Podolsky e Nathan Rosen. O argumento desenvolvido nesse artigo é conhecido pelo nome de "paradoxo EPR", segundo as iniciais dos autores.

Einstein considera um sistema formado por duas partículas quânticas, A e B, que se acham em interação até um instante T, a partir do qual elas se separam e não têm mais nenhum vínculo entre si. Essa situação se produz quando um átomo é "excitado" pela absorção de irradiação, o que se traduz pelo fato de que um elétron passou de um nível de energia para um nível superior; a volta ao estado estável pode ser feita em duas

28 Albert Einstein, *Oeuvres choisies*, t.1, *Quanta*, Paris: Seuil/CNRS, 1989.

etapas, isto é, o elétron volta ao seu nível de energia inicial passando por um nível intermediário; o átomo emite então um par de fótons "em cascata". Esses fótons "gêmeos" estão ligados no início, depois se separam e partem cada um numa direção. Uma função de onda única está associada a eles. O estado de cada partícula pode ser caracterizado por sua posição e sua velocidade ou outro parâmetro chamado o "momento" da partícula. O momento está ligado à velocidade e, como ela, não pode ser determinado ao mesmo tempo que a posição, em virtude do princípio de Heisenberg.

Suponhamos que, num instante T' posterior a T, meçamos o momento de A. Sem tomar nenhuma outra medida, a função de onda permite deduzir o momento de B. Do mesmo modo, se medirmos a posição de A, a função de onda permite predizer a posição de B. Para Einstein, isso significa que o momento e a posição de B correspondem a duas grandezas físicas reais. Com efeito, escrevem Einstein, Podolsky e Rosen, *"se, sem perturbar o sistema de nenhuma maneira, nós podemos predizer com certeza ... o valor de uma grandeza física, então existe um elemento da realidade física correspondente a essa grandeza física"*.[29] Como a partícula B não foi perturbada pelas medidas feitas sobre A, deve existir um elemento de realidade física correspondente à sua posição e um outro em seu momento. Mas, segundo o princípio de Heisenberg, essas duas grandezas não podem ter realidade simultânea. Ora, segundo nossos autores, para que se possa falar de teoria completa, *"cada elemento da realidade física deve ter um correspondente na teoria física"*. Conclusão: "A descrição da realidade física dada por uma função de onda não é completa".

O argumento reside essencialmente no sentido que Einstein atribui à palavra "realidade" em física. O ponto de vista de Bohr é oposto. Para ele, raciocinar sobre grandezas que não podemos

29 Ibidem (grifado pelos autores).

medir não pertence à física, mas à metafísica. Entretanto, a posição de Einstein se aproxima mais do senso comum do que a de Bohr. Se uma árvore cai na floresta, ela faz barulho, mesmo se ninguém está lá para ouvir. É assim que Einstein raciocina. Bohr, ao contrário, afirma que só podemos falar de barulhos que foram ouvidos. Parece esquisito, mas o mundo quântico é esquisito. Ele rompe com o senso comum. Einstein sempre repugnou essa ruptura. Para ele, a interpretação de Copenhague é uma construção *ad hoc*, que cobre com um véu retórico nosso imperfeito conhecimento da realidade. É o que exprime sua célebre *boutade*: "Deus não joga dados". Entretanto, não parece que a história tenha dado razão a Einstein. Até nova ordem, a descrição probabilista dos fenômenos quânticos está correta e não pode ser transformada numa descrição determinista.

Alguns físicos, como Louis de Broglie, e com ele Jean-Pierre Vigier, ou em outro registro David Bohm, consideraram como Einstein que a teoria quântica era incompleta. Louis de Broglie introduziu a ideia de "variáveis ocultas" que determinariam inteiramente o estado de uma partícula quântica, mas que seriam inacessíveis à experiência. Einstein nunca foi muito favorável à hipótese dessas variáveis fantasmas, que julga ingênua. Como não se podia detectá-las, a comunidade científica desinteressou-se. Com ou sem variáveis ocultas, o comportamento de uma partícula teria sido o mesmo. Então, para que se preocupar com elas?

Depois, em 1964, um físico irlandês, John Bell, demonstrou que, em certas condições experimentais, os resultados observados não seriam os mesmos conforme as variáveis ocultas existissem ou não...

A telepatia dos fótons gêmeos

Em seguida aos trabalhos de Bell, várias experiências foram feitas para testar a hipótese das variáveis ocultas. A mais sofisticada e a mais célebre foi realizada entre 1975 e 1981 pelo francês Alain Aspect, do Instituto de óptica de Orsay. Damos aqui uma descrição esquemática.[30] Todavia, como essa passagem não é indispensável à compreensão do raciocínio de conjunto, o leitor pouco sequioso de detalhes técnicos pode passar diretamente à seção seguinte.

No centro do dispositivo de Alain Aspect encontra-se um cilindro no qual se fez vácuo. Injetam-se nele átomos de cálcio. Excitados por feixes laser, os átomos emitem pares de fótons gêmeos, correlatos de início, como no paradoxo EPR. Os fótons são emitidos em todas as direções, mas os dois gêmeos de um mesmo par partem sempre em sentidos opostos. De um lado e de outro do cilindro são dispostos dois tubos conduzindo a polarizadores, aparelhos que, como o nome indica, medem a polarização dos fótons. Há quatro polarizadores, dois na extremidade de cada tubo. Entre a miríade de pares de fótons emitidos, um certo número penetra nos tubos e chega a um ou outro dos polarizadores, segundo uma repartição completamente aleatória.

Cada vez que um fóton desemboca num polarizador, o resultado da medida é registrado. A polarização pode ser medida ao longo de três eixos, que chamamos A, B e C. Ela pode ser positiva ou negativa. Se um fóton tem uma polarização positiva ao longo de um eixo, seu gêmeo tem obrigatoriamente uma polarização negativa sobre o mesmo eixo. Por exemplo, se um fóton dá a medida A_+, seu gêmeo dá A_-. Os polarizadores são regulados de tal maneira que os dois que se encontram na extremidade de um dos tubos, digamos o tubo da esquerda, só detectam os fótons A_+ ou B_+. Os polarizadores que se encontram na extremidade do tubo da direita, por sua vez, detectam

30 Para saber mais, ver Sven Ortoli & Jean-Pierre Pharabond, *Le cantique des quantiques*, Paris: La Découverte, 1984.

os fótons B_- ou C_-. A experiência consiste então em contabilizar os resultados dos pares de fótons gêmeos que chegam aos polarizadores, utilizando o fato de que as polarizações de dois gêmeos são opostas. Assim, se um fóton chega ao polarizador A_+ e seu gêmeo chega ao polarizador B_-, sabe-se que o primeiro fóton é $A_+ B_+$ e o segundo $A_- B_-$.

O ponto crucial é que, segundo Bell, se existem variáveis ocultas, isso impõe que se verifique uma certa relação entre as diferentes medidas. Mais precisamente, deve verificar-se uma desigualdade: o número de pares $A_+ B_+$ deve ser menor que o número de pares $A_+ C_+$ somado ao número de pares $B_+ C_+$. Isso é anotado: $n (A_+ B_+) \leq n (A_+ C_+) + n (B_+ C_+)$. Essa relação se chama desigualdade de Bell.

Isso pode parecer um pouco complicado. Mas, para seguir o raciocínio, basta reter que, se existem variáveis ocultas, a desigualdade de Bell deve ser respeitada. Ora, o mecanismo quântico prevê que, em certas condições, a desigualdade será violada. E é também o que verificou Alain Aspect, de acordo com as experiências do mesmo tipo anteriormente realizadas. Por conseguinte, não há variáveis ocultas. Pelo menos se admitirmos, como no paradoxo EPR, que os fótons gêmeos, uma vez separados, não têm mais relação entre si.

A versão psírita da história postula, ao contrário, que os fótons se comunicam entre si depois de sua separação: o fóton que chega ao polarizador é "sensível" ao que acontece com seu gêmeo, e pode assim "ajustar" sua polarização: e os ajustes operados chegam a violar a desigualdade de Bell. Mas de que maneira os fótons se comunicam? É preciso supor que eles podem trocar entre si um sinal transportando informação. O problema é que os dois tubos de Aspect estão distantes vários metros. Não é uma distância enorme, mas, nesse caso, é como se estivessem tão afastados como Paris e Nova York. Além disso, Aspect introduziu no seu dispositivo uma astúcia suplementar: na extremidade de cada tubo, no ponto em que o fóton é desviado para um ou outro dos dois polarizadores, encontra-se o equivalente a um desvio, que funciona de maneira aleatória; ou seja, numa ínfima fração de segundo e de maneira totalmente imprevisível, o fóton é enviado para um ou outro polarizador. Então, para que o fóton possa "prevenir" seu gêmeo do que lhe está acontecendo, e fazer isso em tempo hábil, ele deveria enviar um sinal circulando a uma velocidade superior à da luz. Ora, em física, nenhum sinal transportando informação pode andar mais rápido do que a luz. Abandonar esse princípio equivaleria a jogar no lixo a relatividade e a teoria quântica, e então podemos também deixar de lado toda a discussão. Por conseguinte, no dispositivo de Aspect, nenhuma "telepatia" entre fótons gêmeos pode "salvar" as variáveis ocultas. É forçoso concluir que os fótons não se comunicam e que as previsões da teoria quântica são corretas.

Alain Aspect, um novo Tex Avery?

A experiência de Aspect demonstrou, portanto, que, embora não existam variáveis ocultas, certas características dos fótons gêmeos são "correlatas" entre si, seja qual for a distância que separa os fótons. Isso significa que os fenômenos quânticos são, em certa medida, "não locais": os fótons gêmeos não se comportam como se estivessem realmente separados. Isso não significa que uma misteriosa influência se propaga de um para o outro, mas que não se pode representá-los como dois objetos distintos, um dos quais se encontraria em Paris e o outro em Nova York. Eles formam um conjunto "não separável". Essa "não separabilidade" é inquietante, se assimilarmos os fótons aos objetos de nosso mundo cotidiano. A única maneira de sair da inquietação consiste em admitir de uma vez por todas que o mundo quântico tem suas próprias regras e que é inútil procurar interpretá-las em termos conformes ao senso comum e à intuição corrente. Um fóton ou um elétron não são minúsculas bolas de bilhar. Eles são *outra coisa*.

Os psíritas não se resignam a essa limitação do pensamento. Assim, a teoria da "ordem implicada" de David Bohm tenta resolver os paradoxos da não separabilidade explicando que um misterioso meio liga as partículas num nível "subquântico". Mas essa explicação nada mais faz do que embaralhar a situação. A ordem implicada não pode ser testada experimentalmente: ela diz respeito, como outras especulações sobre a natureza profunda dos elétrons e dos prótons, à metafísica, ou até à patafísica. Mas ela atrai os adeptos da paranormalidade, como salienta John Briggs e David Peat em *O Universo espelho*, um livro refrescante por sua ausência deliberada da mínima preocupação de exatidão científica:

> Ainda que Bohm esteja mais ou menos em desacordo com seus colegas, escrevem nossos autores, sua teoria deu um impulso considerável a certo ramo da pesquisa: o paranormal ... O conceito de uma ordem implícita não local ... parece feito sob medida para o estudo das realidades metapsíquicas e da percepção extrassensorial.[31]

Segundo Briggs e Peat, David Bohm teria participado de experiências com Uri Geller, mas afirmaria que esse gênero de manipulação corre um "risco de autoilusão". Não se poderia dizer melhor.

Quanto à teoria psírita de Olivier Costa de Beauregard, ela afirma que se pode "telegrafar indiretamente para o além pegando uma conexão tanto no passado como no futuro".[32] Esse ziguezague espaciotemporal evoca os *cartoons* de Tex Avery, em que vemos dois personagens se perseguindo a toda velocidade,

---

31 John Briggs & David Peat, op. cit.
32 Olivier Costa de Beauregard, *Science et conscience*, op. cit.

ultrapassando a placa “fim”, e “reentrando no desenho” freando com as quatro patas.

Se integrarmos o observador e a redução do pacote de ondas, obtemos roteiros ainda mais desenfreados. A consciência do observador provoca o colapso do psi? É como se você estivesse vendo na tela o coelho de Tex Avery, e você se encontrasse de repente dentro do desenho, perseguido por um urso furioso. Com a experiência de Aspect, que põe em jogo duas medidas e, portanto, dois observadores, isso se complica ainda mais: um urso projetado em Londres persegue você num cinema parisiense, enquanto o coelho discute tranquilamente com o projecionista do filme londrino. Mas será que o mundo real é feito como um desenho de Tex Avery?

À caça do esquilo doido

Num de seus melhores *cartoons*, Tex Avery põe em cena um esquilo doido perseguido por um cão “caçador de esquilos doidos”. Até aqui, nada de anormal, mas eis que o esquilo, na iminência de ser apanhado, desdobra-se em dois esquilos idênticos que partem cada um numa direção. O cão tem um momento de espanto, depois se desdobra, ele também, de modo que temos agora dois cães perseguindo dois esquilos. No fim, os dois galhos se juntam e tudo se arranja.

Poderíamos também imaginar que os galhos não se juntam: é a teoria dos universos paralelos, a mais audaciosa das soluções arquitetadas para resolver os paradoxos da mecânica quântica. Os promotores dessa teoria, os físicos americanos Everett, Graham, Wheeler e DeWitt, imaginam que simplesmente não há redução do pacote de ondas: quando você abre a caixa do gato de Schrödinger, o universo se cinde em duas ramificações. Numa, o gato está morto; na outra, ele ronrona calmamente. A partir da bifurcação, cada galho continua seu desenvolvimento, sem interferir com o outro.

Embora essa ideia pareça mais louca que todas as outras juntas, ela oferece vantagens. Ela é compatível com a teoria quântica. E não exige praticar a restrição mental imposta pela interpretação de Copenhague. Segundo esta última, o observador é de certo modo obrigado a escolher o galho temporal em que o gato está morto. "É uma espécie de trapaça para evitar o galho em que o gato está vivo", julga o físico Marcel Froissart. "O observador não pode ser transcendente. É absolutamente necessário que ele faça parte da realidade que observa. Se o gato está morto, isso quer dizer que o observador está no galho de tempo em que o gato está morto."

Essa concepção não implica nem a viagem no tempo nem efeitos paranormais. Nossa percepção é estruturada de tal maneira que nós só podemos viver uma história. A memória só se lembra do seu passado. Nós avançamos sobre o eixo temporal como um trem em seus trilhos. O trem pode mudar de via transpondo um desvio, mas o mesmo trem não pode rodar sobre duas vias. Você não pode voltar sessenta anos atrás para matar seu avô antes que ele concebesse seu pai... Isso equivaleria a serrar o galho do tempo sobre o qual você está sentado.

A teoria do universo paralelo em galhos tem o mérito de nos livrar de alguns paradoxos incômodos. Seu principal limite é que não pode ser testada, já que nenhum observador pode se encontrar simultaneamente em dois galhos temporais. Além do mais, ela abre perspectivas inquietantes. Neste momento, existe talvez um outro universo onde Rika Zarai recebeu o Prêmio Nobel de Medicina por ter descoberto o remédio milagroso contra as hemorroidas.[33] Pensando bem, prefiro me manter num único universo, mesmo que isso cause algumas dificuldades conceituais.

---

33 *No comment.*

Acaso, causalidade e magia

Uma dessas dificuldades é o caráter probabilista da teoria quântica. Muitas pessoas, físicos ou não, têm dificuldade em aceitar que um acontecimento seja puro produto do acaso. "Não existe acaso", gostamos de repetir. E para os adeptos do paranormal, a mais inocente coincidência é interpretada como o sinal de que uma força misteriosa está agindo. Se esse modo de pensar é tão tenaz, não é apenas porque as pessoas estão dispostas a acreditar em qualquer coisa. É porque o pensamento humano tende espontaneamente a procurar causas e explicações. O próprio Albert Einstein julgava que a melhor teoria estatística não valia uma explicação causal. Dito isso, Einstein não cometeria o erro de substituir uma teoria probabilista correta por uma falsa explicação causal.

É o que fazem os psíritas. À sua maneira, eles reabilitam o antigo pensamento mágico das sociedades tradicionais. Frequentemente se acredita que a ciência explica mais fenômenos do que os sistemas de pensamento mágico que a precederam. Mas isso só é verdade nas áreas cuidadosamente delimitadas em que existe uma explicação científica. Ao contrário, considerada globalmente, a ciência tem antes tendência a mostrar-se mais parcimoniosa em explicações do que o pensamento mágico. O progresso científico consiste muitas vezes não em demonstrar que um fenômeno A é a causa de um fenômeno B, mas em estabelecer que não existe vínculo causal entre A e B. Em *O pensamento selvagem*, Claude Lévi-Strauss observa que os povos tradicionais manifestam uma vontade de registrar sistematicamente todas as relações possíveis entre os fenômenos observados, e às vezes fazem isso com sucesso, como no exemplo dos índios Blackfoot "que diagnosticavam a aproximação da primavera conforme o estado de desenvolvimento dos fetos de bisões, extraídos do ventre das fêmeas mortas na caça".[34]

Por que razão tais sucessos coexistem com aquelas relações que a ciência julga ilusórias, como aquela prática iakute que consiste em tratar a dor de dente por meio de toques com um bico de pica-pau? Não é verdade, pergunta Lévi-Strauss, que

> o pensamento mágico, essa "gigantesca variação do princípio de causalidade" ... se distingue da ciência menos pela ignorância ou pelo desprezo do determinismo do que por uma exigência de determinismo ainda mais imperiosa e mais intransigente, que a ciência pode, no máximo, julgar insensata e precipitada?.

Para Lévi-Strauss, o pensamento científico seria, de certo modo, um pensamento mágico disciplinado:

> Entre magia e ciência, a diferença principal seria então, deste ponto de vista, que uma postula um determinismo global e integral, enquanto a outra opera distinguindo níveis, alguns dos quais, apenas, admitem formas de determinismo consideradas inaplicáveis a outros níveis. Mas será que não se poderia ir mais longe e considerar o rigor e a precisão de que dão provas o pensamento mágico e as práticas rituais, como traduzindo uma apreensão inconsciente da *verdade do determinismo* enquanto modo de existência dos fenômenos científicos, de tal sorte que o determinismo seria globalmente *suspeitado e escarnecido* antes de ser *conhecido e respeitado*? Os ritos e as crenças apareceriam então como outras tantas expressões de um ato de fé numa ciência ainda por nascer.

Seguindo a ideia de Lévi-Strauss, poderíamos dizer que foi a física clássica que instalou esse determinismo "conhecido e respeitado", cuja apoteose Laplace proclamou. Mas, por mais

34 Claude Lévi-Strauss, *La pensée sauvage*, Paris: Plon, 1962 [ed. bras.: *O pensamento selvagem*. 2.ed. Campinas: Papirus, 1989].

poderoso que seja o determinismo laplaciano, ele opera as distinções de níveis de que fala Lévi-Strauss: tudo não pode agir sobre tudo; não estamos mais num sistema holista. A etapa seguinte, a da física probabilista dos *quanta*, não lança o determinismo às urtigas, mas lhe impõe cerceamentos ainda mais severos que os da física clássica: os estados das partículas não são determinados, mas as funções de onda, elas sim. O determinismo quântico funciona, de certo modo, no segundo grau, não sobre os próprios objetos, mas sobre a função matemática abstrata que descreve seu comportamento.

O progresso das ciências, portanto, procedeu por graus de abstração sucessivos, do determinismo "bulímico" do pensamento mágico ao "determinismo magro" da física quântica. O ganho, a cada etapa, é uma teoria que "prolonga o olhar do pensamento" para além da intuição e do senso comum. Esse progresso permite apreender aspectos da realidade cada vez mais distantes da percepção sensível, graças ao emprego de instrumentos conceituais sofisticados. A potência assim adquirida só foi possível abandonando as explicações causais simples do pensamento mágico. Nesse sentido, a atitude científica exige uma ascese do espírito que nos afasta de nossos esquemas mentais familiares, que utilizamos para descrever nosso universo cotidiano. Mesmo que essa dicotomia seja desconfortável, é impossível evitá-la, a não ser renunciando à própria ciência. Nosso espírito terá sempre uma preferência pelas formas de pensamento que ele apreende mais facilmente. Mas a justeza de uma ideia não se mede pelo número de pessoas que a julgam sedutora.

Retorno à Terra plana

A principal ilusão dos psíritas é crer que suas pesquisas podem desembocar numa novidade. Capra, Costa de Beauregard, Josephson ou Mattuck nada mais fazem do que recobrir velhas fantasias com uma roupagem de aparência científica, como ilustra este julgamento de Martin Gardner sobre Evan Walker:

> Para leitores não familiarizados com a mecânica quântica, os artigos de Walker parecem muito impressionantes porque pululam de equações e de jargão científico que somente um físico compreende. Mas quando o traduzimos e descobrimos exatamente o que ele diz, sua "teoria" se revela como uma coleção de votos piedosos. *Se* nosso espírito opera por saltos quânticos, *se* todas as partes do universo estão conectadas num nível subquântico, *se* a vontade humana pode modificar os pacotes de ondas de objetos distantes, e *se* nós podemos modificar os pacotes para produzir os estados desejados, então nós temos uma "explicação" de como Uri Geller pode entortar uma colher. Isso não é uma teoria: é uma caricatura de teoria.[35]

Não há nenhuma necessidade de invocar a função de onda para explicar as torções de colherzinhas ou os truques de Nina Koulaguina, a mulher que separava a gema do ovo da clara pela sua força mental. E não é porque os fótons gêmeos são "não separáveis" que nós podemos, nós próprios, telegrafar para Carlos Magno! Ou que conservamos as lembranças do homem de Cro-Magnon.

As estranhezas quânticas, por mais desconcertantes que sejam, não são perceptíveis de maneira imediata. Elas são muito difíceis de esclarecer. A humanidade viveu até o século XX sem perceber que a luz era descontínua e que os fótons podiam formar pares "não locais". É ingenuidade crer que essas propriedades sutis podem ser esclarecidas por experiências tão infantis como as dos especialistas da paranormalidade ou pelas palhaçadas de Uri Geller. Como bem ressalta Marcel Froissart: "é preciso se levantar bem cedo para esclarecer a não separabilidade e a violação das desigualdades de Bell".

---

35 Martin Gardner, op. cit.

Em física, tudo é questão de medida. Alguém que passeia pela região francesa da Beauce pode admitir que a Terra é plana. Rigorosamente, ela é redonda. Mas seria absurdo levar em conta a redondeza do planeta para escolher o melhor itinerário entre Chartres e Lucé. Entretanto, numa outra escala, o astronauta em órbita que contempla nosso globo não pode ignorar sua curvatura.

O pequeno grão de loucura introduzido na física pela constante de Planck não afeta nossa existência cotidiana. No dia em que o coelhinho de Tex Avery sair do seu desenho para vir nos beliscar, poderemos levar a sério os psíritas. Enquanto isso, na vida de todos os dias, é mais sensato agir como se a Terra fosse plana e como se a constante de Planck fosse igual a zero.

Exercícios

1 Invente uma máquina que permita aumentar a constante de Planck de maneira que os fenômenos que ocorrem em nossa escala obedeçam às leis faceciosas da mecânica quântica (a verdadeira constante é igual a $6{,}626 \times 10^{-27}$).

Nota: essa ideia fornece a trama de um romance de ficção científica muito divertido, *Mestre do espaço e do tempo*, de Rudy Rucker.[36]

2 Se você não sabe como construir essa máquina, utilize o telégrafo espaciotemporal de Costa de Beauregard. Envie uma mensagem para o futuro, para uma época em que a máquina *já* foi construída; procure o endereço do construtor, encontre um cúmplice e peça que lhe envie os planos pelo mesmo canal. Em seguida, patenteie a máquina e mande construí-la.

---

36 Rudy Rucker, *Maître de l'espace et du temps*, Paris: Denoël, 1986.

Nota: este exercício é um quebra-cabeça jurídico. *A priori*, você não tem o direito de patentear uma máquina da qual não é o inventor; contudo, sua patente seria forçosamente solicitada antes dos verdadeiros inventores, o que lhe dá a prioridade; agora, o que acontece se um terceiro ladrão tenta passar à sua frente? Em suma, como proteger uma patente sobre uma invenção que *ainda não foi feita*? Tranquilize-se, certamente existe um advogado americano que conhece a solução.

3 Será que esse tipo de paradoxo temporal pode ocorrer na teoria do universo em ramificações de Graham e DeWitt? Se você responde sim, releia esta lição.

Lição 9
Das armadilhas da linguagem, abusarás

Groucho ainda não tinha saído da infância e já era o professor de seus irmãos; e ainda não era muito forte em ortografia, e já conseguia abordar a geografia de maneira original.

Quando ele perguntou a Harpo qual era a forma da Terra, Harpo (que ainda não se tinha dedicado exclusivamente à pantomima) respondeu-lhe com candura que não sabia. Diante disso, Groucho tentou sugerir-lhe a resposta: "Vejamos", perguntou ele, "qual é a forma das minhas abotoaduras de camisa?

– Quadrada, disse Harpo.

– Eu quero dizer as abotoaduras de camisa que eu uso aos domingos, não as de todo dia. Hein? Então, qual é a forma da Terra?

– Redonda aos domingos, quadrada nos dias de semana", respondeu Harpo que, pouco tempo depois, se dedicava profissionalmente ao silêncio.[1]

---

1 *Correspondance de Groucho Marx*, Paris: Champ Libre, 1971 (ed. original New York: Simon & Schuster, 1967).

A epistemologia de Harpo

Essa anedota é extraída da introdução redigida por Arthur Sheekman para a *Correspondência de Groucho Marx*, obra de alto porte moral e filosófico que se pode recomendar a todo ser humano digno desse nome, e até mesmo aos outros. Sheekman parece subentender que, depois de proferir essa pérola, Harpo não tinha nada melhor a fazer do que calar a boca de uma vez por todas. É muito injusto. Na verdade, Harpo mereceria o título de doutor *honoris causa* da universidade internacional dos vagabundos, ou até mesmo o Prêmio Nobel de epistemologia, por ter posto em evidência esse problema capital: a mais elementar das noções científicas não pode ser adquirida sem um processo de abstração, sem uma ruptura com o conhecimento intuitivo, imediato. Essa ruptura deve efetuar-se ao mesmo tempo no plano da representação mental, do conceito, e no da linguagem, das palavras e dos símbolos utilizados para exprimir o conceito. Os dois aspectos são ligados mas distintos, como ilustra o erro particularmente rico de Harpo. De início, ele não sabe realmente com o que se parece este maldito planeta. Mas também não sabe que não se tratam os planetas como as palavras, que nosso globo não muda de forma como Groucho troca as abotoaduras da camisa.

Harpo, entretanto, não se reduziu ao silêncio. Forçado a responder, ele produz um enunciado significante, ainda que manifestamente falso. O sentido reside aqui na coerência do discurso, não na concordância entre o discurso e a realidade. Para fazer sentido, uma frase da língua comum não tem necessidade de estar em adequação com a realidade, nesse caso, com as restrições da geofísica. A língua só tem a obrigação de ser inteligível. Ora, o discurso de Harpo é perfeitamente inteligível, embora fantasista. Poderíamos imaginar um conto que começasse assim "Era uma vez um planeta que se chamava Terra, que era quadrado durante a semana e se tornava redondo todos os domingos de manhã"...

Claro, quando se trata de descrever de maneira realista a geometria do nosso planeta, isso são outros pares de abotoaduras. De início, cumpre esclarecer de que ponto de vista nos colocamos. Como já salientamos na lição anterior, o turista que caminha pela região da Beauce pode, na prática, considerar que a Terra é plana. O navegador que se encontra no Pacífico, num tempo calmo e sob um céu limpo, vê o oceano como um imenso disco azul circundado pelo horizonte. Durante milênios, representou-se a superfície de nosso planeta como um plano ou uma figura plana, o que não impediu os humanos de viajar para os quatro cantos do mundo.

Para o físico americano Banesh Hoffmann, passar da Terra plana para a Terra redonda requer um salto conceitual tão importante quanto passar da física clássica para a quântica:

> Quando [os homens] proclamaram pela primeira vez que a Terra não era plana, será que com isso não propuseram um paradoxo tão diabólico como nenhum outro que já encontramos na nossa história dos quanta? Essa concepção no início deve ter parecido absolutamente fantástica para a maioria das pessoas; essa concepção que é agora tão fácil e tão cegamente admitida pelas crianças, contra a clara evidência dos seus sentidos imediatos, a tal ponto que fizeram cair no ridículo o maníaco isolado que se obstina em declarar que a Terra é plana; a única preocupação deles, se é que eles têm uma, tem por objeto o bem-estar das pobres pessoas dos antípodas que – seguindo seu raciocínio tão vivo – estão destinadas a passar a vida inteira pisando na cabeça.[2]

Conceituar a rotundidade da Terra supõe um sistema de representação que rompe com a “clara evidência dos sentidos imediatos”. A preocupação com as pessoas dos antípodas mostra bem que a ruptura não se opera facilmente. Se as crianças

2 Banesh Hoffmann, *L'étrange histoire des quanta*, Paris: Seuil, 1981.

ridicularizam o partidário da Terra plana, é antes em razão do seu isolamento do que pelo fato de compreenderem realmente em que ele se engana. Como diz justamente Banesh Hoffmann, é "cegamente" que eles admitem essa concepção. O fracasso pedagógico de Groucho não vem tanto de uma metáfora desajeitada: nenhuma metáfora da linguagem corrente pode bastar para "construir" uma representação adequada da esfericidade da Terra. Mesmo que Groucho soubesse do que falava – nada é menos certo –, o melhor resultado que poderia obter é que Harpo lhe respondesse: "A Terra é redonda".

Ora, essa "resposta certa" – no sentido dos jogos radiofônicos – não nos diz grande coisa da geometria do nosso planeta. Se a Terra é redonda, por que isso não salta aos olhos? Por que não percebemos a curvatura do globo? Será que o acrobata que anda sobre uma bola de circo não percebe que a bola é redonda? Diante dessa pergunta, pode-se supor que Harpo fique realmente sem fala. Tentemos ajudá-lo: a bola está em escala humana, ao passo que a Terra, por sua vez, tem mais de seis mil quilômetros de raio; isso explica que nosso olhar só possa abarcar uma pequena parte dela, e que não possamos ver a esfera inteira. Mas por que a parte que vemos nos parece plana – pelo menos numa região de planície não acidentada?

Aqui a coisa se complica. Em termos geométricos, se eu me encontro num determinado ponto do globo terrestre, digamos no adro da catedral de Chartres, eu posso assimilar a pequena região que me rodeia a uma parcela de plano. Por quê? Porque a curvatura do globo é fraca na minha escala, contrariamente à da bola do circo. Se eu marcar dois pontos sobre uma bola e traçar o arco de círculo que os une, posso ver a olho nu que esse arco é mais longo que a corda que une os dois pontos (e que se poderia figurar com uma longa agulha que entraria na bola por um dos pontos e sairia pelo outro). Se eu considerar agora uma bola de quarenta mil quilômetros de circunferência, ou seja, quase o tamanho da Terra, e escolher dois pontos distantes um quilômetro na superfície dessa grande bola, quase não há diferença entre a corda e o arco de círculo que correspondem aos dois pontos (minha calculadora indica que a diferença é inferior a um milímetro). Dito de outro modo, eu cometo apenas um pequeno erro considerando que ao meu redor a Terra é *localmente* plana. O mesmo raciocínio se aplica a um observador situado em Auckland, nos antípodas. O neozelandês, como eu, assimila seus arredores próximos a uma parcela de plano.

A essa altura, nada mais fizemos do que apenas aflorar o problema. Se a esfera terrestre é localmente assimilável a uma pequena zona plana, o que ocorre na borda dessa zona? Se eu prolongasse a zona plana numa grande escala, eu obteria um plano, não uma esfera. Com efeito, na escala do globo, devo considerar que a esfera é formada de "facetas" planas, quase como um olho de mosca. Mas a forma assim obtida não é uma verdadeira esfera, é um poliedro. Será que posso afirmar que a esfera é aproximativamente igual à superfície poliédrica? Sim, porque se pode demonstrar que uma superfície esférica é o limite de uma superfície poliédrica inscrita na esfera, quando a área de cada face do poliedro tende para zero.[3] Ou seja, se tomarmos facetas cada vez menores, o poliedro se torna tão próximo quanto se queira de uma esfera perfeita. A demonstração rigorosa desse resultado requer métodos de cálculo integral, que certamente jamais pertenceram à bagagem conceitual do marxismo de tendência Groucho.

Até o momento, só resolvemos o aspecto geométrico do problema. Não explicamos realmente por que os neozelandeses, cujo país está nos antípodas da França, não pisam na cabeça. É que a noção de "alto" e de "baixo" é relativa ao observador: o

3 Ver, por exemplo, o verbete "Sphère" do *Dictionnaire de mathématiques élémentaires* de Stella Baruck, Paris: Seuil, 1992.

que está embaixo é aquilo que temos sob os pés. Na verdade, o "baixo" é a direção do centro da Terra. O problema possui uma "simetria esférica", o que está no alto para mim é embaixo para as pessoas dos antípodas. E somos todos atraídos para o centro da Terra. Por quê? A resposta faz intervir a força de gravidade e a teoria da gravitação. Mas como é que nós percebemos a gravitação, de tal modo que temos uma sensação imediata do peso do nosso corpo, do alto, do baixo e da verticalidade? Nesse caso, entram em jogo os órgãos sensoriais do equilíbrio, alojados no ouvido interno. Os neozelandeses não pisam na cabeça porque eles também sentem a gravitação graças ao seu aparelho vestibular, e porque as direções da força de gravidade em Auckland e Paris são opostas.

Espero ter convencido você, caro leitor, de que o problema da rotundidade da Terra está longe de ser simples (e com certeza eu esqueci alguma coisa). Quanto à piada de Harpo, embora nos faça rir, não deixa de ser extremamente instrutiva.

Os agentes duplos da linguagem

Está certo, Harpo não compreende o que Groucho quer lhe dizer (o próprio Groucho certamente também não sabe). Mas atenção: assim mesmo Harpo compreende alguma coisa, já que responde. A metáfora das abotoaduras de camisa, por mais enganadora que seja, não deixa de ser também "expressiva". As palavras têm o poder fantástico de produzir sentido, ainda que este não seja o mesmo para todos os interlocutores. As "línguas naturais", como o inglês, o francês ou o swahili, são um meio de comunicação de uma formidável eficácia. Pode-se contestar a denominação de "língua natural", utilizada pelos linguistas, já que a língua não tem nada de natural, é uma invenção humana, transmitida pela cultura. Mas a expressão traduz bem a relação imediata e familiar que mantemos com nossa língua, que está tão próxima de nós que faz parte de nós mesmos.

Apesar de sua eficácia, as línguas naturais são ambíguas e imprecisas. Elas produzem enunciados de sentidos múltiplos. A polissemia de grande número de palavras permite as imagens, as metáforas, os trocadilhos e outros jogos de linguagem. Utilizamos a flutuação semântica para fazer humor ou para exprimir sentimentos e emoções complexas. Mas aquilo que é um trunfo na comunicação corrente torna-se um obstáculo quando se procura definir um objeto ou um conceito de maneira precisa e sem equívoco, como é o caso em matemática, em física ou em filosofia. Além disso, as palavras da linguagem corrente não permitem exprimir noções abstratas como as de "número real" ou de "função analítica". É por isso que os cientistas inventaram linguagens "artificiais", formalizadas. Essas linguagens não têm a ambiguidade das línguas naturais. Uma equação de mecânica como $F = m \gamma$, uma vez definido o que representam as três letras, só pode ser compreendida de uma única maneira. Mas, para compreendê-la, é necessário ter assimilado primeiro as noções de força, de aceleração e de derivada, uma aprendizagem que não é da mesma ordem que a do francês ou do inglês.

Existe, portanto, um corte entre as línguas naturais e as linguagens artificiais. Esse corte não seria muito incômodo se os dois sistemas fossem completamente separados. Afinal, podemos viver sem conhecer as leis de Kepler ou os princípios da relatividade. Por acaso não existem especialistas pagos para se ocupar dessas fórmulas esotéricas? Cada um na sua. Deixemos as equações para aqueles que têm queda para a matemática, as citações de Chateaubriand para os literatos, as vidraças para os vidraceiros, e as vacas estarão bem guardadas...

Exceto que essa divisão não tem nada de anódino, tanto para a divisão do trabalho na sociedade quanto para o que concerne ao problema do sentido. Ela exerce um papel crucial no sucesso dos impostores científicos, que exploram sem constrangimento o fato de que o saber não é compartilhado por todos.

A situação se complica porque, se nem todo mundo domina a matemática, todo mundo pode compreender *alguma coisa* de um enunciado matemático – da mesma maneira que Harpo compreende alguma coisa do que lhe diz Groucho. Muitas pessoas formulam afirmações como: "Para mim, a matemática é chinês". Ora, tal afirmação em geral é falsa – pelo menos quando não é emitida por um nativo de Pequim. Com efeito, a matemática utiliza, além de sinais cabalísticos como Σ, $\Re$, $\iiint$, $\notin$, ϕ, $\exists$, ∞ etc., inúmeras palavras da língua corrente. Assim, os matemáticos franceses usam palavras do francês, mas "desviadas" do seu sentido corrente. E isso tem consequências terríveis.

De minha parte, não conheço nem uma palavra de chinês, nem um único caractere da escrita chinesa. Diante de uma edição não traduzida do *Jornal do Povo*, sinto-me tão desarmado como uma foca que encontrou uma bicicleta. Pode-se admitir que o efeito é quase o mesmo para um estudante calouro que se encontra em presença da identidade, supostamente notável, "$(a + b)^2 = a^2 + 2ab + b^2$". No caso desse exemplo, não existe permeabilidade entre a linguagem "científica" da matemática e a de todos os dias.

Mas consideremos a frase seguinte: "A condição necessária e suficiente para que uma determinada máquina qualquer possa ser definida (com a diferença de um isomorfismo) por uma maquinação é evidentemente que essa máquina possua um sistema finito de geradores".[4] Essa frase não é tirada de um *sketch* de Raymond Devos, é uma proposição elementar da teoria das funções recursivas, sobre a qual não me estenderei. Quase todas as palavras da proposição têm um sentido na língua corrente. Com um pouco de imaginação, pode-se compreender alguma coisa, mesmo sem conhecer nada das funções recursivas.

---

4 J.-L. Destouches, "Théorie des functions récursives et applications", *Séminaire de Logique Mathématique*, 1959.

A maquinação e os geradores sugerem algum complô obscuro urdido por um grupo de eletricistas terroristas... É claro que o sentido matemático de "máquina" e de "maquinação" não tem nada a ver com o sentido corrente nem com as elucubrações sobre o complô dos eletricistas. Isso não impede que a situação seja diferente daquela de um falante não sinólogo diante de um texto chinês: o enunciado não é totalmente desprovido de significação, ele corre até o risco de suscitar, em um não iniciado, interpretações falsas, fantasistas ou delirantes.

Os matemáticos, os físicos, os químicos ou os biólogos não são seres extraterrestres. Para fabricar suas linguagens artificiais, eles recorrem a muitas palavras da língua corrente. A matemática fervilha de "tribos", "clãs", "grupos", "corpos", "anéis" etc. A física das partículas é rica em "cores", "sabores", "charme" e "beleza". A química contém "radicais" que não têm nada de socialistas. Em biologia molecular, fala-se de "código degenerado", de "segregação", de "carga genética", ou ainda de "derivação genética". Todas essas palavras têm um sentido preciso em ciência, mas têm também um sentido corrente que todo mundo conhece. De tal modo que, apesar do caráter hermético das equações diferenciais e das integrais triplas, subsistem passarelas entre a linguagem científica e a de todos os dias. Mas essas passarelas são pranchas ensaboadas. Elas favorecem os deslizes de sentido e as derrapagens semânticas incontroladas.

O famoso "princípio de incerteza" de Heisenberg (ver Lição 8) nós fornece um belo exemplo disso: em física, a incerteza define a margem de erro, o intervalo dentro do qual se situa o valor de uma grandeza que não se pode medir exatamente; isso, portanto, não tem nada a ver com a ideia de dúvida ou de inquietação que se liga ao sentido corrente da palavra "incerteza" (é por isso que seria melhor falar de "princípio de indeterminação" de Heisenberg). A ambiguidade do termo explica que, segundo certa concepção mundana da física quântica, o princípio de Heisenberg seja considerado capaz de traduzir um sentimento dos físicos diante do universo, em vez de exprimir a incerteza matemática sobre as medidas.[5]

Uma equação diferencial não engana ninguém: tal como a um caractere chinês, ou se sabe lê-la ou não se sabe (claro, um chinês poderia dizer o mesmo de uma letra do alfabeto latino). Em compensação, o vocabulário de empréstimo dos cientistas constitui um verdadeiro viveiro de "agentes duplos do sentido", cuja duplicidade engana quem não domina o contexto. O físico Jean-Marc Lévy-Leblond ilustra isso com humor:

> Tente explicar a um operário que, se ele carrega um saco de cimento até o quinto andar e torna a descer, ele não terá efetuado nenhum trabalho contra o peso ... Ele olhará para você com um olho espantado! Toda tentativa de transpor para fora uma ideia interna da física, jogando com a ambivalência de uma palavra que designa, por um lado, um conceito da teoria física e, por outro, uma realidade da vida corrente, pode levar aos piores equívocos.[6]

O único meio de evitar esses equívocos é conhecer o contexto preciso no qual os físicos utilizam o termo "trabalho". O que passa pela aprendizagem da física, do mesmo modo que a compreensão da "maquinação" evocada anteriormente, necessita de uma competência matemática. As ambiguidades introduzidas pelos agentes duplos da linguagem constituem um presente para os impostores. Com a cumplicidade de palavras que não escolheram seu campo, eles tecem seus contos das "Mil e uma noites" semânticas. O "valor de verdade" associado à ciência torna dignos de crédito discursos que não querem dizer nada, mas que têm uma aparência científica.

---

5 Citemos também esta adivinhação provinda da tradição oral dos estudantes de Física: Por que Heisenberg não teve filhos? Por causa do princípio de incerteza: quando ele tinha a posição, não tinha a velocidade, e quando tinha o tempo, não tinha a energia...

6 Citado em *Science et Vie*, n.750, março de 1980.

Na França, o problema é agravado pela persistência da ideologia cientificista e por um sistema de ensino no qual o sucesso escolar depende muito da aptidão matemática. A seleção social valoriza um modelo de cientista que tira sua força do domínio dos conceitos e dos formalismos abstratos, longe da prática experimental e do empirismo dos anglo-saxões. A imagem de Epinal do sábio é um Pasteur que "viu" o micróbio antes de todos, um Cosinus politécnico e lunático que cobre o quadro-negro de equações herméticas, um Einstein que encerra o universo na fórmula sagrada "$E = mc^2$". Em suma, uma representação idealizada do poder do espírito, inculcada nas crianças desde a escola primária, que contribui para fazer dos franceses, reputados cartesianos, alvos ideais para os tocadores de flauta de todo tipo.

Qual é a idade do capitão?

A seleção pela matemática cria uma situação de violência que proíbe de fato a uma parte importante da sociedade francesa o acesso a uma verdadeira cultura científica. Uma vez carimbado "nulo em matemática", temos tendência a considerar todo discurso científico ou assim considerado como palavra do Evangelho. Ou, o que dá no mesmo, a rejeitá-lo sem levá-lo a sério. Mais ainda, o ensino matemático, desde as classes iniciantes, introduz confusões devidas aos agentes duplos da linguagem. Como a questão do sentido quase nunca é levada em conta no ensino escolar da matemática, muitos cérebros jovens permanecem longos anos, se não toda a vida, marcados por aquele nevoeiro semântico que pouquíssimos professores se preocupam em dissipar.

Há mais de três décadas, uma professora de matemática, Stella Baruk, luta contra essa violência praticada contra o espírito das crianças francesas. Ela dedicou vários livros a demonstrar os mecanismos desse espancamento da inteligência: "A criança que fracassa em matemática é uma criança a quem se dá um xeque-mate", diz Stella Baruk. Em *A idade do capitão*, ela dá ênfase a dois temas principais:[7]

1 *A estigmatização do erro assimilada ao horror*. Qual pai não tremeu diante da prova de matemática do seu querubim marcada em vermelho com expressões infamantes? Entre os exemplos autênticos levantados por Stella Baruk: "Absurdo", "Sem sentido", "Precisa pensar antes de escrever tantas asneiras", "Reflita", "Abra os olhos", "Isso é mágica", ou ainda: "Idiota! Use o teorema"... Essas apreciações salientam *a contrario* que a questão do sentido, em matemática, é crucial. Mas parece que os professores têm dificuldade para explicar sem perder o sangue-frio – pelo menos era esse o caso até um tempo recente. Os adeptos de uma pedagogia mais "moderna" mostram mais indulgência, mas sem se colocar realmente a questão daquilo que provoca a incompreensão dos alunos. De maneira geral, e seja qual for o método pedagógico utilizado, o ensino da matemática em nosso país consiste numa forma de adestramento, que recompensa a resposta certa e sanciona o erro. Embora esse adestramento possa ser bastante suave, ele contorna o essencial: se a criança se engana é porque não compreendeu o que lhe perguntavam; ora, em aula de matemática, raramente se trata de compreender.

O erro é a expressão natural de um espírito vivo. Antes de andar, a gente cai. Levar o erro a sério, elucidar seus modos de funcionamento, constitui o melhor antídoto contra o fracasso em matemática. Certamente que a generalização de semelhante atitude correria o risco de ter duas consequências incômodas: faria o fracasso aparecer como o resultado de uma pedagogia inadequada, e faria desaparecer a esmagadora maioria dos

---

7 Stella Baruk, *L'âge du capitaine*, Paris: Seuil, 1985.

"aleijados matemáticos", privando ao mesmo tempo o sistema de um poderoso instrumento de seleção. Além disso, uma sociedade livre do mito da queda por matemática seria menos sensível ao poder alucinatório dos discursos pseudocientíficos.

É interessante notar que o tema do "horror do erro" é constantemente encontrado, às vezes sob uma forma caricatural, nas imposturas científicas. Erro não reconhecido, não assumido, impossível de corrigir, a impostura se cristaliza em discurso "sagrado", no sentido de "intocável". No caso extremo, o impostor põe todos os recursos de sua retórica a serviço de uma negação quase psicótica do real, em lugar de admitir que está enganado. Toda crítica o reforça numa atitude paranoica: quem não me aprova está contra mim, faz parte de um complô contra a verdade etc.

2 *A desagregação do sentido.* Um dos primeiros fatores a levar em conta, para uma pedagogia do erro em matemática, é o fato de que a terminologia matemática utiliza muitos agentes duplos da linguagem. Não se explica suficientemente às crianças que essas palavras do vocabulário cotidiano assumem, em matemática, um novo uniforme semântico, que é preciso distinguir cuidadosamente da significação corrente. Para a criança que se inicia em conjuntos, imagens, relações e raízes quadradas, essas palavras *já* têm um sentido na língua natural. Ora, a criança é um semanticista hipersensível, *ela tem necessidade de que isso queira dizer alguma coisa.* Diante de uma expressão que lhe parece desprovida de sentido, ele restabelece o seu, que vai buscar nos seus conhecimentos pré-matemáticos. Perguntem a um garotinho o que significa "conjunto". Ele responderá algo como: "Quer dizer estamos juntos". Sim, mas não para Cantor, nem para o professor de matemática.

Como se arranjar com conjuntos que vão cada um para o seu lado, ou mesmo com conjuntos vazios? Quantos lados tem a tábua de multiplicação? Em que terra podemos plantar raízes quadradas? Aliás, desde quando as raízes são "quadradas"? Por que "(a +b) ao cubo não" tem a forma de um cubo? E finalmente, por que manter com esse universo matemático "relações binárias" que não têm nada de amistosas?

A inteligência infantil, entretanto, não está desarmada diante dos problemas do sentido matemático, como ilustra uma das histórias preferidas de Stella Baruk, a história de Jeannette, oito anos, a quem perguntam quanto vale o dobro de 5, e ela responde: 6.

> Admirada, a pessoa que pergunta reitera com o dobro de 10: 11, responde Jeannette. Nenhuma dúvida, essa criança *confunde* dobro com seguinte. Apesar de intrigada por esse erro nada banal, a pessoa em questão resolve fazer a Jeannette uma pergunta sobre suas respostas: "*Por que* você disse que o dobro de 5 é 6?". Então, Jeannette, de calma que estava, responde com loquacidade, juntando o gesto à palavra: "Eu disse 6, porque o 6, entende, ele *dobra* o 5, passa na frente dele".[8]

É uma bela resposta, e também reveladora. "Que dobro tenha no mínimo duplo sentido, se não dois gumes, só dá uma pequena ideia da duplicidade das palavras. Não se pode dizer que o erro de Jeannette seja devido a um entendimento que não funciona"; ao contrário, escreve Stella Baruk:

> Ela é puro produto de uma civilização que, para muitos, é a ... do automóvel. Sem dúvida, a língua ensina que se dobra [ultrapassa] um caminhão, mas que se calcula o dobro *de* cinco. Só que quando se diz: "Eu o dobrei", pode ser tanto o caminhão como o cinco, sem contar que pode ser também dobrar um cabo geográfico, uma roupa, um sino, e outros que certamente estou esquecendo.[9]

Em suma, não podemos impedir uma criança de compreender, a não ser quando não a prevenimos de que mudamos de

8 Ibidem.
9 Ibidem.

língua, ela continua a ouvir a sua própria língua, pondo em relação signos e significações que não são as esperadas pelo professor de Matemática. Num estágio ulterior, de tanto ouvir repetir que ela confunde tudo e que aquilo que pensou ter compreendido é absurdo, a criança pode também chegar à conclusão de que em matemática os enunciados não querem dizer nada. Ela se transforma, segundo a expressão de Stella Baruk, em "autômato". Ela renuncia a exercer sua inteligência sobre proposições matemáticas que de imediato lhe parecem ininteligíveis. E acaba por considerar um enunciado maluco como tão aceitável quanto uma frase sensata.

Um dia do ano de 1980, um professor de Grenoble teve a ideia de propor aos seus alunos do Curso Elementar CE1 e CE2 – sete e oito anos – o seguinte problema, cujo enunciado inicial se deve a Gustave Flaubert: "Num barco, há 26 carneiros e 10 cabras. Qual é a idade do capitão?". Entre os 97 alunos interrogados, 76 deram uma resposta obtida combinando os números do enunciado. "Crianças como eu e você, isto é, como as crianças que fomos ou como ainda são nossos filhos, crianças francesas do último quartel do século XX que não estão nem em IMP [Instituto Médico Pedagógico] nem em IMPP [Profissional], nem em ambulatório ou hospital psiquiátrico, crianças normais, portanto, e destinadas a se tornar cidadãos do ano 2000, para obter a idade do capitão somaram carneiros e cabras", comenta Stella Baruk.[10]

Como fazer para essas relações contra a natureza entrarem na ordem? Afogando o peixe. "O sentido está aí, espaço tangível e tranquilizante, e podemos sempre esperar que com exortações ao trabalho, com paciência, com qualidades de bom pedagogo e consciência profissional, acabaremos por fazer que tenham sucesso todos aqueles que merecem". Prossegue Stella Baruk:

10 Ibidem.

Quanto aos outros, aqueles que ficam fora do sentido, apesar de toda a boa vontade e de todos os esforços despendidos para que também tenham sucesso, bem, o que é que você quer: nem todo mundo pode tornar-se politécnico, existem destinos, fatalidades ... é preciso que existam trabalhadores braçais, não existem profissões bobas.

Os peixes afogados, no entanto, sempre voltam à superfície. A revanche do mau aluno é o triunfo de Rika Zarai ou dos gurus de plantão (embora estes últimos muitas vezes estejam longe de ser maus alunos). O "automatismo" catalisa a impostura. De tanto negar a inteligência, a escola colhe o que semeou. Depois de passar a infância semeando cenouras e nabos, e a multiplicá-los por metros cúbicos de sem-sentido, temos um estômago forte. A Terra pode perfeitamente mudar de forma durante o fim de semana, as confeiteiras de Praga se transformar em urso dos Cárpatos e as baixas frequências nos catapultar para a sétima dimensão. Nada é muito difícil de engolir, se é a ciência que o diz, essa ciência que nos ensinou ao mesmo que ela diz sempre a verdade e que seus enunciados não querem dizer nada, em todo caso nada de inteligível.

Poderão objetar, com justiça, que a impostura científica não floresce apenas no país de Descartes. O sistema pedagógico francês sozinho não pode prestar contas de um fenômeno cultural que se expande tanto nos Estados Unidos como na Grã-Bretanha, na ex-União Soviética, como na Itália e na Bélgica. Uma análise mais ampla revelaria defeitos específicos nos sistemas escolares americanos ou dos países europeus. Pode-se apostar que o problema do sentido em matemática, e nas disciplinas científicas em geral, não é tratado de modo melhor em qualquer outro lugar do que entre nós. Mais ainda, o terreno fértil para as frivolidades não se alimenta apenas das carências da escola, é o conjunto da cultura que está envolvido. As particularidades francesas merecem, contudo, ser sublinhadas: é espantoso que a pátria dos filósofos das Luzes e do positivismo de Augusto Comte seja tão atingida pelo sucesso das paraciências quanto países que, à primeira vista, parecem ideologicamente menos equipados contra o irracional.

A questão do sentido, entretanto, é certamente universal. E a arte de manipulá-lo não tem fronteiras. Das elucubrações psíritas às fantasmagorias do *New Age*, as descobertas sensacionais e as máquinas maravilhosas cintilam com o brilho que lhes confere a mais poderosa das magias: a da linguagem, feita de jargão cabalístico, de trocadilhos anfigúricos, de metáforas parabólicas e analogias hiperbólicas.

Como construir uma teoria sobre um trocadilho

É espontaneamente, com toda a inocência, que a pequena Jeannette joga com a duplicidade da linguagem para reinventar a aritmética. Com método e perseverança, um impostor talentoso pode se servir dos agentes duplos da linguagem para tornar-se o criador admirado de uma teoria pseudocientífica que nunca sai de moda. Essa proeza foi realizada por Jean Charon. Físico "mundialmente conhecido", a crer no que diz o jornalista da Rádio Canadá, Jacques Languirand, que o entrevistou no seu programa "Por quatro caminhos", Charon é autor de uma "teoria da relatividade complexa", que ele difundiu durante mais de quarenta anos. Aposentado deste mundo terreno depois de uma carreira prolífica, Jean Charon nos deixou alguns títulos memoráveis, entre os quais *Mort, voici ta défaite* [*Morte, eis tua derrota*], *Le monde éternel des éons* [*O mundo eterno dos éons*] e *J'ai vécu quinze milliards d'années* [*Eu vivi quinze bilhões de anos*].[11] Nes-

11 Jean E. Charon, *Mort, voici ta défaite*, Paris: Albin Michel, 1979; *Le monde éternel des éons*, Paris: Stock, 1980; *J'ai vécu quinze milliards d'années*, Paris: Albin Michel, Paris, 1983; *Les lumières de l'invisible*, Paris: Albin Michel, 1985; *Et le divin dans tout ça?*, entrevistas com Erik Pigani, Paris: Albin Michel, 1998.

ta última obra, o autor se exprime, segundo Languirand, "em nome das partículas que o compõem e que são de fato o ser, o espírito, e o verbo"...

Ou seja, o espírito se encontraria no interior das partículas elementares, que Charon chama os "éons". Será por isso que a inteligência é tão difícil de encontrar? Nosso físico não se pronuncia sobre essa questão. No seu "testamento espiritual", *E o divino em tudo isso?*, ele cita uma frase de Teilhard de Chardin: "Sou logicamente levado a conjeturar, em todo corpúsculo, a existência rudimentar (em estado infinitamente pequeno, isto é, infinitamente difuso), de alguma psique". Jean Charon pretende explicar essa psique em escala microscópica "por um formalismo rigoroso". O que nos leva aos agentes duplos da linguagem. A teoria de Charon, a "relatividade complexa", repousa com efeito sobre uma forma original, e sobretudo esotérica, de jogo de palavras: o trocadilho matemático.

De que se trata? Em matemática, chamam-se "números complexos" certos números compostos de uma parte "real" e de uma parte "imaginária". Essas denominações têm uma origem histórica e não devem ser tomadas ao pé da letra. Interessantes explicações sobre essa história encontram-se no *Dicionário de matemática elementar* de Stella Baruk.[12] Digamos apenas que Descartes foi o primeiro a utilizar o termo "imaginário" para qualificar soluções de equações que não correspondiam a nada na "realidade" – em particular, as raízes quadradas de números negativos. Na terminologia atual, o conjunto dos números "reais" compreende os inteiros, positivos ou negativos, os racionais (isto é, as frações), os números algébricos como 2, e os números "transcendentes" como π (cuja especificidade é que eles podem ser escritos como a solução de uma equação algébrica). Os reais formam um conjunto topologicamente equivalente

12 Stella Baruk, *Dictionnaire de mathématiques élémentaires*, op. cit.

a uma reta; eles não são desmembráveis, quer dizer, não se pode contá-los um por um, como se pode fazer com os inteiros, com os racionais e até com os números algébricos. Dizemos que o conjunto dos reais tem a "potência do contínuo", noção que só foi definida no fim do século XIX, por Cantor e Dedekind.

O quadrado de um número real é sempre positivo, porque + por + ou + por – dá igualmente +. Em termos algébricos, é, porém, impossível "imaginar" um quadrado negativo, mas a ideia a princípio pareceu tão absurda que os matemáticos relegaram os quadrados negativos ao limbo do imaginário. A raiz quadrada de –1 se nota *i*, a inicial, justamente, de "imaginário". Um número complexo se escreve sob a forma $a + ib$, onde a e b são números reais. Dizemos que *a* é a parte real e *ib* a parte imaginária; por exemplo $-3 + 2i$ é um número complexo cuja parte real é –3 e a parte imaginária $2i$. Mas, uma vez mais, essas denominações, hoje, nada mais são do que uma convenção de linguagem.

Exceto para Charon, que tirou daí a fórmula mágica de sua relatividade complexa: UNIVERSO = REALIDADE + IMAGINÁRIO. Na sua teoria, ele utiliza variáveis complexas nas quais a parte real corresponde ao universo material e a parte imaginária à psique, a qual, segundo Teilhard, se aninha no menor corpúsculo. Assim, as partículas materiais podem possuir imaginação, memória e intuição. Com *As luzes do invisível*, seu *opus* mais revelador, Charon nos arrasta para uma "viagem nos ombros da psicomatéria" que nos demonstra, como se fosse preciso, que os objetos inanimados têm uma alma (mas muito pequena).

A ideia de Teilhard, segundo a qual existe uma forma de psique em todo componente da matéria, pode ser relacionada a certas tradições místicas, a uma forma de panteísmo. "A originalidade de Charon, todavia, vem de que ele reinterpreta essas ideias 'místicas' num quadro que é expressamente apresentado como científico", observa o historiador das ciências Pierre

Thuillier.[13] "O espaço-tempo tem um 'fora' e um 'dentro': os prótons e os nêutrons estão situados fora, enquanto os elétrons, por sua vez, são situados dentro. Ora, o 'dentro' é o domínio do Espírito, o que explica que os elétrons sejam sem volume e possuam uma natureza ela própria espiritual". Quanto ao espírito do homem, ele é praticamente imortal, visto que é constituído do Espírito de elétrons cuja idade atinge cerca de quinze bilhões de anos, idade estimada do Universo.

Tudo isso é muito poético. Resta que, em termos científicos, somar o real ao imaginário é um pouco como somar cenouras e nabos. Uma operação relativamente complexa cujo resultado, no melhor dos casos, é uma sopa conceitual.

Como encadear a metáfora

O discurso dos tocadores de flauta fervilha de metáforas e imagens sugestivas. Frank Hatem, autor de *A reencarnação, certeza científica* – ver Lição 1 –, compara a paixão amorosa à atração entre polos magnéticos opostos. Lyall Watson e Patrice von Eersel assimilam o cérebro a uma espécie de oscilador capaz de ressoar com ondas vindas de todos os pontos do espaço-tempo. Jacques Benveniste fala da "memória da água" a propósito do hipotético traço que uma molécula deixaria no líquido. Rupert Sheldrake compara seu "campo morfogenético" à planta de uma casa. David Bohm descreve o universo como um holograma. Etc.

Os autores de teorias pseudocientíficas não explicam, eles ilustram. "Imaginar que uma explicação científica possa ser metafórica é tomar as teorias científicas por parábolas bíblicas", escreve o físico e filósofo argentino Mario Bunge.[14] Essa afirma-

---

13 Pierre Thuillier, *Les souris ventriloques*, Paris: Seuil, 1983.

14 Mario Bunge, *Philosophie de la physique*, traduzido do inglês por Françoise Balibar, Paris: Seuil, 1975 [ed. port.: *Filosofia da física*. Lisboa: Edições 70, 1983].

ção pode surpreender, já que a ciência é uma grande produtora de metáforas. Rutherford descreve o átomo como um minúsculo sistema solar. Os manuais de física, ou os professores, recorrem à metáfora da bolinha para descrever um elétron, à metáfora da onda do mar para explicar o que é uma onda. E poderíamos multiplicar os exemplos.

Existe, entretanto, uma diferença crucial entre o uso científico das metáforas e o uso que dela fazem os tocadores de flauta. Para os cientistas, a metáfora é um processo pedagógico que permite familiarizar-se com um objeto não habitual e abstrato, e tornar sensíveis alguns de seus aspectos. Ele desempenha um pouco o mesmo papel que uma figura. Em matemática, as figuras "batatoides" utilizadas para descrever as noções elementares da teoria dos conjuntos em si mesmas não são conjuntos. São desenhos que ajudam a compreender as propriedades da reunião ou da intersecção. Os matemáticos sabem muito bem que uma figura é apenas uma espécie de metáfora e que não se deve confiar muito nelas. Se eu desenho um triângulo equilátero e suas três medianas, cada uma delas é também uma altura e uma mediatriz. Ora, essa propriedade não é verdadeira para um triângulo qualquer. A figura pode então me induzir a tomar um caso particular pelo caso geral.

Da mesma maneira, em física, as ondas não se comportam como uma onda na superfície de um lago: esta é uma onda transversal, como as ondas luminosas; mas existem também ondas longitudinais; por exemplo, as ondas sonoras.

Quando um cientista se serve de uma metáfora, ele evita tomá-la ao pé da letra. Ele sabe que a metáfora não pode dar conta daquilo que supostamente ela representa, sugere, figura. Retomemos o exemplo da Terra esférica: nós comparamos a superfície do globo a um poliedro cujas facetas podem tornar-se tão pequenas quanto quisermos, o poliedro tende para a superfície esférica quando a área de cada face tende para zero. Mas a passagem para o limite não pode ser visualizada, porque para isso seria necessário traçar uma infinidade de desenhos com poliedros cujas faces seriam cada vez menores. A passagem para o limite pode apenas ser demonstrada matematicamente, e não existe tradução completa da demonstração em linguagem corrente.

Outro exemplo: o elétron, segundo a mecânica quântica, comporta-se ora como uma onda ora como uma partícula. Já vimos (Lição 8) que essa característica acarretava inúmeras dificuldades conceituais e extrapolações arriscadas. Mas se escrevermos a equação de Schrödinger para um elétron, não há mais imagens antagonistas de onda e de corpúsculo. Só resta uma relação matemática cuja verificação podemos controlar por experiências. Em última análise, as metáforas não fazem parte da linguagem científica; é apenas um suporte para a imaginação, que tem muita dificuldade em funcionar sem "figurar" as coisas. Como diz Philippe Roqueplo:

> A rigor, as palavras [da linguagem científica] não remetem "a nada"; elas não têm "conteúdo": designam sua inserção operatória no seio de um contexto que a prática verifica em sua globalidade. Ora, isso é intolerável: seja qual for a razão, temos necessidade de que as palavras designem "alguma coisa".[15]

Não podemos "compreender" uma teoria física como compreendemos a história de *Chapeuzinho Vermelho*. Só podemos verificar a teoria, confrontá-la com as observações, experimentar seu poder de previsibilidade. As metáforas dizem respeito à interpretação. Elas nos ajudam a dar sentido. Põem carne no esqueleto lógico da linguagem científica. As metáforas não são indispensáveis à teoria, elas são úteis sobretudo para o funcionamento do nosso espírito. É difícil, se não impossível, pensar em termos estritamente operatórios, sem o apoio intuitivo de

---

15 Philippe Roqueplo, *Le partage du savoir*, Paris: Seuil, 1974.

imagens, de representações mais ou menos familiares. Mesmo os matemáticos que trabalham na mais pura abstração utilizam imagens (todavia, não são imagens tiradas do cotidiano; isso pode consistir, por exemplo, em representar uma estrutura complexa por meio de uma estrutura mais simples que se conhece melhor).

As teorias nascentes produzem mais metáforas do que aquelas que chegaram à maturidade. O exemplo da mecânica quântica atesta isso de maneira eloquente. Hoje, a grande discussão sobre a interpretação da teoria quântica está virtualmente extinta, e a controvérsia entre Bohr e Einstein interessa sobretudo aos historiadores das ciências (e aos psíritas). Uma teoria debutante conserva um caráter especulativo, e ainda ignoramos se ela se revelará fecunda. Em seguida, acumulamos os fatos e jogamos as metáforas na lata do lixo. Esses resíduos não estão perdidos para todos. Os impostores os apanham e tiram deles teorias pseudocientíficas, "contos da ciência vaga", para parafrasear o título do célebre filme de Mizoguchi.

Para um cientista, "levar a sério" uma metáfora é cair na armadilha das abotoaduras de camisa de Groucho. Os impostores se lançam nessa armadilha. Eles seguem o efeito de sedução da linguagem, sem procurar construir um edifício lógico rigoroso. Os contos da ciência vaga exploram metáforas ultrapassadas ou fora do contexto, mas evocativas.

A teoria dos três cérebros, difundida por Arthur Koestler, é um bom exemplo. Segundo essa teoria, possuímos três grandes estruturas cerebrais: um cérebro reptiliano herdado da pré-história e com o qual as serpentes se contentam; um rinencéfalo ou sistema límbico, "cérebro da emoção"; e um neocórtex, "cérebro da inteligência e do raciocínio", específico dos mamíferos superiores. Esse esquema corresponde a um recorte anatômico que reflete as grandes etapas da evolução. Segundo Arthur Koestler, nosso cérebro teria crescido tão rapidamente que o neocórtex, sede da racionalidade da inteligência, teria perdido o controle dos centros emotivos límbicos. De modo que a bestialidade primitiva, oculta em nossas circunvoluções, estaria sempre pronta a ressurgir para nos levar ao assassinato, ao suicídio, à guerra e a todas as formas de violência.

O homem seria então um réptil no subsolo, um mamífero instintivo no térreo e um animal dotado de razão no primeiro andar. A teoria de Koestler faz de nosso cérebro o análogo de uma pilha de camadas geológicas, de "sedimentos" abandonados pela evolução. Mas a evolução dos organismos não é um processo geológico. Nós não somos a soma de todas as espécies de que descendemos. Claro, observamos frequentemente num animal evoluído estruturas herdadas de ancestrais mais primitivos. Mas elas são cada vez recuperadas, transformadas para adaptar-se ao novo organismo que as abriga. O "rinencéfalo", etimologicamente o "cérebro do nariz", no início estava estreitamente associado ao olfato. No homem, ele adquiriu outras funções. E seu papel em nossa espécie, que possui um neocórtex, não é o mesmo que nos animais, nos quais ele constitui a estrutura dominante. Como escreve o biólogo Jean-Didier Vincent, "é demasiado simples pensar que os cérebros reptilianos partem para a guerra, enquanto os cérebros neomamalianos pronunciam discursos de paz".[16] O cérebro é um todo.

A metáfora dos três cérebros não esclarece realmente o que é o cérebro humano. Ela apenas fornece a Koestler o enredo de um discurso pseudocientífico que pretende dar uma explicação biológica do problema do mal. A representação de um cérebro cortado em camadas não traduz um conhecimento científico. E sua transposição sócio-histórica é uma interpretação metafórica abusiva. Tanto em biologia como em história, Koestler estava às vezes mais próximo do zero do que do infinito.

---

16 Jean-Didier Vincent, *Biologie des passions*, Paris: Odile Jacob-Seuil, 1986 [ed. port.: *Biologia das paixões*. Lisboa: Eurora-América, s. d.].

Na verdade, o cérebro suscitou um florescimento de metáforas: foi comparado a um relógio, a uma central telefônica, a um computador. Muitos neurobiólogos assim como especialistas em robôs e em inteligência artificial continuam a assimilar o cérebro a uma máquina, a despeito de numerosos dados que contradizem essa ideia. Karl Pribram, por sua vez, inventou o cérebro holográfico. Entretanto, não existe nenhum processo desenvolvendo-se efetivamente no cérebro que se assemelhe, de perto ou de longe, à holografia. Mas, uma vez calcada essa metáfora sobre um cérebro imaginário, torna-se possível desenvolver todo um discurso sobre as pretensas propriedades holográficas da memória. Do ponto de vista do impostor, esse processo não deixa de ter vantagens. Ele evita perguntar o que é *realmente* o cérebro, questão difícil entre todas. Ele permite quase tudo que se quiser, apoiando-se numa imagem evocativa. E, finalmente, ele dá a impressão de compreender o que é o cérebro. Uma razão a mais para desconfiar dele: Harpo não tem a impressão de compreender o que Groucho lhe diz?

Como prolongar a analogia

O raciocínio analógico é um excelente catalisador das descobertas científicas. Quando Louis de Broglie associa uma função de onda ao elétron, sua atitude é analógica: já que as ondas luminosas têm um aspecto corpuscular, por que as partículas materiais não teriam um aspecto ondulatório?

Mas em ciência, a analogia, como a metáfora, é jogada fora depois de usada. E o uso deve ser moderado pelo contexto da teoria. Praticado sem salvaguardas, o raciocínio analógico leva a raciocínios absurdos, como mostra o exemplo fictício da "teoria do geotropismo".

Por que as pedras caem? Porque elas são atraídas pela Terra. Por que elas são atraídas? Porque elas possuem uma característica particular, o "geotropismo", que consiste numa atração por nosso planeta. Nem todas as pedras possuem essa característica. Mas as pedras "não geotrópicas" vão para o espaço. As que caem foram selecionadas pelo geotropismo. Eis aí como a seleção natural explica a atração terrestre.

O raciocínio é formalmente coerente, mas faz um uso fora de propósito do conceito de seleção natural. A seleção incide sobre caracteres transmitidos pela hereditariedade. Para que ela agisse sobre o geotropismo, seria necessário que as pedras fossem seres vivos. O exemplo é caricatural, mas não mais do que o raciocínio analógico pelo qual Sheldrake define seus campos morfogenéticos: da mesma maneira que a massa de um corpo determina seu campo gravitacional, ou que uma carga elétrica imóvel determina um campo eletrostático, a forma de um "germe morfogenético" determina seu campo.

O argumento é puramente formal, é o caso de dizer. E a analogia só funciona porque é formulada na língua corrente. Uma massa é uma grandeza física que se define num quadro teórico preciso. Em física newtoniana, o campo gravitacional de um corpo A não é apenas uma palavra para fazer bonito. Ele possui propriedades matemáticas particulares. A força atrativa exercida por A sobre um outro corpo B é proporcional às massas de A e de B, e é inversamente proporcional ao quadrado da distância entre A e B. Isso se traduz por uma equação: $F = Gmm'/d^2$, onde G é a constante de gravitação, m e m' as massas de A e B, e d a distância.

Essa relação matemática não tem equivalente para os campos de Sheldrake. Como um campo poderia ser proporcional a uma forma? Sheldrake tem razão ao dizer que seus "campos M" não correspondem a nenhum dos campos físicos conhecidos, mas poderia acrescentar que eles não correspondem a absolutamente nada. A não ser a uma projeção do campo de consciência do seu inventor...

Outra maneira de abusar da analogia consiste em aplicar uma verdadeira teoria científica a uma área em que ela não se aplica. Uma boa ilustração desse processo muito frequente é dada pela utilização generalizada da "teoria das catástrofes" do matemático francês René Thom. Em 1958, Thom recebeu a medalha Fields – equivalente ao Prêmio Nobel para os matemáticos, que não existe para essa disciplina – por trabalhos sobre as variedades diferenciáveis, objetos absolutamente respeitáveis, mas pouco apreciados pelo comum dos mortais. Thom desenvolveu aquilo que iria ser a teoria das catástrofes; em termos técnicos, uma teoria das "singularidades" de certas equações diferenciais.

Simplificando bastante, as catástrofes de Thom podem ser comparadas a mudanças de forma, como uma prega num tecido. Se a "forma" considerada é definida no espaço-tempo em quatro dimensões, uma singularidade pode ser interpretada como uma mudança brutal no desenvolvimento de um processo, uma ruptura do equilíbrio; em suma, uma catástrofe. Thom demonstrou que no espaço em quatro dimensões há apenas sete tipos de singularidades possíveis, às quais ele deu nomes poéticos: a prega, a dobra, a cauda de andorinha, a borboleta...

O resultado de Thom é notável, mas ele se aplica a um contexto bem delimitado: para que um processo entre no quadro de sua teoria, é necessário que ele possa ser descrito por uma equação diferencial de quatro variáveis – três de espaço e uma de tempo – e que essa equação responda a critérios matemáticos bem precisos. O sentido corrente da palavra "catástrofe" é muito mais vago do que aquele que o matemático lhe atribui: é um acontecimento repentino que perturba o curso das coisas. Ora, difusões demasiado entusiastas puseram a teoria das catástrofes em todos os molhos. Cumpre dizer que o próprio René Thom abriu-lhes o caminho, aplicando sua teoria – a meu ver, abusivamente – à descrição do nascimento ou à evolução das formas biológicas. Com esse impulso, muitos viram pregas e caudas de andorinha em qualquer situação caracterizada por uma mudança brutal, fossem elas rebeliões nas prisões, crises econômicas, eclosão de uma flor ou, por que não, paixão amorosa. Escreve Renaud de la Taille:

> Mesmo o encontro entre um homem e uma mulher mostra um modelo simples de oscilação: se o salto é imediato, podemos falar de "faísca elétrica". O resto do tempo, o ponto de equilíbrio ainda se demora sobre uma dobra, e a trajetória aproximar-evitar são as duas variáveis de controle próprias de cada um dos parceiros.[17]

Não há dúvida de que a paixão raramente está longe da catástrofe, mas em matéria de analogia, como em todo o resto, não se deve forçar demais.

Como alimentar o nebuloso do discurso

Num livrinho muito divertido, apesar de bastante injusto, *Le Roland Barthes sans peine* [*O Roland Barthes sem esforço*], Michel-Antoine Burnier e Patrik Rambaud ironizam com crueldade as preciosidades de estilo do autor das *Mitologias* e sobretudo seus imitadores. Um dos processos de que zombam Burnier e Rambaud é aquele que chamam a "superpontuação". Esta consiste num "afluxo de pontuação decorativa e fiorituras: itálicos, aspas, parênteses, barras, pontos de interrogação, maiúsculas etc."[18]

Tomemos uma passagem do romance de H. G. Wells, *Os primeiros homens na Lua*: "Uma massa de fumaça e de cinzas e um quadrilátero de substância azulada e brilhante se precipitaram

17 Renaud de la Taille, "Les sept catastrophes du monde", *Science et Vie*, n.701, fevereiro de 1976.

18 Michel-Antoine Burnier & Patrick Rambaud, *Le Roland Barthes sans peine*, Paris: Balland, 1978.

rumo ao zênite". Superpontuado, isso daria: "Uma *massa* de fumaça (e de cinzas?) e um 'quadrilátero de substância' azulada (e/ou) brilhante se pre(cipi)taram, *rumo ao zênite*".

Para que serve a superpontuação? Primeiro, fica bonito, depois lança uma névoa sobre uma frase muito simples: "A superpontuação enfeita e obscurece as frases do sistema barthesiano: ela alimenta o *nebuloso* do Texto". O recurso a esse processo é frequente em certa literatura psicanalítica ou em ciências humanas, em que a superpontuação serve para "enriquecer" textos que muitas vezes precisam muito disso. Ela intimida o leitor e dá a impressão de que o autor tem realmente algo de original a dizer. No discurso pseudocientífico, a superpontuação não é muito utilizada, mas existem outros meios – bastante próximos na sua intenção – de "alimentar o nebuloso do texto". O mais corrente consiste em abusar do jargão, de termos esotéricos, ou até mesmo de fórmulas matemáticas que estão ali só para dar a impressão de que se está realmente dizendo alguma coisa.

A título de amostra, eis aqui uma passagem de Rupert Sheldrake particularmente bem nutrida:

> Consideremos por exemplo o campo motor da alimentação. Este processo – a captura e a ingestão de alimentos – é na verdade um tipo especial de morfogênese por agregação (cf. Seção 4.1). O animal faminto é a estrutura do germe e ele entra em ressonância mórfica com as formas finais precedentes deste campo motor, isto é, os animais anteriores similares, inclusive com ele mesmo num bom estado nutricional. No caso de um predador, a aquisição dessa forma final depende da captura e da ingestão da presa (cf. Fig. 11). Essa forma virtual se completa quando uma entidade correspondente suficientemente próxima dela se aproxima do predador: a presa é reconhecida e a creofagia de captura induzida. No plano teórico, o campo motor afeta acontecimentos probabilísticos em qualquer um dos sistemas que ele compreende, inclusive os órgãos sensoriais, os músculos,

> a presa. Mas, na maioria dos casos, sua influência parece suscetível de abranger apenas a modificação de acontecimentos probabilísticos no sistema nervoso central, dirigindo os movimentos do animal para a atualização da forma final, no caso da captura da presa.[19]

Em algum lugar no nível da vivência profunda, o que Sheldrake nos quer dizer? Isto: 1) quando um animal tem fome, ele precisa comer; 2) se esse animal é um predador, ele procura uma presa; 3) para comer a presa, é preciso primeiro capturá-la; 4) depois de comer, tudo vai melhor do que antes.

Deixo aberta a questão de saber se era realmente necessário escrever um livro inteiro para alinhar semelhantes truísmos. O que é certo é que uma vez vestidas de campos motores, de creofagias e de acontecimentos probabilísticos, as banalidades de Sheldrake assumem a aparência de enunciados científicos. A primeira função do jargão aqui não é de significar, mas de estabelecer uma distância em relação à linguagem cotidiana, de marcar uma diferença entre a "teoria" sheldrakiana e o senso comum. Num verdadeiro enunciado científico, essa diferença é real. Sheldrake, porém, serve-se de termos e de torneios de frase obscuros para aureolar seu discurso com um nevoeiro que mascara sua banalidade.

A distância induzida pela algaravia sheldrakiana não é apenas da ordem do saber, ou do saber simulado. O "nebuloso do texto" tem também uma dimensão social, aquela que Roland Barthes põe em evidência desde as primeiras linhas de *O grau zero da escritura*:

> Hébert jamais começava um número do *Père Duchène* sem colocar alguns "foutres" [diacho] e alguns "bougres" [puto]. Essas grosserias não significavam nada, mas elas assinalavam. O quê?

19 Rupert Sheldrake, *Une nouvelle science de la vie*, op. cit.

> Toda uma situação revolucionária. Eis aí então o exemplo de uma escritura cuja função já não é apenas comunicar ou exprimir, mas impor um além da linguagem que é ao mesmo tempo a História e o partido que nela se toma.[20]

Numa situação muito diferente, o jargão pseudocientífico assinala, ele também, um "além da linguagem", constituído pelas posições respectivas que supostamente ocupam, em face do saber, o impostor e seu público (de passagem, Barthes compreendeu o papel da superpontuação e dos processos análogos bem antes de Burnier e Rambaud). O impostor maneja uma linguagem esotérica, já que detém, ou pretende deter, um conhecimento que o homem comum não tem. Certamente que, ao contrário de Hébert que é um autêntico revolucionário, o impostor trabalha no simulacro. Mas esse simulacro reproduz uma realidade: a distância social que separa os sábios do "cidadão comum". Podemos até dizer que os impostores se referem a um modelo social no qual os detentores do saber ocupam uma posição dominante. Precisamente o modelo induzido pela seleção social que, desde os inícios da escolaridade, tende a separar aqueles que triunfarão sobre os outros, a elite primeiro a chegar. Nesse sentido, os impostores certamente não são grandes revolucionários.

A hermenêutica da gravitação quântica

A algaravia dos impostores marca, portanto, uma fronteira entre os saberes evoluídos e o conhecimento comum, ao mesmo tempo que assinala a distância social entre aqueles que sabem

---

20 Roland Barthes, *Le degré zéro de l'écriture*, Paris: Seuil, 1953 e 1972 [ed. bras.: *O grau zero da escritura*. Trad. A. Lorencini e A. Arnichand. São Paulo: Cultrix, 1972].

e os outros. Essa dupla função foi ilustrada por uma "impostura experimental" devida a Alan Sokal, professor de Física da Universidade de Nova York. Na primavera de 1996, uma respeitada revista americana, *Social Text*, publicou um artigo de Sokal de título estranho: "Transgredir as fronteiras: para uma hermenêutica transformativa da gravitação quântica".[21] Pouco depois, Sokal revelava que seu artigo era uma farsa, uma paródia dos textos que proliferam nas revistas culturais da moda.

O artigo é abarrotado de absurdos e de ilogismos, escorados por uma hábil montagem de citações, todas autênticas, de intelectuais franceses de prestígio, como Gilles Deleuze, Jacques Derrida, Félix Guattari, Jacques Lacan, Bruno Latour, Edgar Morin, Paul Virilio etc. É difícil resumir esse texto transbordante e estapafúrdio, mas a ideia central se aproxima da dos psíritas da Lição 8 (Bohm, Capra e Sheldrake figuram, aliás, em bom lugar entre os autores citados). Substancialmente, Sokal afirma que a realidade objetiva é uma convenção social; ele torna irrisório o "dogma" ultrapassado segundo o qual "existe um mundo exterior à nossa consciência, cujas propriedades são independentes de todo indivíduo até mesmo da humanidade inteira"; afirma, ao contrário, que "a 'realidade' física, tanto quanto a 'realidade' social, é fundamentalmente uma construção linguística e social".

Em suma, não existe verdadeiramente realidade. Por um encadeamento lógico desenfreado, Sokal chega à conclusão de que a "distinção entre o observador e o observado" está a ponto de desaparecer, de modo que "o π de Euclides e o G de Newton, que outrora se julgavam constantes e universais, são agora percebidos na sua inelutável historicidade". O número π não seria

21 Alan Sokal, "Transgressing the bounderies: toward a transformative hermeneutics of quantum gravity", *Social Text*, v.46-7, primavera-verão de 1996, p.217-52. Retomo aqui a tradução dada por Alan Sokal e Jean Bricmont no livro citado anteriormente.

então, como aprendemos na escola, a relação invariável da circunferência de um círculo com seu diâmetro, cuja série de decimais – ou antes, o início dessa série – enfeita uma sala do Palácio das Descobertas, e cujo valor aproximado é 3,14. Esse número, "útil aos sábios",[22] esse número místico, seria de fato apenas uma contingência histórica dependente da época, do lugar, do regime político, ou até, por que não, da idade do capitão! Nem um pouco abalado por essa perspectiva – que ele tem a habilidade de não sublinhar de maneira demasiado evidente –, Sokal demonstra em seguida que o campo morfogenético de Sheldrake é a "contrapartida quântica do campo gravitacional de Einstein".

Estritamente, isso não quer dizer nada, mas isso continua durante dezenas de páginas, sempre de acordo com o mesmo processo: citações fora de contexto bastante obscuras, e muito discutíveis, encadeadas num discurso que justapõe os conceitos mais herméticos para tirar deles proposições cuja enormidade é temperada pela formulação esotérica. Para quem lê atentamente, não só o texto não se sustenta, como está semeado de gracejos que não deixam dúvida sobre seu caráter paródico. Numa passagem em que Sokal sublinha que os especialistas da física das altas energias não gostam que os biólogos "andem sobre suas platibandas", ele indica em nota: "Para outro exemplo do efeito 'platibanda', ver Chomsky (1977, p.35-6)". O que é mais

22 Os 31 primeiros algarismos de π, ou seja, 3,141592653589793238462643383279, podem ser memorizados graças à quadrinha seguinte, onde o número de letras de cada palavra corresponde aos algarismos sucessivos:

Que j'aime à faire apprendre ce nombre utile aux sages	[Gosto de ensinar este número útil aos sábios
Immortel Archimède, artiste, ingénieur	Imortal Arquimedes, artista, engenheiro,
Qui de ton jugement peut briser la valeur?	Quem de teu julgamento pode destruir o valor?
Pour moi, ton problème eut de pareils avantages.	Para mim, teu problema teve iguais vantagens].

saboroso é que o texto de Chomsky existe de verdade, mas diz o contrário do que sugere a paródia (na verdade, todas as referências são rigorosamente exatas, à parte duas rápidas olhadas: um texto é supostamente "editado" por Jacques Toubon e um outro, por nacionalistas catalães).

Em outra passagem, Sokal observa que "a *topologia do sujeito* de Lacan foi proveitosamente aplicada à crítica cinematográfica e à psicanálise da Aids", e acrescenta que, "em termos matemáticos, Lacan observa que o primeiro grupo de homologia da esfera é trivial, enquanto os das outras superfícies são profundos". Não se vê realmente a relação, mas, aqui também, as referências são exatas.

Sokal diverte-se também em comentar uma citação na qual o historiador Robert Markley põe no mesmo saco a teoria dos números complexos e a do caos, aparentemente sem se dar conta de que a primeira remonta ao início do século XIX, enquanto a segunda data dos anos 1970. Numa nota irônica, Sokal escreve que a teoria dos números complexos "é um ramo novo e ainda especulativo da física matemática", o que é evidentemente falso. Em outra nota, Sokal parodia os sociólogos das ciências de tendência pós-moderna, a propósito de um livro do matemático Laurent Schwartz intitulado *As medidas de Radon*: "Embora muito interessante tecnicamente, este livro é marcado, como mostra claramente seu título, pela visão do mundo favorável à energia nuclear que caracterizou a esquerda francesa dos anos 1960". Sokal dá aqui um indício suplementar do caráter paródico do seu artigo. Na verdade, o livro não tem nada a ver com a energia nuclear. As "medidas" em questão são um conceito de matemática pura, e Radon é o nome de um matemático.

Em suma, era impossível para um leitor com uma honesta cultura científica ler o artigo sem perceber tratar-se de uma farsa. Entretanto, ele foi aceito e publicado! E ainda mais, num número especial da revista que tinha por objetivo responder às críticas de alguns cientistas contra o "pós-modernismo". Essa corrente intelectual em voga é caracterizada por uma recusa da tradição racionalista das Luzes e um relativismo extremo – de maneira geral, a ideia de que as teorias científicas são "construções sociais", sem objetividade fora do grupo que as produz. Sokal, que contesta a corrente pós-moderna, escreveu seu artigo paródico para ridicularizar essas ideias. Ora, *Social Text* publicou o artigo porque ele parecia defender a opinião da revista, quando era uma farsa destinada a ridicularizá-la. "Era difícil, para os editores de *Social Text*, submeter-se a uma autorrefutação prática mais radical do que publicando aquele artigo, e num número especial!", escreve Sokal.[23]

O mais espantoso é que a farsa tenha funcionado. Como explicar? As numerosas citações de autores respeitados dão credibilidade ao artigo. Seu estilo obscuro o torna dificilmente discutível: se algumas proposições são evidentemente absurdas, outras são formuladas de tal maneira que é impossível saber o que elas significam exatamente. Embora pouco clara, a orientação geral vai no sentido esperado pelos editores. O artigo se abre com um elogio insistente das análises "pós-modernas" da física e da crítica da "metafísica cartesiano-newtoniana". O discurso se assemelha ao de um Patrice van Eersel, mas é formulado num estilo universitário e acompanhado de citações de um dos editores de *Social Text* e de autores próximos das ideias da revista. Sokal multiplica as referências em forma de reverências e toma o cuidado de mencionar todos os clichês pós-modernos sobre as ciências da natureza, tais como o papel do "clima cultural", a perda da "objetividade", as "implicações políticas" do espaço-tempo, a importância do pensamento "não linear" e o "sexismo" da matemática. Tendo declarado sua fidelidade para com aqueles que quer seduzir, Alan Sokal pode

23 Alan Sokal & Jean Bricmont, *Impostures intellectuelles*, Paris: Odile Jacob, 1997 [cf. ed. bras. citada].

entregar-se a toda sorte de facécias sem ferir a inteligência dos editores, o que diz muito sobre a fatuidade de um certo meio acadêmico. Manifestamente, as fontes citadas importam mais do que o conteúdo do texto e até mais do que sua exatidão factual, como ilustram os exemplos de Radon ou dos números complexos (há outros). Em suma, "todo o texto ilustra aquilo que David Lodge chama uma 'lei da vida acadêmica': é impossível exagerar quando se lisonjeia seus pares".[24]

Do órgão erétil em matemática

Na esteira de seu artigo-farsa, Alan Sokal escreveu, com Jean Bricmont, *Imposturas intelectuais*; um livro forte e abrasivo que alfineta o abuso reiterado de termos provenientes das ciências físico-matemáticas praticado por autores como Jean Baudrillard, Gilles Deleuze, Félix Guattari, Julia Kristeva, Jacques Lacan ou Paul Virilio.[25] Todos eles figuram entre os "intelectuais franceses mais renomados de nossa época" e cuja obra "foi um importante produto de exportação, sobretudo para os Estados Unidos". Ficamos espantados em constatar que essas sumidades se servem de termos científicos sofisticados para contar quase qualquer coisa, atingindo, segundo Sokal e Bricmont, o "nível da impostura". Por eles passa tudo: a teoria das catástrofes, a do caos e a da complexidade (que Markstein confunde com os números complexos), a relatividade, a topologia, o axioma da

24 Ibidem.

25 Notemos que a crítica desses abusos é apenas um dos objetivos perseguidos por Sokal e Bricmont: eles se dedicam igualmente a um ataque em regra contra a nova sociologia das ciências, representada especialmente por Bruno Latour. Um ataque mais discutível e que aliás deu lugar a um outro livro de resposta: Baudouin Jurdant (Org.), *Impostures scientifiques. Les malentendus de l'affaire Sokal*, Paris: La Découverte, 1998.

escolha, o teorema de Gödel... Os processos retóricos empregados são os mesmos dos psíritas ou de Sheldrake: fora de seu contexto, as palavras da linguagem científica são arroladas a serviço de um discurso que joga com os duplos sentidos, os trocadilhos, as metáforas e as analogias. Mesmo quando é possível atribuir um sentido a esse discurso, ele não tem nenhuma relação com os conceitos sobre os quais pretende apoiar-se.

Tomemos, por exemplo, uma passagem em que Julia Kristeva afirma que a linguagem poética, que ela chama "lp", é um sistema formal que remete à teoria dos conjuntos:

> A lp não pode ser, por conseguinte, um subcódigo. Ela é o código infinito ordenado, um sistema complementar de códigos do qual podemos isolar (por abstração operatória e à guisa de demonstração de um teorema) uma linguagem usual, uma metalinguagem científica e todos os sistemas artificiais de signos – que, todos eles, são apenas subconjuntos desse infinito, exteriorizando as regras de sua ordem sobre um espaço restrito (sua potência é mínima em relação à da lp que lhes é sobreposta).[26]

O parágrafo não quer dizer estritamente nada, o que evita ser errado. Um pouco mais adiante Kristeva cita um teorema da teoria dos conjuntos de Gödel-Bernays, desenvolvido entre 1937 e 1940, e encadeia: "Lautréamont foi um dos primeiros a praticar conscientemente este teorema".

> A noção de construtibilidade que o axioma da escolha implica, associado a tudo o que acabamos de colocar para a linguagem poética, explica a impossibilidade de estabelecer uma contradição no espaço da linguagem poética. Essa constatação aproxima-se da constatação de Gödel referente à impossibilidade de estabelecer a contradição de um sistema por meios formalizados nesse sistema.

---

26 Julia Kristeva, Σημειωτική: *recherches pour une sémanalyse*, Paris: Seuil, 1969.

Notemos que Lautréamont morreu em 1870, mais de sessenta anos antes de ser formulado o teorema citado por Kristeva. Aliás, o "axioma da escolha" não implica nenhuma noção de construtibilidade: ele diz que, se temos uma coleção de conjuntos, cada um dos quais contendo pelo menos um elemento, então existe um conjunto, vamos chamá-lo C, que contém um elemento de cada um dos conjuntos iniciais. O axioma da escolha afirma que determinado conjunto C existe mesmo que não saibamos como construí-lo: o contrário do que escreve Kristeva. Quanto a Gödel, ele demonstrou que toda teoria matemática no mínimo tão complexa quanto a aritmética contém proposições "indecididas", isto é, que só podem ser demonstradas a partir dos axiomas da teoria. Não se pode demonstrar que essas proposições indecididas *não contradizem* os axiomas da teoria: é a *não contradição* que não pode ser estabelecida, não a contradição, ou seja, mais uma vez o contrário do que escreve Kristeva (o manejo da dupla negação é uma armadilha lógica terrível, como o leitor não ignora...).

O ensaio de Julia Kristeva visado por Sokal e Bricmont contém muitos outros equívocos. Para ser justo, cumpre acrescentar que Kristeva abandonou há muito tempo sua abordagem matemática da linguagem poética. Talvez se tratasse apenas de um erro de juventude. Entretanto, o teorema de Gödel e a teoria dos conjuntos permanecem como uma fonte inesgotável de abusos intelectuais. Antes de voltar a eles, detenhamo-nos nas elucubrações matemáticas de Jacques Lacan, que constituem uma *performance* certamente inigualável na área da mistificação intelectual. Eis aqui duas amostras particularmente saborosas. A primeira é tirada de um seminário de 1959:

> Se me permitem utilizar uma das fórmulas que me ocorrem quando escrevo minhas notas, a vida humana poderia ser definida como um cálculo no qual o zero seria irracional. Essa fórmula é apenas uma imagem, uma metáfora matemática. Quando digo "irracional", não me refiro a algum estado emocional insondável,

> mas precisamente ao que se chama um número imaginário. A raiz quadrada de menos um não corresponde a nada que seja objeto de nossa intuição, nada de real – no sentido matemático da palavra –, no entanto, ele deve ser conservado, com toda a sua função.

Aqui, o célebre psicanalista confunde os números irracionais e os números imaginários, pretendendo ser preciso. A raiz quadrada de 2 é um número irracional, a de –1, um número imaginário. Zero não é nem uma coisa nem outra, e se alguém for capaz de explicar o que Lacan quer dizer, a casa lhe oferece o champanhe.

Na segunda passagem, tirada de um seminário de 1960, nosso autor descobre um sentido inesperado para a raiz quadrada de –1:

> É assim que o órgão erétil chega a simbolizar o lugar do gozo, não enquanto ele mesmo, nem mesmo enquanto imagem, mas enquanto parte faltante da imagem desejada: é por isso que ele é igualável ao $\sqrt{-1}$ da significação mais alta produzida, do gozo que ele restitui pelo coeficiente de seu enunciado à função de falta de significante: (–1).

Comentário de Sokal e Bricmont: "Neste caso, reconhecemos que é preocupante ver nosso órgão erétil identificado a $\sqrt{-1}$. Isso nos faz pensar em Woody Allen que, em *O dorminhoco,* se opõe à reprogramação de seu cérebro: 'Você não pode tocar no meu cérebro, é o meu segundo órgão preferido!'".

Para além do aspecto cômico, Lacan leva a um grau caricatural os defeitos do mandarinato à maneira francesa. Suas fórmulas abracadabrantes são puros jogos de linguagem. Elas não significam nada, a não ser isto: "Eu sou o mestre e vocês são os discípulos, e como mestre eu digo o que me passar pela cabeça". A veneração quase religiosa dos discípulos de Lacan pelo pensamento do mestre teve pesadas consequências para a psicanálise, mas essa é outra história.

Vamos a um autor mais recente, Paul Virilio, pensador da técnica, da comunicação e da velocidade. Em *O espaço crítico* (1984), ele define "o *espaço dromosférico*, o espaço-velocidade", o qual é "fisicamente descrito por aquilo que se chama a 'equação logística', resultado do produto da massa deslocada pela velocidade de seu deslocamento (M x V)". Único problema: a equação logística, utilizada sobretudo em teoria das populações, não tem nada a ver com M x V, que representa a "quantidade de movimento" em mecânica clássica... Depois vem a inevitável alusão ao teorema de Gödel:

> Com essa deriva das figuras e das figurações geometrais, a efração das dimensões e a matemática transcendental, nós atingimos apogeus "surrealistas" da teoria científica, apogeus que culminam, parece-me, com o teorema de Kurt Gödel: *a prova existencial*, método que prova matematicamente a existência de um objeto sem produzi-lo.

Ora, justamente, todo o interesse do teorema de Gödel é que ele constrói explicitamente uma proposição que não pode ser nem demonstrada nem infirmada no sistema em que é formulada: é de certo modo o inverso da situação do axioma da escolha, o qual afirma que o conjunto C existe, embora não se saiba forçosamente construí-lo. Gödel é construtivista, o axioma da escolha não o é. Kristeva e Virilio inverteram tudo. Decididamente, nossos intelectuais não têm chances com a matemática...

A ciência é solúvel na linguagem?

Antes que o leitor seja tentado a me tachar de francofobia galopante, queria esclarecer que se me detenho sobre o livro de Sokal e Bricmont não é porque seus principais alvos são franceses, mas porque esses intelectuais franceses têm uma notoriedade mundial. Particularmente, eles são considerados referências nos Estados Unidos, especialmente pela corrente pós-moderna que se apoiou amplamente em seus escritos (embora esses autores franceses não sejam todos pós-modernos). Por isso, sua influência assume um caráter exemplar na perspectiva que nos interessa, que é a elucidação dos discursos pseudocientíficos. Pode-se em parte atribuir essa influência a fatores socioculturais como o mandarinato, a persistência de um cientificismo "religioso" ou as carências do ensino. Mas o sucesso transatlântico de nossos intelectuais deve-se também ao fato de que a maneira como eles tratam – ou maltratam – as ciências dá crédito às ideias pós-modernas.

Para convencer-se disso, basta ler esta citação de Robert Markley:

> A física quântica, a teoria do *bootstrap* hadrônico, a teoria dos números complexos e a teoria do caos têm em comum a hipótese básica segundo a qual a realidade não pode ser descrita em termos lineares, que equações não lineares – e insolúveis – são o único meio possível para descrever uma realidade complexa, caótica e não determinista. Essas teorias pós-modernas são todas – e isso é significativo – metacríticas no sentido de que se apresentam mais como metáforas do que como descrições "fiéis" da realidade.[27]

Passamos pelo fato de que a teoria do caos não é de modo algum incompatível com o determinismo: ela foi elaborada a partir de considerações sobre os fenômenos meteorológicos, que são perfeitamente deterministas, mesmo se não se pode prevê-los (porque é impossível conhecer com suficiente precisão o estado inicial de um sistema meteorológico). O mais interessante é que, para Markley, as ciências "pós-modernas" são *metáforas*. Eis-nos de volta às abotodoaduras de Groucho Marx.

---

27 Citado em Alan Sokal & Jean Bricmont, op. cit.

Naturalmente, se a ciência é feita de metáforas, temos razões para julgar que ela pertence ao campo da linguagem corrente, da fala, da narrativa. Nada impede, então, de tratar os conceitos científicos como palavras da linguagem corrente, e de tirar todos os tipos de coelhos semânticos da cartola retórica. Vemos surgir aqui uma convergência entre o discurso pseudocientífico e os pós-modernos, cujos discursos pedantes são apenas uma reformulação ao gosto do dia de solos de flauta conhecidos de longa data.

A título de ilustração, consideremos uma montagem de citações extraídas de *O Universo espelho*, livro já citado de John Briggs e David Peat:

> A ciência e sua irmã, a tecnologia, são cheias de surpresa – tanto que é difícil ser ainda surpreendido. Buracos negros, engenharia genética, microscópicas peças de computador – e o que mais? Estamos prontos para tudo. As teorias e os produtos da ciência estão há muito tempo firmemente estabelecidos em nossa paisagem, prolíferos e mutáveis como o perfil de uma cidade sob o céu ...
>
> Mas nesses últimos tempos, fracamente, o chão rugiu, a luz mudou: sinais misteriosos. Chegam-nos estranhos testemunhos de pessoas que trabalham no subsolo, nas estruturas mais profundas da cidade, anunciando que talvez eles descobriram alguma coisa, acionando processos que poderiam mudar radicalmente a cidade e todos aqueles que nela moram. Esses teóricos que nos trazem testemunhos, nós os chamamos os homens da ciência do espelho ... [Sua mensagem] é de fato bastante simples: o universo fluido e turbilhonante é um espelho ...
>
> Escorregamos pela fissura aberta na visão tradicional da ciência até chegar a um estreito túnel, e esticamos a cabeça para uma paisagem envolvida em bruma – cintilante, infinitamente sutil, e nova.

Nessa paisagem brumosa,

> observador e observado parecem influenciar-se mutuamente, o homem de ciência semelhante a um turbilhão tentando estudar o escoamento da água. Aqui, deixamos atrás de nós ... um universo onde o observador *observa* o observado, para entrar num espelho, um universo onde, de certa maneira (é uma região que só distinguimos confusamente), *o observador é observado ...*
>
> Descobrindo este universo, Bohm descobriu igualmente uma surpreendente relação entre mapa e terreno. Para o espelho, não pode haver mapa definitivo, porque nossos mapas *são* o espelho. Nossa cartografia muda o próprio terreno, e o terreno por sua vez muda nosso mapa. Mapas, cartografias e terrenos giram um ao redor do outro como o turbilhão num rio que exprime o todo.

Porque, no mundo do espelho, "tudo é causa de todo o resto. O que está acontecendo não importa nem afeta o que está acontecendo em toda parte". O observador faz experiências, mas "ele é igualmente essas experiências. Ele é também o observado, com o rosto no espelho".

O tom de Briggs e Peat é bastante diferente do de Markley e dos pós-modernos. Ele evoca sobretudo o "realismo fantástico" de Bergier e Pauwels, servido ao molho *New Age* e temperado com uma lasquinha de profetismo ("sinais misteriosos" anunciam uma mudança radical). Acrescentemos que Briggs e Peat não temem o choque das metáforas: fazer turbilhonar um espelho é no mínimo arriscado; e se o observador é o rosto no espelho, como ele faz para não bater o nariz no vidro? Quanto ao homem de ciência "turbilhão tentando estudar o escoamento da água", a ideia talvez não seja tão nova assim: antigamente, a iniciação matemática dos estudantes não passava por problemas de torneiras?

Na verdade, Briggs e Peat encadeiam as metáforas sem a menor preocupação de lógica. Assim, o mapa é o espelho, e o universo também é o espelho; portanto, o mapa é o universo. Mas quem traçou esse mapa? Quem o lê? Um observador transcendente, situado fora do universo? Impossível, já que o observador é aquilo que ele observa. Não há dúvida, esse texto é de uma confusão extrema. Entretanto, as ideias principais são as mesmas, embora formuladas de maneira caricatural, dos pós-modernos: o observador não se distingue daquilo que observa, não existe realidade objetiva, e a ciência funciona como uma metáfora.

Mas por que a explicação científica não é uma metáfora? Por que se deve distinguir a linguagem científica da linguagem corrente? Por que a ordem das palavras não é a mesma que a do mundo?

O mapa não é o terreno

Briggs e Peat, como os pós-modernos, descrevem um mundo de imagens, um universo de metáforas estruturado como uma linguagem, a exemplo do inconsciente segundo Lacan. Esse universo não é o da ciência, mas o do mito. Uma teoria científica não é uma narrativa ou uma fábula. A mecânica quântica não conta a história do elétron. Ela descreve o comportamento do elétron em determinado quadro. O elétron é ele próprio um conceito abstrato que descreve uma classe de objetos identificáveis experimentalmente, como o conceito de "carvalho" não designa um carvalho preciso, mas todos os carvalhos possíveis. A teoria científica é um mapa que nos permite ler uma certa ordem no universo. Para traçar o mapa, é preciso antes descobrir o terreno, descrevê-lo, e depois transpor essa descrição sob forma de uma representação plana. O "mapa" científico é, portanto, uma descrição de segundo grau, a descrição de uma descrição. Para ser traçado, ele necessita de uma armação lógica, matemática e experimental. A linguagem científica descreve o mapa, não o próprio mundo.

Sobrepor o segundo grau ao primeiro é confundir o mapa e o terreno, o real com aquilo que a teoria nos permite conhecer do real. No sistema de Briggs e Peat, o mapa *é* o terreno. Mas então é como dizer que o real é feito de palavras. "E por que o real não seria feito de palavras?", poderiam responder Briggs e Peat. É difícil pegar em erro um discurso tão perfeitamente fechado em seus próprios paradoxos que desencoraja qualquer análise racional. Objetar-se-á que a ciência é tida como racional. Só que, justamente, nossos autores profetizam o "fim da ciência racional". É só puxar a escada? Não totalmente.

Segundo Briggs e Peat, um dos indícios que anunciam o fim da ciência racional data de 1931. Nesse ano, o lógico Kurt Gödel demonstrava o famoso teorema de que tratamos um pouco antes. Como já foi indicado, o teorema de Gödel enuncia que a aritmética – e toda teoria matemática pelo menos tão complexa quanto a aritmética – contém proposições "indecidíveis", das quais não se pode dizer se são verdadeiras ou falsas. Matematicamente, "indecidível" significa: "Que não pode ser demonstrado a partir dos axiomas da teoria". O teorema de Gödel implica que existem enunciados de aritmética que parecem intuitivamente verdadeiros, mas que não podemos demonstrar. Em particular, um desses enunciados é aquele que afirma que a aritmética não contradiz a si própria. Em outras palavras, não se pode demonstrar "de dentro da aritmética" que a aritmética não se contradiz. Para demonstrar a não contradição da aritmética, é necessário estabelecer que seus axiomas são consistentes entre si, e isso só pode ser feito colocando-se dentro de uma "teoria da aritmética", uma "meta-aritmética" que "transcende" a aritmética.

Isso pode parecer um tanto abstrato, mas podemos ilustrar o problema por meio de um paradoxo da linguagem corrente, como aquele do mentiroso que diz: "Eu minto". Se o mentiroso mente o tempo todo, ele não pode ter dito a verdade afirmando que mente; e se ele diz a verdade, não é um mentiroso. A afirmação do mentiroso é "indecidível". Não podemos dizer se ela é verdadeira ou falsa permanecendo dentro do sistema em que foi formulada. Da mesma maneira, todo enunciado autorreferente, ou seja, que faz alusão a si mesmo, produz efeitos paradoxais, como este: "Esta frase não é a que você está lendo", Ou ainda: "A frase que você está lendo não é a última de seu parágrafo".

Numa linguagem matemática formalizada, podemos introduzir regras para eliminar esse tipo de paradoxos. Na linguagem corrente, eles produzem sentido, mesmo que esse sentido seja contraditório. A linguagem natural permite a contradição, ao passo que a matemática repousa sobre a não contradição. É por isso que, quando Gödel demonstrou que não se podia provar a não contradição da aritmética – pelo menos por meio dos axiomas da aritmética –, esse resultado teve um impacto profundo sobre os matemáticos e sobre a disciplina. Mas nem por isso o edifício matemático desabou. Ao contrário, os trabalhos de Gödel e outros reforçaram os fundamentos lógicos da matemática.

Na retórica demente de Briggs e Peat, o teorema de Gödel torna-se um processo surrealista para criar coelhos:

> Para o homem de ciência ou para o matemático dotado de uma formação clássica, [o teorema de Gödel] equivalia a dizer que, se colocássemos um casal de coelhos num cercado isolado e os deixássemos se reproduzir, poderia haver muitas gerações de láparos que seriam irmãos e irmãs de outros coelhos do cercado, mas não teriam nenhum vínculo de parentesco com o casal original. Alguns daqueles que meditaram sobre a prova de Gödel estão convencidos de que se trata de um dos numerosos fatos que anunciam o fim da ciência racional.

Como Briggs e Peat chegam a essa conclusão? Na metáfora deles, o casal de coelhos inicial representa os axiomas de uma teoria; os descendentes são os teoremas e proposições que podemos deduzir desses axiomas; e os láparos sem vínculo de parentesco com o casal inicial, as proposições indecidíveis. Vê-se imediatamente qual é o equívoco: se o nascimento de um láparo é equivalente à demonstração de um teorema, esse láparo é forçosamente oriundo do casal inicial ou de seus descendentes;

os "láparos indecidíveis" não podem ter sido engendrados pelo mesmo processo, e não podem ser irmãos e irmãs de outros coelhos do cercado. Eles vêm forçosamente de outro cercado. Ou então, eles ainda não nasceram. Evidentemente, a propósito do que não existe, podemos dizer qualquer coisa. Em suma, Briggs e Peat nos fornecem um novo exemplo de abuso de metáfora, mas não nos mostram em que o teorema de Gödel marca o fim da razão.

Se quisermos absolutamente dar uma interpretação intuitiva do teorema de Gödel, seria sobretudo no sentido da racionalidade. O que nos diz Gödel? Que um sistema formal, lógico, não pode demonstrar tudo. Ele tem um limite, um "fora" e um "dentro". Essa limitação constitui a melhor das salvaguardas. Uma lógica sem salvaguardas é uma lógica que não conhece nenhum limite, que só remete a si mesma, que gira em falso na vertigem da autorreferência. A teoria de Gödel constitui uma espécie de antídoto lógico para os delírios alucinatórios e "totalizantes" da pseudociência.

A "lição" do teorema de Gödel seria antes que não pode haver discurso "global", teoria que explique o real de A a Z. Toda teoria é incompleta. Ela não pode descrever-se a si mesma nem provar sua própria verdade. Somente na linguagem corrente é que se pode responder às Verdadeiras Perguntas e transgredir os paradoxos lógicos. Mas não é assim que se constroem teorias científicas.

Eis, também, por que o mapa não é o terreno: o mapa remete a um leitor que o "transcende". A glosa sobre o fim da divisão cartesiana entre o observador e o observado choca-se contra um obstáculo lógico: em toda experiência de física, seja ela clássica seja quântica, há um indivíduo que manipula os instrumentos, anota os resultados, interpreta-os. Um indivíduo capaz de analisar a experiência, fazer seu resumo, relatá-la. Nenhuma facécia dos fótons gêmeos jamais transformará o físico Alain Aspect num turbilhão evoluindo "num rio que exprime tudo".

Os rios não exprimem nada, eles correm. É a linguagem que exprime o sentido criado por nosso pensamento. Mas exprimir não é agir. No império dos sentidos, os espelhos podem turbilhonar sem se quebrar e os coelhos surgir por geração espontânea. Não na realidade. As palavras têm todos os poderes, menos o de ser aquilo que elas designam. Como diz Alfred Korzybski: "A palavra cão não morde".

Exercícios

1 *a)* Tenho 4 pirulitos no meu bolso direito e 9 balas no meu bolso esquerdo. Qual é a idade do meu papai?

b) Num curral, há 125 carneiros e 5 cães. Qual é a idade do pastor?

c) Um pastor tem 360 carneiros e 10 cães. Qual é a idade do pastor?

d) Numa classe, há 12 meninas e 13 meninos. Qual é a idade da professora?

e) Num barco, há 36 carneiros; 10 caem na água. Qual é a idade do capitão?

f) Há sete fileiras de 4 mesas na classe. Qual é a idade da professora?

Nota: esses exercícios foram propostos por escrito aos alunos de sete classes do curso elementar e de seis classes do curso médio, acompanhados da pergunta: o que você pensa desse problema? Segundo Stella Baruk, entre 171 alunos do curso elementar, 20 dizem que não se pode responder, e entre 118 do curso médio, 74.

2 Transcreva a passagem de Sheldrake sobre o "campo motor de alimentação" (p.405), substituindo sistematicamente o termo "forma" por "hemorroida". O texto se torna mais significante ou menos significante do que na sua versão inicial?

Lição 10
Algo refutável, jamais enunciarás

"Venha vê-lo", exclamaram os dois irmãos pegando Alice, cada um por uma mão, para levá-la até onde o Rei dormia.

"Ele não é *adorável*?", perguntou Tweedledum.

Com toda a honestidade, Alice não podia dizer que achava que fosse. Ele tinha na cabeça um grande gorro de dormir vermelho enfeitado com uma borla e jazia encolhido numa espécie de monte imundo. Além disso, roncava ruidosamente: "É de estourar os miolos!", como observou Tweedledum.

"Tenho medo que ele pegue um resfriado, ficando deitado assim no capim úmido", disse Alice, que era uma menina muito precavida.

"Neste momento, ele está sonhando", disse Tweedledee; "e com o que você acha que ele sonha?"

"Ninguém pode adivinhar", respondeu Alice.

"Ora, vamos, ele sonha com *você*!", exclamou Tweedledum batendo palmas com um ar de triunfo. "E se ele parasse de sonhar com você, onde você acha que estaria?"

"Onde eu estou agora, claro", disse Alice.

"Nunca na vida!", replicou Tweedledee com um ar de profundo desprezo. "Você não estaria em lugar nenhum. Você é apenas uma espécie de objeto aparecendo no sonho dele!"

"Se o Rei aqui presente por acaso acordasse", acrescentou Tweedledum, "você estaria soprada – puft – exatamente como uma vela!"

"Isso não é verdade!", exclamou Alice indignada. "Então, se *eu* sou apenas uma espécie de objeto no sonho dele, eu gostaria de saber vocês, o que vocês são?"

"Idem", disse Tweedledum.

"Idem, idem!", repetiu Tweedledee.

Ele gritou tão alto que Alice não pode deixar de rir: "Psiu! Tenho medo que você o acorde com tanto barulho".

"Ora vamos, como você pode falar em acordá-lo", redarguiu Tweedledum, "se você é apenas um dos objetos aparecendo no sonho dele. Você sabe muito bem que você não é real".

"Claro que sim, claro que eu sou real!", protestou Alice começando a chorar.

"Não é chorando que você vai ficar mais real", observou Tweedledee; "e isso não é motivo para chorar".

"Se eu não fosse real", disse Alice – meio rindo por entre as lágrimas, de tanto que aquilo lhe parecia ridículo –, "eu não seria capaz de chorar".

"Espero que você não tome isso que cai de seus olhos por lágrimas de verdade?", disse Tweedledum num tom do mais perfeito desprezo.[1]

O paradoxo do sonhador

Como é frequentemente o caso em Lewis Carroll, os gracejos de Tweedledum e Tweedledee, que Alice encontra *Do outro lado do espelho*, ilustram, sob a forma de um conto divertido, um paradoxo lógico, que neste caso é o problema do sonhador

---

1 Lewis Carroll, *Tout Alice*, tradução francesa de Henri Parisot, Paris: Garnier-Flammarion, 1979.

que procura sair de um sonho ruim. O problema vem de que tudo aquilo que o sonhador diz ou faz encontra-se "dentro" do sonho. Tweedledum e Tweedledee fecham Alice num quadro sobre o qual ela não tem domínio. Por mais que ela saiba que é real, ela não tem nenhum meio de convencer os dois irmãos infernais disso. Ao contrário, são eles que semeiam a dúvida no seu espírito, a tal ponto que ela chega a temer que o Rei Vermelho acorde. Imaginemos que o rei acabe mesmo acordando, sem que por isso Alice e os dois irmãos desapareçam. Ela poderia então afirmar triunfalmente que ela é mesmo real, já que não foi absolutamente soprada como uma vela pelo despertar do rei. Mas adivinha-se o que responderiam os dois duendes: esse "despertar" não é real, ele faz parte do sonho, como as lágrimas de Alice. Prosseguindo seu raciocínio vicioso, eles acrescentariam que Alice não pode ver o verdadeiro despertar do rei porque, no instante em que se interrompe o sonho real, ela cessa de existir.

Dito de outro modo, Tweedledum e Tweedledee constroem um sistema que não pode ser contradito pelos fatos, mesmo que aos olhos de Alice existam elementos bem reais que destroem a "teoria" dos dois duendes. Notemos a similaridade entre essa "teoria" e a de Philip Gosse, o naturalista que afirmava que os fósseis e os estratos geológicos eram apenas um cenário montado pelo Criador (ver Lição 7). Um paleontólogo que começasse uma discussão com Gosse colidiria contra o mesmo muro de incompreensão que Alice com os dois irmãos. Os fósseis e os sedimentos demonstram que a Terra não pode ter sido criada em sete dias? Não, responde Gosse, porque sua aparente antiguidade vem unicamente de que eles existiram no tempo "procrônico", ou seja, no pensamento de Deus. Os caninos do babirussa só puderam adquirir sua forma recurvada ao termo de um crescimento longo e contínuo? Esse crescimento não se produziu no tempo diacrônico, o do mundo visível, mas no Espírito do Criador, objeta Gosse. Os excrementos petrificados encontrados nos sedimentos provam que os animais reais existiram no curso da pré-história? Não, eles foram depositados para aperfeiçoar sua "encenação".

As argúcias de Philip Gosse podem fazer sorrir, mas uma lógica similar, embora formulada de maneira menos cômica, se encontra nos escritos dos criacionistas atuais. Consideremos, por exemplo, uma passagem de Duane Gish, cabeça pensante do criacionismo, a crer no que diz Stephen Jay Gould. Esta passagem é extraída de um livro que contesta que os fósseis sejam uma prova da evolução:

> Por criação, entendemos o aparecimento devido a um Criador sobrenatural das espécies elementares de plantas e de animais, mediante uma criação súbita, um *Fiat*. Não sabemos como o Criador criou, que métodos Ele utilizou, porque *Ele utilizou métodos que não operam mais no momento atual onde quer que seja no universo natural* [itálicos do autor]. É por isso que dizemos da criação que ela é especial. Não podemos descobrir pela pesquisa científica os métodos criativos que o Criador utilizou.[2]

Nenhum fato paleontológico pode infirmar a teoria de Gish, já que por definição os métodos divinos escapam à investigação científica. O que não impede os adeptos de Gish de afirmar que o criacionismo é uma teoria científica que merece que lhe seja concedido tanto tempo quanto à evolução no programa de biologia de final de estudos secundários. Ora, para pretender o estatuto de teoria científica, falta ao criacionismo satisfazer uma condição fundamental: a teoria deve poder ser testada, confrontada com a realidade por meio de observações e experiências, de tal modo que se possa verificar se suas afirmações são conformes aos fatos. Em outros termos, a teoria deve ser "refutável".

---

2 Extraído de *Evolution? The Fossiles say no!*, citado em Stephen Jay Gould, *Quand les poules auront des dents*, op. cit. [cf. ed. port. citada].

A ciência segundo Karl Popper

O discurso de Tweedledum e Tweedledee, a teoria de Philip Gosse ou a dos criacionistas têm em comum o fato de desencorajar qualquer objeção: não podemos sequer objetar que o sonhador não pode sair do seu sonho – pelo menos enquanto ele não acordar. A situação é diferente para uma teoria física como a mecânica newtoniana. Essa teoria permite, especialmente, calcular as órbitas dos planetas do sistema solar graças à lei da gravitação de Newton e às leis de Kepler. Segundo essas leis, as órbitas dos planetas são elipses cujas dimensões precisas não podemos determinar (pelo menos até um certo grau de precisão). Se podemos enviar um foguete à Lua ou uma sonda a Marte é porque os cálculos da mecânica celeste permitem prever as posições da Lua e de Marte em relação à Terra, num dado momento. Se todos os cálculos foram feitos corretamente e o foguete passasse a cem mil quilômetros da Lua, concluiríamos que a mecânica newtoniana estava errada.

Essa possibilidade de poder ser infirmada pela experiência constitui uma das principais propriedades que caracterizam uma teoria científica. Dizemos que a teoria é "refutável", segundo a terminologia introduzida pelo austríaco Karl Popper, um dos mestres da filosofia das ciências contemporâneas. Popper se punha a questão de saber como distinguir as teorias científicas das outras. Que critério permitia estabelecer o estatuto científico de uma teoria?

Popper tinha se dedicado a esse problema desde o outono de 1919. Ia devotar a ele a maior parte de sua obra, sobretudo dois livros de uma importância capital, *A lógica da descoberta científica* e *Conjeturas e refutações*.[3] Neste último, de onde são extraídas as citações seguintes, ele precisa o objeto de sua pesquisa:

---

3 Karl Popper, *La logique de la découverte scientifique*, traduzido do inglês por Nicole Thyssen Rutten e Philippe Devaux, Paris: Payot, 1978 [ed. bras.: *A*

> O que me preocupava na época não era o problema de saber "quando a teoria é verdadeira", nem mesmo "quando ela é admissível". A questão que eu me punha era outra. Eu queria distinguir *ciência* e *pseudociência*, sabendo perfeitamente que muitas vezes a ciência está em erro, enquanto a pseudociência pode inesperadamente encontrar a verdade.

Popper observa que o critério clássico, segundo o qual a ciência repousa sobre a observação e a experiência, não basta:

> Ao contrário, eu tinha afirmado várias vezes que o problema para mim consistia em distinguir entre método autenticamente empírico e método não empírico, ou mesmo pseudoempírico – isto que não responde aos critérios da cientificidade embora apele à observação e à experimentação. Este segundo método entra em operação, por exemplo, na astrologia, com seu espantoso *corpus* de provas empíricas fundadas sobre a observação – horóscopos e biografias.

Qual é a diferença entre prova científica e uma "prova" da astrologia? A primeira não apenas é uma prova, como um verdadeiro *pôr à prova* da teoria. Assim, a relatividade geral prevê que um campo de gravitação induz uma curvatura da luz: um raio luminoso que passa raspando um corpo celeste é desviado para este último. Esse desvio pode ser detectado fotografando as estrelas por ocasião de um eclipse total do Sol.

Será que a previsão da teoria de Einstein, formulada em 1916, era conforme à realidade? Para verificá-la, a Sociedade Astronômica Real de Londres organizou em 1919 duas expe-

---

lógica da pesquisa científica. São Paulo: Cultrix, s. d.]; *Conjectures et réfutations. La croissance du savoir scientifique*, traduzido do inglês por Michelle-Irene e Marc B. de Launay, Paris: Payot, 1985 [ed. bras.: *Conjeturas e refutações*. Brasília: Editora da UnB, 1982].

dições incluindo os melhores astrônomos britânicos, entre os quais Arthur Eddington. Em 29 de maio de 1919, durante um eclipse total do Sol observado a partir de dois pontos (Sobral, no Brasil, e a Ilha Príncipe, na África ocidental), Eddington e seus colegas tiraram fotografias de uma extraordinária precisão que puseram em evidência a curvatura prevista por Einstein. Esse resultado não foi obtido de antemão. Se os astrônomos britânicos não tivessem observado o desvio dos raios luminosos, a teoria de Einstein teria sido refutada. A menos que se chegasse à conclusão de que as medidas estavam incorretas, teria sido necessário considerar que a previsão de Einstein era falsa.

O importante, segundo Popper, "é o *risco* assumido por uma previsão desse tipo". Em contrapartida, as previsões dos astrólogos estão ao abrigo de qualquer risco: elas são formuladas em termos bastante vagos para adaptar-se a todas as interpretações e aos imponderáveis do destino. Se uma astróloga profetiza no final de 2000 que a vida política francesa vai viver grandes mudanças em 2001, ela não corre nenhum risco de enganar-se. Se essa astróloga anuncia que as finanças dos nativos de Gêmeos vão melhorar, ela tampouco se expõe a ser desmentida: entre os inúmeros Gêmeos haverá forçosamente um certo número para quem a previsão se revelará justa. Claro, se ela anunciasse que todos os Gêmeos com ascendente em Leão vão sofrer uma violenta crise de hemorroidas[4] em 22 de fevereiro, seria mais arriscado. Mas os astrólogos não fazem esse tipo de previsão. Como os leitores de horóscopos têm tendência a reter as previsões que se realizam e a esquecer as outras, a impressão geral que eles conservam é de que os horóscopos são bastante confiáveis, em todo caso não muito menos do que as previsões meteorológicas...

---

4 Agora posso dizer: apostei com um amigo que eu poderia encaixar a palavra "hemorroida" em cada lição, sem que isso parecesse demasiado artificial. Aposta mantida.

Mas, sobretudo, os astrólogos não consideram que uma previsão falsa basta para invalidar a astrologia. Há forçosamente uma razão qualquer pela qual a previsão não se realizou, não foi levada em conta a oposição de Saturno, foi esquecida a conjunção de Áries com o Triângulo de Vênus, ou então a previsão foi mal interpretada, e depois, de qualquer maneira, as previsões astrológicas só dão uma indicação, cabe a você agarrar suas chances... Em suma, a astrologia jamais se encontra na situação da relatividade geral ante as observações de Eddington. Nenhuma experiência pode refutá-la, mas toda previsão que, por acaso, se encontrar verificada é considerada uma confirmação da astrologia. Ao contrário, as confirmações eventuais de uma teoria científica são, diz Popper, o "resultado de *previsões que assumem* um certo risco". Dito de outro modo, e sempre segundo Popper, *"o critério de cientificidade de uma teoria reside na possibilidade de invalidá-la, de refutá-la ou ainda de testá-la"*.

Karl Popper inverte a perspectiva da filosofia das ciências tradicional. No século XIX, os cientistas tinham a impressão de descobrir a verdade. No máximo, essa convicção era temperada pela ideia de que se tratava apenas de uma verdade aproximada. A filosofia de Popper dá ênfase ao fato de que há somente "campos de verdade". O problema não é mais separar o verdadeiro do falso, mas saber em qual quadro se pode falar da verdade de um enunciado.

O critério de refutabilidade de Popper constitui uma das principais regras do jogo científico. Se uma teoria é refutável, ela não pode funcionar como os discursos de Tweedledum e Tweedledee ou dos criacionistas.

> A expressão "criacionismo científico" é um absurdo que encerra uma contradição nos termos, pelo próprio fato de que esse sistema não pode ser refutado, escreve Stephen Jay Gold. Eu posso imaginar observações e experiências que põem em xeque todas as teorias da evolução que conheço, mas não vejo

absolutamente quais dados poderiam levar os criacionistas a renunciar às suas certezas. Os sistemas imbatíveis são dogmas, não ciência.[5]

Rupert Sheldrake é refutável?

Se a ciência progride, os impostores também não ficam de papo para o ar. Depois de Popper, alguns deles perceberam que o critério de refutabilidade podia ser explorado para dar crédito a uma teoria pseudocientífica. É assim que Sheldrake pretende que sua teoria da causalidade formativa pode ser submetida ao critério de Popper! Eis aí algo que merece exame!

Recordemos a hipótese de Sheldrake: as formas se reproduzem por ressonância com formas anteriores. Dado o sentido extremamente vago que Sheldrake atribui ao termo "forma", a ressonância mórfica se aplica igualmente a esquemas de comportamento ou à aprendizagem de uma técnica particular. "Assim, por exemplo, no momento atual, deveria ter-se tornado progressivamente mais fácil aprender a andar de bicicleta, guiar um automóvel, tocar piano, ou utilizar uma máquina de escrever, levando em conta a ressonância mórfica cumulativa de um grande número de pessoas que já adquiriram esses talentos",[6] escreve nosso autor.

Não se contestará que seja mais fácil guiar um automóvel hoje do que na época de Ben-Hur (o que explica o lamentável acidente de que é vítima Messala, no fim da história). Mas para a bicicleta ou o piano, permite-se a dúvida. Quando eu próprio tentei ensinar meu filho de cinco anos a andar de bicicleta, tive

5 Stephen Jay Gould, *Quand les poules auront des dents*, op. cit. [cf. ed. port. citada].

6 Rupert Sheldrake, *Une nouvelle science de la vie*, op. cit.

o desgosto de constatar que, com ou sem ressonância mórfica, ele levava tombos com a mesma obstinação que eu manifestava na mesma idade (ele fez muitos progressos depois). Se a teoria de Sheldrake fosse exata, esperaríamos ver surgir gerações de pianistas ainda mais precoces do que Mozart, o que não parece ter acontecido.

Já que dispomos, no entanto, do critério de Popper, por que não submeter a hipótese da ressonância mórfica a esse critério? Para dizer tudo, a coisa foi tentada. Em 1986, foi organizado um concurso em Tarrytown, no Estado de Nova York, a fim de designar o melhor teste experimental da teoria de Sheldrake. Um prêmio de dez mil dólares foi dividido entre três vencedores. O primeiro, Gary Schwartz, um psicólogo de Yale, realizou uma experiência que consistia em mostrar palavras formadas de três letras hebraicas a estudantes que não conheciam o hebraico. Metade dos trios de letras eram palavras verdadeiras, e metade agrupamentos desprovidos de sentido. Segundo Schwartz, os estudantes reconheceram as palavras verdadeiras com um taxa de sucesso inexplicável pelo acaso. A segunda experiência, devida a um pesquisador inglês, Alan Pickering, repousava sobre o mesmo princípio mas com palavras persas. A terceira, feita por um psicólogo de Wisconsin, Arden Mahlberg, era também sobre o mesmo modelo, mas em código Morse.

Segundo o próprio Sheldrake, o conjunto dos resultados é "pouco conclusivo". De fato, seja qual for o resultado de tais experiências, seria difícil concluir o que quer que seja a propósito da teoria de Sheldrake. Na verdade, esta não esclarece a intensidade do efeito que deve ser detectado. Admitamos que uma experiência rigorosamente controlada mostre que as palavras verdadeiras do hebraico foram reconhecidas por 60% dos sujeitos, o que parece um bom *escore*. Será ele favorável à teoria de Sheldrake? Sim, se a teoria prevê que mais da metade dos sujeitos devem identificar as palavras verdadeiras; não, se a previsão é que 90% dos sujeitos farão as identificações corretas.

No segundo caso, a previsão é infirmada, mesmo que o resultado da experiência pareça suportar a hipótese.

Quando Eddington fotografou o eclipse de 1919, ele observou um desvio dos raios luminosos, mas não era um desvio qualquer. A observação era feita em dois tempos: as estrelas eram fotografadas durante o eclipse e em outro momento, quando o Sol ocupava uma posição diferente no céu. Segundo a teoria de Einstein, na foto tirada durante o eclipse, a imagem de uma estrela devia estar deslocada radialmente numa quantidade precisa em relação à foto de comparação. O que Eddington verificou não foi somente que os desvios existiam, mas sobretudo que eles eram muito próximos do que previa a relatividade.

Como Sheldrake não fornece nenhum dado quantitativo, é ilusório imaginar que uma experiência possa refutar sua teoria. Se ele nos dissesse que a cada geração o tempo médio necessário para aprender piano diminui 105%, poderíamos deduzir daí que, ao cabo de sete gerações, esse tempo médio foi reduzido de mais da metade. Poderíamos calcular o número de gerações ao fim do qual as crianças deveriam saber tocar ao nascer, antes mesmo de poder controlar o movimento dos dedos. Poderíamos confrontar essa previsão com a realidade, e concluir que Sheldrake não sabe contar. De outro modo, se a ressonância mórfica cumulativa é tão lenta que é preciso esperar dez bilhões de anos para observar uma diferença significativa sobre a duração de aprendizagem do piano, Sheldrake não corre o risco de ser apanhado em falta.

No limite, mesmo que constatássemos que as crianças aprendem piano *menos rápido* em 2000 do que em 1980, Sheldrake poderia ainda sair dessa: sua teoria não diz se a teoria mórfica cumulativa age com a mesma intensidade sobre todos os indivíduos. Como não é possível comparar a totalidade das crianças que pianolavam em 1980 à totalidade correspondente em 2000, é preciso limitar-se a amostras da população. Suponhamos que se compare uma amostra de mil crianças de 1980 a um grupo similar em 2000, mas que, por uma razão qualquer, os de 1980 tenham sido mais expostos à ressonância que os de 2000: os primeiros aprenderiam mais depressa, embora a tendência geral seja inversa.

O sistema de Sheldrake não é refutável, porque não tem quadro definido. Não se pode saber em que condições precisas ele se aplica, nem o que ele prevê exatamente. Para demonstrar a diferença com uma verdadeira teoria científica, retomemos o exemplo da mecânica clássica. Suponhamos que um TGV (Trem de Grande Velocidade) corra sobre uma via férrea a 250 km/h, e que um passageiro caminhe no trem, no sentido da marcha, a 4 km/h. Qual é a velocidade do passageiro em relação à beira da via? Segundo a mecânica clássica, é simplesmente a soma das duas velocidades, ou seja, 254 km/h. Imaginemos que o passageiro disponha de um sistema que lhe permite medir sua velocidade em relação ao cais enquanto o trem passa numa estação sem parar: ele encontrará 254 km/h.

Segundo a teoria da relatividade, entretanto, a velocidade do passageiro é na realidade de 254 km/h diminuída uma coisinha. Essa coisinha vem de que a lei de composição das velocidades, em relatividade, não é uma simples soma. Com efeito, uma das hipóteses básicas da relatividade é que a velocidade da luz é constante, seja qual for o sistema de referência escolhido. Se as velocidades simplesmente se somassem, a luz emitida pelos faróis do trem avançaria mais depressa que a de um projetor instalado no cais (supondo que os dois fachos sejam paralelos e orientados no mesmo sentido da marcha do trem). Mas segundo a teoria de Einstein, os dois fachos têm exatamente a mesma velocidade. Isso só é possível porque a lei de composição das velocidades, segundo a relatividade, não é uma soma, mas uma operação mais complexa, a transformação de Lorenz, que deixa a velocidade da luz invariante.

Segundo a transformação de Lorenz, a velocidade do nosso passageiro não é 254 km/h, mas um pouquinho menos. Como a diferença é inferior a um milionésimo de milímetro por hora, o passageiro não percebe. Mesmo se um aparelho de medida extraordinariamente preciso a detectasse, isso não mudaria nada na prática. As velocidades do trem e do passageiro são tão pequenas em relação à da luz que não há efeitos relativistas sensíveis. No quadro das "pequenas velocidades", as leis da mecânica clássica fornecem uma aproximação suficiente. Dito de outro modo, não se pode refutar a mecânica clássica com experiências sobre trens.

Imaginemos agora – trata-se de uma experiência de pensamento – que o trem corre à metade da velocidade da luz, e o passageiro a um quarto da velocidade. Qual é a velocidade do passageiro em relação ao cais? Segundo a mecânica clássica, ela é igual à soma das duas velocidades, ou seja, três quartos da velocidade da luz, ou ainda 225.000 km/s.[7] Mas se aplicarmos a transformação de Lorenz, a velocidade do passageiro é apenas de 200.000 km/s. Dessa vez, as previsões da relatividade diferem significativamente da mecânica clássica. Certamente nenhum trem corre a 150.000 km/s. Mas os elétrons, nêutrons ou outros componentes elementares da matéria lançados num acelerador de partículas podem atingir velocidades para as quais os efeitos relativistas se tornam importantes. É possível realizar nesses aceleradores experiências que refutam a mecânica clássica e verificam as previsões da relatividade. Isso não quer dizer que a mecânica clássica é falsa, mas que sua área de validade é limitada. A da relatividade é mais ampla, mas também tem seus limites. Assim, a relatividade não se aplica a escalas muito pequenas, por exemplo se procurarmos descrever as interações entre os quark, que são os constituintes dos elétrons ou dos prótons.

---

7 A velocidade da luz aqui é considerada igual a 300.000 km/s (com a diferença de um fio de cabelo), o que rigorosamente só é verdade no vácuo; mas o argumento principal não mudaria se considerássemos a velocidade da luz no ar.

Uma teoria que verifica o critério de Popper possui um "fora" e um "dentro". Não é o caso da teoria de Sheldrake, nem em geral das teorias pseudocientíficas. Essas teorias são supostamente aplicadas num campo que não conhece outros limites a não ser os da imaginação. Como observava muito justamente um grande pensador, quando os limites são ultrapassados, não há mais limites.

Todas as teorias científicas são refutáveis?

A pergunta pode surpreender, já que desde o início desta lição foi sublinhado que a refutabilidade permite distinguir a ciência da pseudociência. Entretanto, o critério de Popper, ele também, tem seus limites. Tomemos o exemplo da mais recente das teorias fundamentais da física, a teoria das supercordas. Essa teoria tem por ambição realizar a síntese que os físicos esperam há quase setenta anos entre a relatividade e a física quântica. A ideia básica consiste em substituir as partículas elementares pontuais por "cordas". Significa que, para além dos átomos e das partículas que os constituem, o menor objeto que possa existir é uma minúscula corda que vibra. Os modos vibratórios determinam as características das partículas. As cordas não são pontuais, mas têm uma certa extensão no espaço. Mas em todo caso são muito curtas: elas medem o "comprimento de Planck", um bilionésimo de bilionésimo de milionésimo de centímetro!

Essa teoria, de um nível de complexidade muito elevado, é também de uma grande elegância matemática.[8] Ela poderia constituir o edifício unitário com que sonhava Einstein, que dedicou os últimos trinta anos de sua vida a procurar uma teoria

---

8 Cf. Brian Greene, *L'univers élégant*, op. cit.

do campo unificado. Só que por ora ela não passa de um sistema de equações no quadro-negro: nenhuma experiência a confirmou, e isso talvez não aconteça muito em breve, mesmo que alguns físicos estejam persuadidos de que as primeiras verificações experimentais ocorrerão até o ano 2010. Em física, a estética não é tudo. O essencial é a concordância com o real. Reside aí o ponto fraco da teoria das cordas. Poderíamos compará-la a uma moça muito bonita ainda virgem, cuja beleza todos admiram, mas que ninguém ainda abraçou...

No seu estado atual, a teoria das supercordas não é refutável, porque, para testar suas previsões, seria necessário construir aceleradores de partículas muito mais potentes que os que hoje existem. Entretanto, nenhum cientista pretenderia que essa tão jovem teoria devesse ser descartada, pelo fato de que não temos ainda nenhum meio de confrontá-la com a realidade. A razão dessa "indulgência" é que a não refutabilidade da teoria das supercordas não corresponde a uma impossibilidade de princípio. Pode-se conceber uma experiência para testar a teoria – e até vários tipos de experiências – e não há nenhuma razão para pensar que essas experiências não serão realizadas um dia. Inversamente, não se pode imaginar nenhuma experiência para testar o criacionismo de Duane Gish, já que por hipótese a criação não é um objeto de pesquisa científica.

Muitas teorias científicas jamais teriam vindo à luz se não se tivesse exigido desde o início que suas previsões fossem testáveis. Einstein construiu a relatividade a partir de ideias teóricas, que só foram testadas em seguida. Einstein não é um empirista que deduz a teoria de fatos observados. É um "especulativo", isto é, "a teoria para ele é uma construção abstrata que não surge logicamente dos fatos, que é inventada pelo pensamento, e só depois confrontada com os fatos",[9] como escreve o

9 Michel Paty, "Einstein dans la tempête", in *Le monde quantique*, op. cit.

físico Michel Paty. Uma característica constante dos trabalhos de Einstein é a previsão de efeitos que só serão verificados muito tempo depois, como no caso das observações de Eddington.

Essa abordagem teorética, especulativa, é, todavia, aberta à verificação. Einstein fixa para si um "programa científico", baseado em ideias precisas, e procura levar até o fim as consequências teóricas e experimentais dessas ideias. Se uma ideia acarreta consequências desmentidas pela experiência, Einstein a modifica. Foi o que ele fez depois de ter postulado que o universo era estático. E não em expansão; ele reconheceu em seguida ter-se enganado, e até qualificou esse erro de "a maior besteira" de sua carreira. Mesmo se Einstein produz teorias que de início não são refutáveis, ele sempre conserva no espírito que a construção teórica deve estar de acordo com a realidade.

Ao contrário, a atitude pseudocientífica parte de uma ideia vaga, e a mantém contra ventos e tempestades pelas contorções retóricas mais abracadabrantes, em desprezo ao real.

"Coroa eu ganho, cara você perde"

De certa maneira, existe um parentesco entre a noção de refutabilidade de uma teoria e o teorema de Gödel: se uma teoria pode ser refutada, é porque não se pode demonstrar de maneira absoluta que ela não pode ser posta em contradição com a realidade. Da mesma maneira, o teorema de Gödel enuncia que não se pode demonstrar que uma teoria matemática não se contradiz. A "contradição com a realidade" desempenha aqui, para as teorias físicas, um papel equivalente à contradição lógica para uma teoria matemática. Uma experiência não conforme com as previsões teóricas infirma a teoria física; uma contradição lógica destrói a teoria matemática.

As teorias não refutáveis das pseudociências são regidas por uma lógica que não integra a limitação colocada pelo teorema de Gödel. São teorias globalizantes das quais não se pode escapar. Diga o que quiser o crítico, ele vê opor-se uma resposta que desqualifica sua objeção. "Coroa eu ganho, cara você perde": essa fórmula resume a alternativa ilusória na qual Sheldrake coloca seus interlocutores. "Ou eu estou certo, ou você está errado": se a experiência funcionar, ela confirma minha teoria; se ela fracassar, a teoria é mantida. Esse esquema é característico da retórica pseudocientífica. Ele aparece também em certos modos de comunicações patológicas que foram estudados pelos psicólogos americanos da escola de Palo Alto, cujo chefe de fila é Paul Watzlawick. A originalidade do grupo de Palo Alto é de ter introduzido conceitos e ideias oriundos da lógica matemática para modalizar a comunicação humana. Muitos conflitos psicológicos se traduzem por erros de lógica, confusões entre níveis, contradições ou paradoxos como aquele do mentiroso. A atitude de Watzlawick e de seus colegas visa modificar situações patológica levando seus pacientes a perceber esses funcionamentos ilógicos e a restabelecer um modo mais racional.

Existem muitas semelhanças entre a comunicação dos impostores científicos e as comunicações patológicas estudadas pelo grupo de Palo Alto. Como já sublinhamos, o diálogo de surdos entre Philip Gosse e seus contraditores evoca o de Alice com os dois malvados duendes: esse diálogo não leva a nada, porque Gosse é incapaz de sair de sua lógica, de considerar seu sistema "de fora". Reencontramos o paradoxo do sonhador, que Watzlawick, Beavin e Jackson analisam da maneira seguinte:

> Nenhum enunciado, formulado dentro de um quadro de referência determinado, pode ao mesmo tempo "sair", pode-se dizer, desse quadro e negar-se a si mesmo. É o dilema do sonhador que se debate no seu pesadelo: o que ele se esforça por fazer no seu sonho não pode ser seguido de efeito. Para escapar ao seu pesadelo, é preciso que ele acorde, isto é, que saia do quadro fixado pelo

sonho. Mas o despertar não faz parte do sonho, é um quadro de uma outra ordem, um "não sonho", se podemos dizer assim.[10]

Dentro de semelhante quadro, toda escolha é ilusória porque ele permanece preso no sistema definido pelo quadro. Paul Watzlawick sublinha que a alternativa ilusória aparece igualmente na comunicação em regime totalitário. Assim, por ocasião de uma campanha de propaganda, os nazistas inscreveram sobre grandes cartazes este arrogante *slogan*: "O nacional-socialismo ou o caos bolchevique?", subentendendo que não existe outra possibilidade. "*Erdäpfel oder Kartoffel?*" – "Batatas ou batatinhas?" respondia uma pequena tira de papel que um grupo de oponentes clandestinos colou sobre centenas de cartazes, suscitando a cólera da Gestapo.

"A reação da Gestapo não visava apenas à insolência com a qual aquela pérola da razão de Estado totalitário tinha sido levada ao ridículo", observa Watzlawick. "Ela era dirigida contra o 'crime de pensamento' que consiste em tomar consciência da *existência de uma meta-altenativa* e a evadir-se do quadro imposto."[11] A expressão "crime de pensamento" é uma alusão ao *1984* de Orwell, no qual se pode ler o seguinte: "A liberdade é a liberdade de dizer que dois mais dois são quatro. Quando isso é concedido, o resto vem a seguir".

Não é nada surpreendente que a loucura lyssenkista se tenha desenvolvido num regime totalitário. Dito isso, seria, evidentemente, inteiramente falso considerar a impostura científica uma forma de totalitarismo. Mas essas retóricas que se isolam obstinadamente num discurso percebido como uma totalidade autossuficiente sofrem, guardadas as devidas proporções, da mesma carência lógica: a impossibilidade de pensar o metassistema, a alternativa real que permite sair do quadro.

---

10 Ibidem.

11 Ver Paul Watzlawick, *Le langage du changement*, op. cit.

A filosofia de Popper fornece muito mais do que uma receita para separar o bom trigo científico do joio da impostura. A ideia de refutabilidade fornece uma salvaguarda ao mesmo tempo contra os delírios pseudocientíficos e contra os abusos de uma razão demasiado segura de si mesma. Admitir o critério de Popper é aceitar implicitamente que todo sistema de pensamento pode ser ultrapassado, ou seja, pensado num quadro mais amplo. Como diz, mais uma vez, Einstein: "Não poderia haver destino mais belo para uma teoria ... do que abrir o caminho para uma teoria mais englobante no seio da qual ela continua a existir como caso particular". É o caso da mecânica clássica, que de certo modo é um caso particular de mecânica relativista, no qual as velocidades são pequenas em relação à velocidade da luz.

Pôr à prova uma teoria é também um processo de comunicação, um meio de confrontar e de partilhar visões do mundo. A refutabilidade introduz a *dimensão social da prova*. A experiência que confirma ou refuta não é um exercício solitário. Se o seu resultado é validado, é porque uma comunidade científica pode experimentar o seu alcance, reproduzir, avaliar suas consequências. Verificar significa não apenas tornar verdadeiro, mas tornar partilhável, socializar. O discurso não refutável é um discurso solitário, que se autocontempla no espelho de sua solidão.

Por que a ciência progride?

Em suma, o critério de Popper é uma espécie de juiz de paz. Ele permite eliminar as teorias pseudocientíficas, "fazer a faxina". Mas não se pode contar com ele para fazer surgir novas ideias teóricas, novas concepções. Aqui, entra em jogo a criatividade dos cientistas, sua aptidão para compreender como se ordenam os fenômenos, sua capacidade de "entrar na pele das coisas" – uma qualidade que Einstein possuía no mais alto grau.

Uma teoria científica não se limita a descrever fenômenos e a classificar observações. Ela faz previsões, descreve uma certa ordem nos fenômenos. Essa descrição é em seguida confrontada com o real, segundo o critério de refutabilidade. Mas aqui se coloca uma pergunta: por que as teorias científicas, que são criações do espírito humano, estão de acordo com o universo – pelo menos na sua área de validade? Por que elas funcionam?

Essa Verdadeira Pergunta se aproxima daquela do sentido do universo, abordada na Lição 7. Por que o mundo obedece a leis? Por que ele não é simplesmente um caos no qual não se poderia discernir o mínimo esboço de ordem?

O problema é formulado com grande clareza numa passagem do livro de Umberto Eco, *O nome da rosa*, que é tanto um tratado de epistemologia quanto um romance. O livro narra a investigação empreendida por Guilherme de Baskerville, um ex-inquisidor, e seu secretário Adso, a fim de elucidar uma série de assassinatos ocorridos numa abadia beneditina. Ao mesmo tempo que Guilherme e Adso – a dupla Holmes-Watson transposta para a Idade Média – procuram um enigmático assassino, eles se dedicam a uma apaixonante investigação sobre as relações entre a linguagem e a realidade, os signos e os sentidos, as palavras e as coisas.

A passagem em questão se situa no momento em que, depois de perder seus óculos, Guilherme de Baskerville os substitui aplicando uma teoria que ele próprio põe em dúvida:

> – Como posso descobrir o elo universal que põe ordem nas coisas, se não posso mexer o dedinho sem criar uma infinidade de novos estados, já que com tal movimento todas as relações de posição entre meu dedo e todos os outros objetos mudam? As relações são as maneiras como meu espírito percebe a ligação entre estados singulares, mas que garantia posso ter de que essa maneira é universal e estável?
>
> – Você sabe, porém, que a uma determinada espessura de lente corresponde uma certa potência de visão, e é porque você

sabe que você pode fabricar agora lentes iguais às que você perdeu, senão como poderia?

– Resposta penetrante, Adso. Com efeito, eu elaborei essa proposição, que a espessura igual deve corresponder uma igual potência de visão. Eu a emiti porque outras vezes já tive intuições individuais do mesmo tipo ... Atenção, falo de proposições sobre as coisas, não das coisas. A ciência lida com as proposições e seus termos, e os termos designam coisas singulares. Você compreende, Adso, eu devo crer que a minha proposição funciona, porque eu a apreendi baseando-me na experiência, mas para acreditar eu deveria supor que existem leis universais, e, todavia, não posso falar delas, pois o próprio conceito de que existem leis universais, e uma determinada ordem das coisas, implicaria que Deus fosse prisioneiro delas, ao passo que Deus é coisa tão absolutamente livre que, se quisesse, por um único ato de vontade, o mundo seria diferente.

– Então, se bem compreendo, você sabe o que faz, e sabe por que faz, mas você não sabe por que você sabe que você sabe o que faz?

A frase de Adso é menos alambicada do que parece. Ela permanece justa, quer se admita ou não a hipótese de um Deus soberanamente livre. Ela diz em suma a mesma coisa que Albert Einstein, que considerava que o mais misterioso não era que *nós* compreendamos o universo, mas que ele fosse compreensível. Seja qual for a maneira de encarar as coisas, permanece enigmático que a natureza se dobre às leis formuladas por nosso espírito. Não há solução para o paradoxo colocado por Adso: "Eu não sei por que eu sei que eu sei o que faço". Esse paradoxo constitui um horizonte intransponível para todo pensamento racional: nossa razão pode formulá-lo, mas não pode resolvê-lo. Aceitar que a razão não tem resposta para tudo é a única maneira de servir-se dela judiciosamente. Não podemos saber por que "isso funciona", e saber por que a ciência funciona não é necessário para esse funcionamento.

Essa situação pode parecer incômoda, mas não é absurda. Ela traduz o corte entre a área do sentido, do pensamento e da ação e a área dos objetos e da ação. Um pensamento sem corte é um pensamento demente. "só um esquizofrênico é suscetível de comer o cardápio em vez do jantar, e se queixar de que ele tinha péssimo gosto".[12]

Existem ciências "não popperianas"?

À parte teorias recentes, existem outras áreas da ciência, ou em todo caso do saber, que não respondem ao critério de Popper. A história, por exemplo, não é regida por leis preditivas que permitiriam antecipar de maneira segura tal ou tal acontecimento. E como se poderia testar, de maneira experimental, a exatidão de uma predição histórica?

Karl Popper via na psicanálise freudiana o exemplo exato de uma teoria não refutável. Os biólogos reducionistas criticam na teoria de Freud sua falta de objetividade científica, suas estruturas conceituais inverificáveis de maneira rigorosa. Seja qual for a maneira de considerar a teoria freudiana, não se vê absolutamente como testá-la por um procedimento calcado sobre o modelo da refutabilidade das teorias físicas. Que experiência "objetiva" permitiria, por exemplo, testar a existência do inconsciente no sentido freudiano?

Frequentemente se esquece de que o próprio Freud tinha consciência do problema. Primeiramente médico e anatomista, ele inventou uma técnica para isolar as células nervosas e passou longas horas estudando no microscópio os gânglios e a medula espinhal do petromizonte, peixe próximo da enguia.[13]

---

12 Ver Paul Watzlawick, Janet Nelmick Beavin, Don D. Jackson, *Une logique de la communication*, Paris: Seuil, 1972.

13 Ver Pierre Babin, *Sigmund Freud, un "tragique à l'âge de la science"*, Paris: Gallimard, 1990 (col. "Découvertes").

Sua ambição inicial era compreender as bases fisiológicas do psiquismo, como tentam os pesquisadores de hoje, dos quais em certo sentido ele é o predecessor. A impossibilidade de levar a cabo essa tarefa com os meios disponíveis no fim século XIX, ao mesmo tempo que razões pessoais o levaram a abandonar seus trabalhos de laboratório em 1885.

Que a psicanálise não seja uma teoria científica como a física quântica ou a relatividade não significa que ela não tenha nenhuma utilidade para compreender o cérebro, ao contrário. A neurobiologia contemporânea trabalha com uma eficácia indiscutível sobre sistemas muito limitados: tal tipo de neurônios, tal neurotransmissor, tal canal iônico etc. Esses sistemas não dizem muita coisa da paisagem de conjunto. Ora, não parece que seja possível compreender a consciência ou o cérebro sem ressituar os sistemas locais na sua paisagem global. Saber, por exemplo, que a depressão é acompanhada de uma baixa da serotonina não diz grande coisa do indivíduo deprimido.

Sem aprofundar muito essa discussão, queria sublinhar que o modelo das ciências da natureza não se aplica a todas as formas de conhecimentos e de teorias. Podemos sustentar que a teoria psicanalítica é uma teoria interpretativa, que permite dar sentido a comportamentos subjetivos. A experiência mostra que encontrar um sentido para os acontecimentos da vida pode ajudar a viver melhor, ou menos mal. De certa maneira, ela valida assim as teorias de Freud. Mas aqui se trata de experiência clínica, subjetiva, não de experiência científica no sentido das ciências físicas. O que se pode esperar da psicanálise não é da mesma ordem daquilo que se aprende da física, da química ou da biologia.

De resto, é revelador observar que a oposição entre neurobiologia e psicanálise parece pouco a pouco sair de moda. Pesquisadores como Olivier Sachs, Jean-Didier Vincent ou Antonio Damásio reabilitam o estudo das emoções, das paixões ou da personalidade em seu conjunto, que o reducionismo dominante tinha rejeitado como pouco suscetível de investigação científica. O grande interesse do pensamento freudiano no universo atual das ciências do espírito é talvez mostrar que não se explicará o todo do homem com um único tipo de teoria. Que as ações, os comportamentos, os acontecimentos que afetam um indivíduo e dos quais ele participa não se reduzem a uma série de mecanismos. A psicanálise não é "objetiva", e a história só o é parcialmente. Mas os humanos não são objetos.

É possível uma "outra ciência"?

Essa pergunta atravessa de ponta a ponta a problemática da impostura científica. Na retórica da pseudociência, a alternativa ilusória é constantemente apresentada como uma alternativa efetiva. Existiria *realmente* uma outra dimensão, uma realidade paralela, um universo insuspeitado de fenômenos paranormais, uma "supernatureza", uma ordem invisível para além do visível. E esse outro mundo reclama uma "outra ciência", um novo modo de pensar, uma linguagem diferente.

Esse "além" da ciência que, apesar de tudo, se pretende científico remete à solidão do impostor típico. É ele que está "além" e, para parafrasear Groucho Marx, não queria por nada deste mundo fazer parte de um clube científico que estivesse disposto a aceitá-lo como membro. Através da problemática de uma "outra ciência", de uma "ciência alternativa", o tocador de flauta exprime sua relação de exclusão – de autoexclusão – perante a ciência "normal".

Sobre esse ponto, a situação do impostor que produz um discurso pseudocientífico se compara à do cientista fraudador. Embora este último de início se situe na sociedade da ciência normal, ele se exclui dela por sua trapaça. Ele deseja um lugar impossível, que estaria ao mesmo tempo dentro e fora da lei, onde seria possível pintar de branco ratos pretos e proclamar em seguida que eles nasceram brancos.

Apesar de tudo, será que poderia existir uma ciência que não seja uma impostura e que seja radicalmente diferente daquela que conhecemos? Essa ideia parece credenciada pela imagem que apresenta a história das ciências como uma série de revoluções – de Galileu a Newton, de Newton a Einstein, de Einstein a Bohr, Heisenberg e Dirac. Deve-se esperar uma revolução ainda mais profunda que todas as outras, que revolucionaria não apenas o conteúdo das ideias científicas, mas nossa relação com a ciência e o mundo?

Não dispondo de uma bola de cristal, contentar-me-ei com uma dúbia resposta de normando [talvez sim, talvez não]. Se considerarmos o lugar da ciência na sociedade e o papel que ela exerce, não há dúvida de que o Ocidente já viveu várias revoluções. Esquematizando ao extremo, desde o fim da Renascença, podemos distinguir três fases durante as quais o estatuto da ciência se transforma de maneira decisiva. A primeira começa com Galileu (1564-1642) e prossegue com Descartes (1596-1650) e Newton (1642-1727). É o momento em que a visão científica se emancipa da hegemonia religiosa e da filosofia aristotélica; é também, iniciado por Galileu mas ainda mais por um Christiaan Huygens (1629-1695), o início do método experimental; Huygens, a quem devemos, entre outras coisas, a teoria do pêndulo e a definição da força centrífuga, "é o primeiro verdadeiro representante do espírito científico moderno".[14]

A segunda fase sobrevém em concomitância com a Revolução Industrial do século XIX. Carnot (1796-1832) inventa a termodinâmica; a máquina a vapor toma o lugar da força humana, esperando a eletricidade, da qual Ampère (1775-1836), Faraday (1791-1867) e Maxwell (1831-1879) constroem a teoria, enquanto Edison (1847-1931) inventa o uso. Darwin (1809-

14 *Inventeurs et scientifiques, dictionnaire de biographies*, Paris: Larousse, 1994.

1882) destrona nossa espécie do seu lugar central no Universo e Freud (1856-1939) faz do sonho e do aparelho psíquico um objeto de estudo científico. A ciência do século XIX é audaciosa, arrogante, otimista, ela não duvida da sua capacidade para dominar a natureza e para elucidar todos os aspectos da realidade: "O Universo doravante é sem mistério", proclama o químico Marcelin Berthelot no fim do século XIX.

A terceira fase se abre com a explosão de Hiroshima, que marca o advento de uma ciência coletiva, integrada às estruturas estatais, militares e industriais. Essa ciência ubiquitária, indissociável da técnica, impregna o ambiente contemporâneo. Ela é portadora do melhor e do pior, da destruição nuclear e da esperança de vencer o câncer. Ela é mais operatória, menos conceitual e filosófica que a ciência do século XIX. Apesar de sua potência, ela é demasiado complexa e múltipla para desenhar o retrato de um Universo "sem mistério", mesmo se seus meios de agir sobre o mundo são consideravelmente superiores aos das épocas anteriores.

Uma análise precisa deveria distinguir numerosas outras etapas, mas já se percebe, pelos três momentos aqui esboçados, que o papel da ciência transformou-se profundamente desde o início da era moderna. Ora, e isso parece contraditório, se considerarmos não mais o lugar da ciência na sociedade, mas a história das ideias em ciência, não é evidente que o conceito de revolução científica seja mais do que uma metáfora. Gerald Holton, professor de História das Ciências na Universidade de Harvard, mostrou, por surpreendente que pareça, que os próprios cientistas não estão convencidos da pertinência da noção de revolução científica. Dechard Holton:

> Enquanto certos cientistas podem conceder uma aceitação indiferente às observações sobre a natureza "revolucionária" das realizações passadas que se integraram no *corpus* estabelecido, como é o caso da teoria da relatividade, eles renegam, entretanto, o modelo revolucionário em favor de um modelo evolutivo quando

> sua atenção passa dos antigos textos de ciência para o seu próprio trabalho ou para o de seus contemporâneos.[15]

Em apoio, Holton cita esta frase do físico americano Steven Weinberg: "O elemento essencial do progresso foi dar-se conta, cada vez mais, de que uma revolução não é necessária". Julgamento tanto mais interessante quanto Weinberg dividiu o Nobel de 1979 com seu compatriota Sheldon Glashow e o paquistanês Abdus Salam por trabalhos habitualmente considerados revolucionários. Esses três físicos são os principais artesãos da teoria eletrofraca, que constitui um passo importante para o grande sonho de Einstein de uma teoria unificada dos fenômenos físicos.

Ainda segundo Holton, o próprio Einstein "manteve constantemente que a teoria da relatividade era apenas uma 'modificação' da teoria já existente do espaço e do tempo, e que ela não 'diferia radicalmente' daquilo que tinha sido construído em seu tempo por Galileu, Newton e Maxwell".

Revolução ou mudança na continuidade? Poderíamos dizer que a descoberta científica consiste frequentemente em, mais do que introduzir uma ideia "revolucionária", pensar de maneira diferente os conceitos existentes. Para Holton, "a tendência principal sempre consistiu e no futuro continuará certamente consistindo na persistência das ideias essenciais". Mesmo se julgarmos essa formulação um pouco excessiva, ela o é muito menos que as profecias apocalípticas que anunciam regularmente a crise da razão e o fim do saber objetivo. Quanto às revoluções, elas afetam uma sociedade em seu conjunto. A ciência é um componente da sociedade, importante, cada vez mais importante mesmo, mas outros componentes entram em jogo para produzir uma revolução. E nós estamos mais ameaçados

---

15 Gérald Holton, "Sur les processus de l'invention scientifique dans les percées 'révolutionnaires'", in *Sciences et symboles, les voies de la connaissance*, op. cit.

pela bomba, pelos usos abusivos da genética ou pela ciberni-zação da sociedade, do que pela implosão da racionalidade. "O processo da invenção científica não está em perigo", diz Holton, "A Humanidade, essa está".

Isso reduz a mais justas proporções as fantasias e as especulações extravagantes que nos ocuparam ao longo de todo este livro. Naturalmente, não se deve excluir *a priori* a possibilidade de fenômenos misteriosos, e certamente restam mundos desconhecidos a descobrir. Nada impede que um grande número de milagres seja explicado por causas banais. Tudo bem pesado, eu estaria inclinado a seguir o conselho que o físico Anatole Abragam mandou afixar no seu laboratório: "Antes de jogar a mecânica quântica na lata do lixo, verifiquemos uma última vez os fusíveis".

Exercícios

1 Construa quatro triângulos equiláteros com seis palitos de fósforos, de tal modo que cada lado de qualquer um dos triângulos coincida com um palito. É proibido evidentemente quebrar o palito em dois, ou qualquer outra manobra desse tipo.

Indicação: é um problema típico de "saída do quadro imposto". Geralmente, aqueles que atacam pela primeira vez este problema começam por dispor os palitos sobre a mesa e a deslocá-los em todos os sentidos, até se render à evidência de que não há palitos suficientes... Entretanto...

Resposta: é preciso construir um tetraedro, uma pirâmide formada por quatro faces triangulares idênticas.

2 Um beduíno acaba de morrer, deixando o seguinte testamento: "Deixo a metade de meus camelos ao meu primeiro filho, um terço ao meu segundo filho e um nono ao meu terceiro

e último filho". Sabendo-se que o rebanho compreende dezessete camelos, como realizar a partilha sem cortar os animais em pedaços?

Resposta: trata-se mais uma vez de saída do quadro imposto, graças a um engenhoso artifício. Os três irmãos devem pedir emprestado ao tio um camelo suplementar. Agora há dezoito camelos, número divisível por 2, 3 e 9. Feita a partilha, os filhos podem restituir o camelo emprestado (9 + 6 + 2 = 17).

SOBRE O LIVRO

Formato: 14 x 21 cm
Mancha: 23,3 x 40 paicas
Tipologia: Iowan Old Style 10/14
Papel: Pólen Soft 80 g/m^2 (miolo)
Cartão Supremo 250 g/m^2 (capa)
1ª edição: 2004
2ª reimpressão: 2012

EQUIPE DE REALIZAÇÃO

Coordenação Geral
Sidnei Simonelli

Produção Gráfica
Anderson Nobara

Edição de Texto
Nelson Luís Barbosa (Assistente Editorial)
Nelson Luís Barbosa (Preparação de Original)
Ana Paula Castellani e
Carlos Villarruel (Revisão)
Anselmo Vasconcelos (Atualização Ortográfica)

Editoração Eletrônica
Casa de Ideias (Diagramação)

Impressão e acabamento